岩波講座　世界歴史　7

東アジアの展開

八〜一四世紀

岩波講座

世界歴史

07

東アジアの展開

八～一四世紀

岩波書店

第7巻【責任編集】荒川正晴
冨谷　至
【編集協力】宮澤知之

目次

宋金元の郷村社会の展開

コラム｜*Column*

展　望 | *Perspective*

展望　*Perspective*

東アジア世界の連動と一体化

宮澤知之

序論

本巻は八世紀中葉から一四世紀までの東アジアを対象とする。初めに本巻で扱う地域と時代、および近年の歴史研究の動向についていて触れつつ、この時代がどのような時代であったのか簡単に述べておこう。

二〇世紀の後半、一九六七年のヨーロッパ共同体(EC)の成立、一九九三年のヨーロッパ連合(EU)への発展、冷戦体制の終結(一九九一年)など世界状勢の変化と歩調をあわせ、歴史学においても、世界を把握する枠組みを大きく変更する歴史観が主張されるようになった。一言で言えば、国や地域を超えた文化の交流に着目し、対等の国際関係を結んで、すべての地域が歴史展開の主役となる歴史観の登場である。環日本海や南シナ海を舞台とする海域世界の連動性に着目する歴史観、中央ユーラシアのとくに遊牧民族の歴史に果たした役割に注目する歴史観が主なものである。

一方で、一九九〇年前後における社会主義国の相次ぐ崩壊は、日本における歴史学の方法に多大な影響を与えた。歴史は原始共同体→古代奴隷制→中世封建制→近代市民社会(資本主義)→社会主義と継起的に展開するというかつて盛んにいわれた「世界史の基本法則」は説得力を失い世界史の多系発展が主張されるようになり、また社会の構成・秩序を説明するために、階級史観に代わる方法論として地域社会論の潮流が形成された(伊藤 二〇一〇：附論)。

このような現状を背景に本巻が扱う八－一四世紀の東アジア全域の歴史の捉え方も多様性に満ちたものとなってきている。そこで東アジアの地理的範囲と八－一四世紀という時間的範囲について準備的に述べておきたい。

まず「東アジア」という地域の範囲について。本巻は地理的には、いわゆる中国本土を中心として、文化的には、それなりのまとまりのある地域を東アジアと捉える。ここにいう文化とは政治・経済・宗教・文学等人間の活動の総体のことである。

ただ東アジアといっても、北方民族とそれ以外の国々では中国との関わり方が異なっている。ここでいう北方民族とはモンゴル高原から興った遊牧・牧畜・農耕民族で、武力で中国と関係した。とくに一〇世紀以後国家を形成した国々は本拠地を維持したまま中国に侵入し、中国本土北辺(契丹《きったん》)、ついで華北(金《きん》)、さらに全土(モンゴル帝国)へと版図を拡大した。これら三国は、本拠地には部族制を、支配下においた中国には州県制を採用したことで共通する。この二元体制は、中国農業社会の構造を変えることなく、逆に中国は侵入してきた北方民族を中国化したので、中国は中国のままであった。

中国の西部・南部・東部を取り巻く農耕民族の国々は、北方民族とは異なる仕方で中国と関係した。八世紀以後、唐の弱体化とともに衰頽・崩壊し、また新たな国々を建設したところが多く、その際、官僚制をはじめとして中国の文化を取り入れることで王朝の体裁を整えたりした。ただしそれは外面的な装いにすぎず、中国的な堅牢な官制機構を作ることなく、自分たちの本分を維持した。仏教国も多く、儒教を導入しても国家の形式を整えただけで本来の宗教・信仰を保持する国もあった。また中には王や皇帝を称しながら中国に臣従し、また強力な北方の国家に臣従した国もあった。中華世界の一部でありながら、総じて他国との距離を保ち、程度の差こそあれ「小中華」として存在した。「小中華」とは中華の本体である中国の文化を、それぞれの国情に合わせて取り入れた国々である。西夏《せいか》、南詔《なんしょう》、大越《だいえつ》、高麗《こうらい》、渤海《ぼっかい》がこれにあたり、本巻では論及しないが、日本もこれにあたる。

このように、八世紀以後の東アジアは、新しく擡頭した北方の国家も、中国を取り囲むその他の国々も、すべて中国を中心とする一つの地域として関連しあって動いている。それは蓋し東アジアが一体だからである。

如何なる地域にも固有の歴史があり、自らの地域・民族・国家を中心に歴史を捉えるのは、その地に生きる人々にとっては自然のことである。だが大きな視野で広い地域を眺めれば文化の中心となる地域のあることも確かである。八―一四世紀の東アジアでは、軍事的には北方民族が優勢ではあるが、文化とりわけ経済の面では中国が中心的な役割を果たしたことは疑いない。

次に「八―一四世紀」という時代について。中国史の時代区分は幾つか提唱されているが、日本の学界では、宋以後、一九世紀半ばあるいは二〇世紀初頭までを中世とする説、あるいはそれを近世とする説に分かれるが、いずれにしろ唐宋の間で時代を区分するのが普通である。中国の学界でも春秋戦国から二〇世紀初頭までの帝政期を唐宋間で前後二分するという見方が主流である。本巻が対象とする「八―一四世紀」は唐代中葉から元末明初までである。唐代中葉以後宋初までを一般に唐宋変革期(八―一〇世紀)と称し、内藤湖南が提唱者である(内藤 一九二二)。政治・経済・学術等歴史のあらゆる面で変容が認められ、鉄案といってよい。この変革期を象徴する大事件が安禄山《あんろくざん》・史思明《ししめい》の乱(略して安史の乱、七五五―七六三年)である。

ところで中国における近代の始まりに目を向けると、国制が帝政から共和制へ大転換をとげたことを重視するなら辛亥革命(一九一一年)が妥当であるが、一九世紀半ばのアヘン戦争に象徴される西洋の衝撃とその後の対応、すなわち近代化の過程をより重視する立場もある。一九世紀中葉にせよ、二〇世紀初頭にせよ、近代を迎える以前の時代はいつごろ始まったかという問題をたてれば、近年、一六世紀の世界史的展開が注目されるようになった。中国史では明末にあたり、一六・一七世紀の明清交替期を時代の画期とする見方が有力になってきた。この時期に注目するのは、明清王朝内部の事情によって国制が転換したというより、全世界的な銀の動きの一部として中国の社会・経済が変動し、それに対応した中国王朝の諸制度の変化が起こったと見られるからである。

唐宋変革期から明清交替期までを一つの時代とみると、本巻が対象とする「八―一四世紀」は唐代中葉から元末明初までで、明初(一四世紀末)から明後半(一六・一七世紀)までの一〇〇―二〇〇年の期間をどう考えるかという問題が起きる。私は、明前半は宋元の延長上にあり、明清交替期という過渡期をへて次の時代に展開してゆくと考える。それゆえ本巻では必要に応じて明前半期にも言及する。ただし時代区分は研究者によって考え方の違いが大きいので、本巻では時代区分にあまり論及せず、各論文の執筆者にまかせている。

東アジアにおける一四世紀の中国を取り巻く諸民族・諸国家では、元朝が北アジアのモンゴル高原へ撤退した時期(明朝に対し北元という)、東南アジアでは一三世紀・一四世紀の危機の時代にあたる。中国社会にとってモンゴル王朝の北帰は大きな政治的事件であるが、中国文化を宋元明を通してみると、中国社会とりわけ南中国では一貫した流れが存在し、元明間で時代を分ける必然性はない。本巻で必要に応じて明前半期にまで言及するゆえんである。

一、唐宋変革といわゆる「五代十国《じっこく》」

八世紀中葉から一一世紀後半まで、すなわち安史の乱から北宋の「熙豊変法《きほうへんぽう》」(一一世紀後半)まで、「五代十国時代」をはさむ約三〇〇年間は、内藤湖南以来、いわゆる唐宋社会変革の時期として認められるように、中国社会が変貌をとげた時代である。唐宋変革は「五代十国時代」の分裂期をへて北宋に統一される。ただし中国本土北辺の燕雲《えんうん》十六州は契丹の領域となり、西北部には西夏があったから、宋の統一といってもかなり不十分な統一であった。

唐宋変革期は中国社会が変貌する過渡期である。何がどう変わったかをごく一般的に言えば、唐前期までの律令制が藩鎮《はんちん》体制をはさんで宋代君主独裁・文臣官僚制へ移行したということになろう。そこには官僚機構・官吏登用法・法制度・財政など国制にかかわる変化があり、その背景に社会経済の新たな展開があり、中国国内の経済中心地の移動があり、また学術・思想の新展開があった。そして北方遊牧民族の南下に対処しなければならない差し迫った国際環境があった。唐宋社会変革はこれらの状況すべてが複雑に絡みあっている。

唐宋変革期は過渡期であり、国制・社会・文化等変転著しい時代である。過渡期としての唐宋変革期は三期に分けられる。唐後半期、五代十国期、宋初である。唐後半期から五代十国期を特徴づける政治体制は藩鎮体制である。藩鎮とは皇帝専制のもと朝廷の藩屏となる地方の軍事勢力であり、その中核は唐前半期の律令官制の外に設けられた皇帝勅命の官(使職《ししょく》)たる節度使である。節度使は次第に政治的力量を拡大し、黄巣《こうそう》の乱(八七五―八八四年)のあと自立化の傾向を強め、九〇七年唐朝が滅亡すると、おのおの独立して各地に王朝を開いた。華北に五国が興亡し、長江流域とその周辺に十国がある時代を「五代十国時代」という。唐が滅亡した九〇七年から宋が成立した九六〇年までの五〇年あまりである。

これまで研究史上、華北の五代王朝に強く関心が集中してきたが、近年華南・四川の十国にも目が向けられるようになり、五代王朝と十国王朝の関係や十国王朝どうしの関係が問われるようになった(山崎 二〇一〇)。唐宋変革期を叙述するとき政治史の展開は華北を、経済史の展開は華中南を論じるという現状を脱し、五代十国時代の中国社会を全体として捉えることも可能となってきた。

ところで一〇世紀に四分五裂した政治勢力を「五代十国」と整理し、五代を正統王朝と認めたのは北宋の歴史家欧《おう》陽脩《ようしゅう》(欧陽修と表記してもよい)の歴史書『新五代史』と司馬光《しばこう》の『資治通鑑《しじつがん》』である。『新五代史』は原題『五代史記』、薛居正《せつきょせい》監修の『五代史』に対して『新五代史』といい、薛居正の書を『旧五代史』というようになった。『新五代史』と『資治通鑑』の二書は、唐から後梁《こうりょう》・後唐《こうとう》・後晋《こうしん》・後漢《こうかん》・後周《こうしゅう》・宋と、系譜のたどれる王朝を正統と認めたものである。現在の眼から見ると正統王朝と非正統王朝を区分する必要性は政治イデオロギー等の研究分野を除けばあまりない。どのような要件があれば他の王朝から独立する政権としての実体をもっているかが重要である。

欧陽脩や司馬光以前、唐滅亡以後、宋が建国するまでの政治勢力がどれほどあったかの見積もりは歴史編纂者によって異なっている。一方、後晋と後漢の間で一時華北を統治した遼を数えると六代になる。欧陽脩・司馬光の正統論をア・プリオリに採用して五代とするのは問題である。「五代十国時代」という言い方はあくまで唐と宋のあいだの分裂状態をいう便宜的な呼称でしかない。

華北の五代は、安定した王朝がなく短命で興亡を繰り返した。その要因の一つは、君主権力の独自の基盤が禁軍・親軍にあり、君主と禁軍・親軍の関係は仮子・義児という擬制的な父子関係に基づいたことにある(栗原 二〇一四:第二部)。この私的な関係が国家機構内部にあることによって、皇帝の権力は不安定であり、とくに皇帝の代替わりに際して、新旧君主の家臣団の軋轢が生じた。公権力内部において私的な関係が優勢であるのは、一つには武人の節度使に由来し、二つに遊牧民族突厥沙陀《とっくつさだ》部に出身する軍閥に由来する(後唐・後晋・後漢)。ただし文臣の官僚社会は安定しており、王朝が交代しても維持された。五朝(後唐・後晋・遼・後漢・後周)八姓十一君(後唐荘宗李存勗《りそんきょく》は李氏、明宗李《り》嗣源《しげん》はもと邈《ばく》氏で李克用《りこくよう》の義児、末帝李従珂《りじゅうか》はもと王氏で明宗の養子、後晋高祖石敬瑭《せきけいとう》は石氏、遼は耶律《やりつ》氏、後漢高祖劉知遠《りゅうちえん》は劉氏、後周太祖郭威《かくい》は郭氏・世宗柴栄《さいえい》は柴氏で、あわせて八姓。これに後唐明宗の実子の閔《びん》帝李従厚《りじゅうこう》、後晋高祖石敬瑭の実子の出帝李重貴《りじゅうき》、後漢高祖劉知遠の実子の隠帝劉承祐《りゅうしょうゆう》を加えて十一君)に高官として仕えた馮道《ひょうどう》(八八二―九五四年)はその象徴である。

「五代十国時代」を収束に導いたのは北宋である。しかし北宋による中国統一というのも注意が必要である。九世紀末の黄巣の乱以後、九七〇年代、宋が南方の南唐・閩《びん》・呉越を滅ぼし、九七九年山西の北漢を滅ぼして中国本土の主要部を統一した時点まで、九〇年を越える期間、中国は事実上分裂していたからであり、さらに後晋が遼に割譲した河北・山西の北部、いわゆる燕雲十六州を北宋は奪回できなかったうえ、甘粛・陝西《せんせい》には西夏が一三世紀はじめまで存在したからである。西夏の君主は自らを皇帝と称したが、宋は帝でもなく夏王でもなく、夏国主と称した。さらに金が華北を統治した時代、西夏は金・南宋と鼎立し、中国本土を三分割した。宋が中国を統一したというのはかなり限定的に捉えなければならず、唐滅亡後、モンゴルによる統一まで中国本土は分裂していたというのが実情である。

宋朝は成立すると、国内の統一事業をすすめる一方、軍制改革を実施し、節度使体制(藩鎮体制)の解体と禁軍の再編を行なった。この過程で藩鎮体制下の州県制を整理し、財政を中央に集中し、科挙による官吏登用を本格化した。同時に、禁軍の発兵・指揮はすべて皇帝と文臣が行なうに至り、かくて唐前期までの律令官制が藩鎮体制をへて宋代文臣官僚制へと移行した。

二、唐宋変革期の社会経済

農業と農村

中国の農業は華北乾地農法と江南水稲作に大別でき、生産力発達の時期、農家経営の仕組みや規模、農田のありかた等、およそ農業生産・郷村《きょうそん》の社会関係などにかかわる問題はすべて関係づけて観察しなければならない。

農田の存在形態についてみると、開発の時期を基準として古田と新田に分けることができ、一般に古田が広がる地域では、農田の典売《てんばい》(質入れや売却)が盛んで、社会関係は複雑になる傾向があるのに対し、新田の広がる地域では、開発の規模に応じて古田地域よりも単純な社会関係が見られるようである。唐宋時代を例にとると、長江デルタ地帯の大規模な干拓事業を遂行するのは私的な投資では困難であるから、いきおい国家による大規模な人的投資・資本の投下をまつことになる。そして国家主導で開発された新田は徴税優遇措置を加えた上で民間に払い下げられる。かくて宋代の長江デルタ地帯では大量の囲田《いでん》(湖沼の中、周囲を堤防で囲った田)が出現し、土地所有を実現した農民層が人口の大半を占めるに至り、国家の税役徴収に大いに寄与した。

　宋代の先進地帯である江南の開発と社会階層の分布についてやや具体的に見ておこう。浙西《せっせい》囲田地帯(江蘇省南部の蘇州・湖州等の低地)は熟田の割合が低く自然の制約をうけた易田《えきでん》(二年ないし三年に一度耕作する農田)が大量に存在し、米単作の粗放な強湿田農業の段階にあった。但し熟田での土地生産力は高く毎畝約二石《せき》(一九〇リットル)で全国平均の二倍ほどある。北宋蘇州の戸数構成は、一—三等戸は三・〇%、四・五等戸は八八・三%、客戸は八・七%である。一—五等戸は主戸《しゅこ》といって税産(課税対象資産、主として土地)を有する戸で地主・自作農・自小作農であり、客戸《きゃっこ》は無所有の戸で、純小作や雇傭農民に相当する。要するにごく少数の地主層と九割をしめる自作・自小作・小作・雇農からなる社会である。

　これに対し浙東陂《せっとうは》塘《とう》地帯(浙江《せっこう》省南部の溜池灌漑を行なう河谷平野・扇状地)の農業は土地生産力の高低差の大きい地域からなるため一概に言うのはむずかしいが、集約農法の普及度は高い。また水稲の単作、米麦二毛作、そのほか畑地の作物をあわせた多角経営が展開しており、囲田地帯と明確な対比をなす。階層構成は比較的小規模の地主層・中産自作農・下層主戸がピラミッド型に分布し、地域によっては客戸も三割ほど存在する。陂塘地帯は古く三国南北朝時代から開発され始めたので、土地をめぐる経済関係は複雑化し、社会関係のうえで佃僕《でんぼく》のような隷属的な存在も見られる。

　囲田地帯と陂塘地帯は開発の時期・農業生産(生産力・経営・農法)・社会関係・階層分布・国家のはたす役割等の点で大きな違いがある。補足すれば、洪水等の自然災害に備えるための大規模設備の設置も国家の役割であり、宋代では大規模堤防に守られた圩田《うでん》・囲田が有名である。従来、宋代史においては、社会が先進的に発展した地域として、浙西囲田地帯を想定してきた。しかしそれは近代を過去に遡らせたイメージ先行の歴史像であったことが現時点では明らかである。宋代において先進から一般まで広く存在する農業社会は浙東型である(宮澤 一九八五)。

農村の社会関係をみよう。かつて宋代郷村の社会関係は階級関係で把握されるのが普通だった。この場合の階級関係とは、地主と佃戸《でんこ》(小作)の間の私的な関係もしくは国家と農民の間の関係が想定され、前代の唐代においても私的な関係(荘園主とその労働者である部曲《ぶきょく》)と国家的な関係(均田制下の国家と一般農民)が想定されるから、唐宋社会変革とはいったいどの関係からどの関係への変革なのか、学説は千々に並び立った。唐宋変革の歴史的意義と直結する問題である。

この問題と関連するもう一つの前提があった。前述した浙西囲田地帯(新田地帯)と浙東陂塘地帯(古田地帯)の社会階層の違いである。現在は浙東型社会のほうが先進性は高いと考えられるが、以前は浙西型のほうが高いと認められていた。

また従来、農業生産力をはかる基準として、多毛作の進展の度合い、施肥の有無、農具の大きさ(とくに畜力牽引の犂《り》)を採用することが多かったことも検討を要する。というのは近年の研究動向はかなり異なるからである。小規模な犂耕が標準的な労働形態であると認められたほか、水の管理が容易な水田(陂塘灌漑や重力灌漑の水田)の重要性が指摘され(大澤 一九九六)、大規模な水利田の耕作と比較すると労働生産性は低いものの土地生産性の高いこと等が指摘された。人力耕の農具では備中鍬《びっちゅうぐわ》のような単純安価なものも使われた。これらのことは農家経営の主体が小規模であるけれども独立した経営体である貧民層(下等戸)に適合していることから、とくに大土地所有下における隷属度の高い地主佃戸制の展開を、唐宋変革がもたらした普遍的状況であると想定する必要はなくなった。

さらにこれらの前提に地主佃戸関係の性格をめぐる問題が絡んだ。地主佃戸関係は、宋代中世説では農奴制にも比せられる経済的社会的な支配隷属関係と捉えられ、宋代近世説では支配隷属関係でなく近現代にもあるような自由な経済関係と把握される。そして地主佃戸関係が典型的に展開するのは、中世説では一円的大土地所有が多い浙西であり、近世説では分散的土地所有が広がる浙東である。このように異なる見方があるのは、地主佃戸関係の性格について必ずしも社会的側面・経済的側面・法制的側面といった異なる次元の側面を区別してこなかったからである。

そこで佃戸とは何かを客観的に捉えることが可能な法律上の観点が導入された。佃客《でんきゃく》と佃僕(および地客《ちきゃく》。佃僕の地域的別称)である。これらを図式的に表現すると以下のようになる。佃客とは、地主との間に租契《そけい》による租佃関係を結び、社会的・人格的な身分規制は主佃の分であり、佃僕(および地客)とは、地主との間に雇契による雇傭関係を結び、社会的・人格的な身分規制は主僕の分である、と(高橋 二〇〇一：第一章・第二章)。

佃戸という一般的呼称の内実を法的に区別した佃客と佃僕を、浙東・浙西という地域的な対比や、支配隷属関係か自由な経済的関係かという対比とあわせて見よう。経済関係が複雑な浙東では中産自作層が階層構成の中核をしめ、自由な佃客のほかに債務によって隷属化した佃僕も一部存在した。これに対し開発途上の浙西はごく少数の巨大地主と圧倒的大多数をしめる下層主戸(自小作)からなる社会で、無産農民(客戸)たる佃客は少なく、佃僕はほとんど存在しない、とまとめられる。佃戸の法的規定が明確となり、社会的・人格的規制との混乱が避けられるようになった現在、かつての地主佃戸関係の性格をめぐる問題はそのままでは意義を喪失し、ひいては地主佃戸関係が中国型封建社会の指標であるとする考えも説得力を失った。

主要な生産関係は地主佃戸関係でないとすると、どのように考えたらよいのであろうか。副次的な、あるいは前代の古い生産関係とされてきた国家と農民間の関係はどうであろうか。国家の戸籍による郷村戸の分類である主戸客戸制と、郷村戸の社会的階層である地主・自作・小作・雇農等々とは、個別の郷村の人々にとっては重なるものである。例えば自小作農は土地持ちであるから主戸でもあるというように。国家と農民の関係を主要な生産関係、私的な地主佃戸関係を副次的な生産関係と捉えることも可能である。国家は戸籍の作成を通じて人々を把握し、税と役の課徴を実現し、課徴した銭穀・労働力をもって対外防衛・農田開発・道路の維持等、総じて社会の再生産に支出する。

かつて「世界史の基本法則」という疑いようのないテーゼのもとで、中国史においても政治的主権が分立する封建社会の存在が前提され、そして宋代に確立するとされる君主独裁と文臣官僚制体制すなわち主権が皇帝に集中する国家体制の存在が軽視された。現在は封建社会でなく専制国家体制(帝政)のもとで、社会・経済編成を考えるべきであるという考えが支配的になった。浙東・浙西どちらの社会も封建社会ではなく、専制国家体制下の社会である。

流通と都市

唐宋変革期の際立つ歴史的現象の一つは都市化である。行政区分である州県の数は、歴代王朝で大きな変化はない。中国本土で三〇〇州、一二〇〇県がおよそのところである。従ってここでいう都市化とは州県について言うのではなく、行政区分では郷村にはいる城郭の外の地域(おおむね城郭内を行政的には坊郭《ぼうかく》という)についてのことである。

遠隔地商業や地域的分業・交換の発展にともない、交通路の要衝にあたる村落や水路に自生的な定期市が発生し一般に草市《そうし》と呼ばれた。草市は、人々が市に集散する状況を捉えて市集・虚市、定期市が朝に開かれるなら朝市、一二日間に一回亥(いのしし)の日に開かれるなら亥市《がいし》、主要な取引商品を捉えて蚕市《さんし》、寺廟の近傍で開くのを廟市《びょうし》など、由来に応じてさまざまな呼称があった。ただしその実態に大きな相違はない(斯波 一九六八:三三七—三九〇頁)。

宋代の郷村の小集落の呼称として、河川の渡し場に歩、郷村の街道上に発達した店などがあり、もともとは軍隊の駐屯地だったことに由来する鎮もあった。小集落に共通する特徴は定期市である。これらの小集落の規模は大小多様で、中には県治《けんち》に成長するところもあった(周藤 一九六五:第一五章)。

小集落は全国の郷村の至る所に存在し、城郭都市との遠近に関係がない。城郭から遠い集落は街道沿いや河川の渡し場のようなところに発生して遠隔地商業と繋がり、長距離を移動する客商が邸店に宿泊し、他の客商や集落の人々との取引の場となった。城郭に近い集落は、都市とその近郊の関係で、農業生産物を城郭内に供給した。農民が生産物を城内に持ち込むとき、城門付近で牙人《がじん》が買い取り城内の商人に持ち込むという情景が知られている。

この場合の牙人は周旋人というより自ら購入販売する仲買人となっている。もちろん農民自ら城内に生産物を持ち込んで販売し、日常品を購入して帰ることもある。牙人を媒介とする都市と近郊農村間の流通は一方通行で、都市から近郊農村への流通を媒介する事例は北宋では見当たらない。なお牙人の仲買は宋代のことで、元代の牙人は業務を不動産の立契売買の周旋だけに限定された。仲買と周旋では獲得する利益の性格が異なる。仲買の場合は取引商品の価格差から得る商業利潤であるのに対し、周旋では手数料(牙銭)である(宮澤 一九九八：第一部第四章)。要するに宋から元に移って商人としての牙人の性格が変化したわけだが、実は宋より前の時代の牙人は、戦国時代の文献に存在が確認できて以来ずっと周旋業者だった。牙人仲買は、唐宋変革がもたらした流通組織の一部という特定の時代の意義を明確にもっていたのである。なお牙人は牙儈《がかい》・駔儈《そかい》ともいい、また主として扱う物に因《ちな》んで米牙・塩牙・荘宅牙人《そうたくがじん》・船牙のようにも言う。

以上のように牙人の仲買への進出が見られたが、一方で邸店が客商のための宿泊・倉庫のほか問屋としての機能を高めたので、唐宋間に邸店(問屋)・牙人(周旋・仲買商)が組織の中核を占め市場を維持する体制「卸売―小売」組織が出現した。

ここで唐宋変革期以前の都市の流通状況を述べておこう。八世紀以前、律令体制下では、城郭内の特定地域に市という区画を設けて(商業区域を市、官庁街や住宅地等その他の地域を坊といい、あわせて坊市制という)、商人を同業ごとに配置し、その市内での並びを行《こう》と称した。そして市での営業は正午から日没までという決まりである。つまり唐代市制下では都市における交易の機会は時間的空間的に制限されていたのである。八世紀以後次第に市制はくずれ、従って同業者街＝行もくずれ、商人は市の外に出るようになる(加藤 一九五二：上巻第一八章)。

宋代になると流通過程の要と認識されたのが邸店・牙人を核とする「卸売―小売」組織であったので、それをどのように統制下におくかが国家の課題となった。そのとき採られた施策の一つは商工業者を行に組織することであった。ただし唐代律令制下の行とは違い、官庁が行籍を作成してメンバーシップを管理し、必要とする物品や労働力を行役と称して徴発する組織となっていた。

かつて日中の学界では、宋代の行は商工業者が自ら結成し生産・売買を独占する自治団体、西洋のギルドに比すべき団体だと把握していた。しかし、それは違う。例えば米穀を扱う行も、魚介類を扱う行も、衣料を扱う行も、それぞれ同一の城郭内に複数存在し、それぞれ別の官庁に所属して行役(行が負担する役、財貨のことも労働力のこともある)を負担した。行役の負担に耐えないものは行外鋪《こうがいほ》として多数存在する一方、行籍に欠員がでると新たに入行させられることになる。そのため新たに入行する者がしばしば不当を訴えた。

二つめは「卸売―小売」組織に対する規制のあり方である。後述するように、「熙豊変法」では市易法・免行法によって、市易司《しえきし》が問屋として客商と小売店(鋪戸《ほこ》)を媒介し、同時に行外鋪の存在を認めず、すべての商工業者を市易司の統制下においた。すなわち国家機関による流通過程への直接的介在であり、民間自生の「卸売―小売」組織の否定である。「熙豊変法」を廃止した南宋では、商人とくに仲介商人の存在意義を認め、「卸売―小売」組織の間接的統制に転換した(宮澤 一九九八：第一部第三章)。

専売と全国的物流

宋代以後の王朝の財政収入は、税と役のほかに課利があった。山林叢沢《そうたく》の産物(鉱治・魚介・木竹等)で専売の対象となっているもの、商税、市舶司《しはくし》の抽分《ちゅうぶん》等の収入である。宋代の専売は塩・茶・明礬《みょうばん》・酒・鉱治の産出物(銅)・市舶貿易の抽買品(香薬象牙)などが知られる。なかんずく塩と茶、とりわけ塩は唐代以後の王朝においてもっとも重要な専売品であった。

宋代の塩専売は二つの点でとくに重要である。一つは財政収入への寄与、二つは辺境に穀物や馬草等を納める（入《にゅう》中《ちゅう》という）商人に対する代価支払いの手段としての意義である。入中代価は塩のほか茶・見銭《げんせん》・香薬象牙を充てるが、実物でなく引換券で支払った。塩鈔《えんしょう》（塩引）は塩との、茶引《ちゃいん》は茶との、見銭交引は銅銭との、交引は香薬象牙の引換券である。香薬象牙は南海貿易で獲得した輸入品で、市舶司が現物から一定量を一種の税として抜き取ったものであり（抽分）、専売品たる塩茶と同等の扱いである。各種引換券による支払いは三種を組み合わせる場合を三説法《さんぜいほう》、四種の場合を四説法《しぜいほう》といった。入中代価は三説法・四説法のほかに見銭法があり、見銭交引で支払った。

興味深いのは三説法・四説法と見銭法の実施期間は重ならず、交互に行なったことである。見銭法では入中商人は見銭交引を国都開封《かいほう》の榷貨務《かくかむ》に持参して現金化したのに対し、三説法・四説法では、商人は支払われた諸交引を開封でプレミアムをつけて解塩鈔と交換し、それを解州（山西省西南部の有名な塩の産地）に持参して塩と交換し、指定販売地（行塩地分）で売却して現金化した。一一世紀前半、この方式は簡素化され、商人は沿辺で解塩鈔の支払いをうけ解州で塩と交換し、行塩地分で販売して現金化した。見銭法は銅銭の多額の準備が困難なうえ、重量のかさむ銅銭（一文銭の重さは一銭、一銭＝約四グラム、一〇〇貫＝約四〇〇キログラム）は結局国都から出なくなるという問題があり、政府にとって好ましくなかった。これに対し専売とリンクした三説法・四説法は、政府が商人を長い距離にわたって財政的に誘導したので、政府の計画通りのルートで他の商品も一緒に長い距離を動いたのである。塩の専売は商人を全国的規模で動かす機動力として有効に機能した（日野 一九八三：第一部）。

唐代中期ごろから喫茶の風習が広まった。宋代には茶は淮水《わいすい》以南の全域で栽培されるほど普及し、対外貿易の重要な輸出品となり、さらに西夏への歳幣にも用いられた。宋では塩につぐ専売品であり（榷茶法《かくちゃほう》）、沿辺入中の商人への支払い手段としても利用された。宋初、遼に備えるための入中代価は、市場価格の数倍に及ぶ虚估《きょこ》（プレミアムつきの価格）で支払うことで商人を沿辺に誘導した。澶淵《せんえん》の盟約《めいやく》（一〇〇四年）以後、沿辺での茶引の濫発により交換すべき茶貨が不足し問題となり、一〇五九年榷茶法は臘茶《ろうちゃ》(主として貢献に用いられる、民間には殆ど存在しない高級茶)の禁権を維持するのを除いて廃止された(佐伯 一九七二:一六七頁)。

専売は生産者を市場から切り離すものである。専売の拡大とは生産者と市場を切断したうえで、反対に国家と生産者の直接的交易関係を拡大し、国家による生産物の商品化を拡大することである。莫大な専売収入は言うまでもなく、それを全国的に商人を動かす機動力として用いたことは、宋代の商品流通の基幹部分が財政による物流編成に規定されていたことを示している。そしてこの物流は、国防のため沿辺での軍糧獲得をめざして編成されたから、軍事財政のもとでの財政的物流である。

一方、農業における商品生産は、生産力の向上と地域格差によって唐宋間に増大した。四川と国都(北宋では開封、南宋では臨安《りんあん》)の間の遠距離流通や草市の全国的発生は、宋代における市場的流通の発展をしめす事象である。財政的物流と市場的流通という範疇を異にする流通が、前者の優勢のもと重なっているのが宋代流通の実態である。

三、唐宋変革と「熙豊変法」

「熙豊変法」とは

建国して八〇—九〇年が経過した一一世紀半ばごろ、宋朝は困難に直面していた。財政難、西夏との軍事的緊張、一〇〇万を超えるけれども決して強くはない軍事力、官制の混乱(藩鎮体制の残滓)、郷村上等戸《きょうそんじょうとうこ》の役の過重による没落、都市における富商による市場の壟断《ろうだん》等々、数え上げるともっと増える。あまつさえ神宗《しんそう》(一〇四八—八五年)の西夏に打撃を与えんとする強い意志もあった。財政収入の確保、有用な人材の登用、財政的物流の合理化が図られなければならなかった。

即位してまもない神宗は熙寧《きねい》二年(一〇六九)、王安石を参知政事(副宰相)に登用し、制置三司条例司(皇帝直属の変法立案実施機関)をおいた。変法の開始である。この変法は元豊八年(一〇八五)神宗の死によって一旦は終息した(一旦というのは、哲宗《てつそう》・徽宗《きそう》親政時期になると新法党が用いられ変法が行なわれたからである。ただし変法の性格は政権争いのなかでかなり変化した)。変法実施の期間は神宗時期の年号の熙寧・元豊とほぼ重なる。この変法を従来から王安石新法と称してきたが、適切な呼称とは言いにくい。というのは、変法の当初から神宗が決定権を握り、安石を二度にわたって罷免したことがあり、安石引退後(一〇七六年)は、神宗が自ら推進したことを重視する見方が提示されたからである(葉一九九六)。ごく大雑把な言い方をすると、熙寧年間は王安石立案のものが多く、元豊年間は神宗主導である。この間変法の内容・性格に変化が見られるように、神宗と王安石の考えは必ずしも一致していない。とくに神宗は西夏に対抗するための施策を重視し、王安石は内政を重視したように見える。このように両者の目指すところはやや異なる点が見られるものの、本章では旧法を廃し改革を推進したことを強調するため、熙寧・元豊年間の変法、略して「熙豊変法」(一〇六九―八六年)と呼ぶことにする。

この変法は、直接には宋朝が建国一〇〇年の積弊に対処したものであるが、唐宋変革の最終段階に位置するというように二重の意義を有している。変法は新しい時代の幕開けを象徴すると捉えるのが従来の一般的な見方である。しかしこの見方は行き過ぎるとややイデオロギー性を帯びてしまう。「王安石新法」研究が盛んであった一九五〇年代―七〇年代の日本は経済成長の著しい時代で、それにふさわしく発展の相で捉える新法研究が行なわれていたからである。本章では少し立ち止まり多様な歴史的事象に応じて再検討してみたい。

「熙豊変法」の内容

宋初以来、重い役負担によって、郷村の上等戸・中等戸は疲弊していた。とりわけ徴税業務と、国都までの税糧の運搬業務は重難であった。このような疲弊した郷村を対象とした変法に次のようなものがある。

青苗法《せいびょうほう》は郷村を主要な対象とし、端境期に見銭を支給し収穫時に作物で返済させたもので、政府が前払いで穀物を購入する政策であり、実施地域が華北であったことを考慮すると、遼夏に対する軍糧確保政策の一環である。

募役法《ぼえきほう》は重難な郷村の役を貨幣納入とし、従前負担のなかった坊郭戸・女戸《じょこ》(家長が成年の女性の戸)にも割り当てたが、反面、保甲法《ほこうほう》や催税甲頭制という新たな役を導入したので、郷村戸にとっては負担が増すこととなった。保甲は華北では教閲を伴って民兵すなわち耕戦の民をつくり、華南では連帯責任を負う治安組織として機能した。

華北で実施した方田均税法は隠し田を摘発し税の増収に成果をあげた。方田は田地面積の測量、均税は両税負担の公平化をねらったものである。本来、両税法は地味を考慮しなければ田地面積に比例するはずであるが、現実には不公平な事態が蔓延していた。

淤田法《おでんほう》は農田を整備し、農田水利法は新田を開発した。宋代では長江下流域の太湖の東側に広がる湿地の開拓が進んだ。湿地の面積は広大で私的な干拓は困難なため、五代呉越のころから、国家が主導する新田の開発・整備が始まり、宋代に一気に進展した。

次に都市市場にかかわって以下の変法がある。唐宋変革期における都市市場の新たな展開、すなわち先述の邸店・牙人を中核とする「卸売―小売」体制の、市場を寡占するほどの成長に対応して、国家機関として市易司を設置し、市易法や免行法を施行した。市易司は国家が商取引するときの主要な官庁、市易法はそれを実施する規定、免行法は行に組織されない商人(行外鋪)の営業を禁止するものである。

市易法の根幹は客商が開封に持ち込むすべての商品を国家機関である市易務が購入し、それを市易務行人に販売することである。市易務行人とは、抵当を納めかつ五人以上の連帯保証つきで市易務に登録された行戸《こうこ》(この場合は行に組織された小売商)のことである。行戸は手持ち資金がなく商品を買えない場合、半年一割、一年二割の利息で代金後払い購入ができた。また行戸は宋初以来行役を負担していたが、免行法は免行役銭(略して免行銭)を官に納入させ、行役に正当な代価を支払うというもので、免行銭を納入したものだけが市場に参加できるとした。罰則をともない、行への加入を強制したもので、市易法と連動して強力に都市市場を再編した。市易法は当初開封だけであったが、次第に、北辺—大運河沿い—江南の大都市、秦州をはじめとする西辺の都市に拡張し、辺境の榷場(貿易場)の担当機関を市易司と改称し、さらには鎮寨《ちんさい》にまで及んだ(ただし市易条項の一部のみの実施)。全国的に物資の流れを編成するのは「熙豊変法」の重要な目的である。市易法実施地域の拡張はその目的からである(宮澤 一九九八)。

後述する四川交子《しせんこうし》(四川鉄銭との引換券)は、変法の開始後まもなく設置された潞州《ろしゅう》(山西省)交子務で支払われることとなった(河東《かとう》交子法)。この法は塩鈔を支払う塩法と競合したので短期間で廃止された。西蕃《せいばん》(青唐)経略が始まると、陝西が保管する財源を確保するため陝西交子を発行し、塩法と競合しないよう交子と塩鈔の支払いを交互に行なった(陝西交子法)。河東交子法、陝西交子法いずれも四川との連係をめざした施策である(宮澤 二〇一七)。

均輸法は「熙豊変法」の最初のもので(一〇六九年)、発運司が東南六路(両浙路・江南東路・江南西路・荊湖《けいこ》北路・荊湖南路・福建路、すなわち華南のほぼ全域)の上供米を合理的に和糴《わてき》・運用し、京師へ輸送することを目的とした。王安石が引退し(一〇七六年)、年号が元豊に変わると発運司の権限は剝奪され均輸法は廃止された(島居 一九九三:四三八頁)。おそらくその頃には、変法諸法が機能した結果、発運司の活動をまつ必要はなくなったのだと思われる。均輸法には物価調節の意味も含まれるけれども、過大に評価することはできず、また商人資本の便宜をはかったものでもない。

四川榷茶法は、すでに一〇五九年に廃止されていた茶の専売(榷茶法)を四川において馬輸入の代価とし復活したものである。「熙豊変法」の目的の一つが西夏との軍事的緊張に備えることであり、そのため西夏の南の青唐の馬を茶で購入したのである。四川榷茶法は茶園農家(園戸)から生産茶の殆ど大部分を買い上げるものである。秦州に置いた市易司が担当した。

「熙豊変法」は以上のように全国的な物流を財政を通じて編成したのであった。諸々の変法を連結する秘訣の一つは貨幣政策にある。変法では三方面の政策が知られる。一つは鋳造額の大幅な拡大である。鋳銭監を増置し、年間最大六〇〇万貫の鋳造を実現した。北宋の鋳銭額は、宋初は数十万貫程度、次第に増加し、熙寧元豊は三〇〇万―六〇〇万貫、元祐以後北宋末まで三〇〇万貫程度で、北宋およそ一五〇年間に二億五〇〇〇万―三億貫、一年平均二〇〇万貫程度と見積もられるからその大きさが分かるというものである。歴代王朝のなかでも突出した数値である。ただし戸数は元豊年間で一五〇〇万戸だから、六〇〇〇万貫といえども一戸あたり四〇〇文にしかならないことに注意すべきである。

二つは品位の高い折二《せつに》銭《せん》を発行したことである。これは理解しやすい。歴代王朝は財政難に陥ると小平銭《しょうへいせん》(一文銭)二、三枚分の重さの十文銭、甚だしいときは百文銭を鋳造した。北宋でも西夏と争ったとき小平銭三枚分の十文銭を作り、信用を失うと五文銭、さらに三文銭と随意に貨幣価値を引き下げた。宋銭は貨幣価値を銭本体に刻印しないので、政府は自由に幣値を変更できた。変法は発行枚数を減らすことによって鋳造費の節約を図ったが、小平銭との重量比をほぼ一対二として信用を確保した。折二銭は銭貨発行額の拡大に貢献した。

三つは一〇七四年、銭禁・銅禁を解除したことである。銭禁は銭貨の国外持ち出しの禁止、銅禁は銭貨の材料となる銅材売買の禁止である。銭禁・銅禁の解除は一般的にいえば、銭貨の国外流出・私鋳銭横行の原因となる。変法が何故このような特異な政策を実行したのか、実はきちんと解明されたことはない。宋代は銭貨が十分あるから国外への流出をはかったという意見もあるが、宋代の銭貨が十分に市場の経済活動を支えるほどに供給されなかったことは前述の通りである。銭禁・銅禁の解除を停止し旧制にもどしたのは、銭禁が神宗没後一〇八五年九月、銅禁が翌年四月のことである(宮澤 一九九八：三六九頁)。これから判断すると、銭禁・銅禁の解除は王安石の特異な政策でなく、神宗の同意を得た政策だったと考える。しかし銭禁・銅禁の解除と折二銭の大量発行は貨幣政策のベクトルが正反対であることは否めない。結局のところ銭禁・銅禁の解除は何を目指したのかという理由について確実なことは分からないが、銭禁解除による銅銭の国外流出とは宋朝の貿易入超にほかならないこと、市易司が全国各地に配置され、全国的にものを動かす体制が作られたのが一〇七四年ごろであり、銭禁解除と時を同じくすることなどに注目すると、効率的な全国的物流のための実物獲得政策の一つとして、銭禁解除が意味づけされていたためと考えておきたい。

官僚社会を対象とする変法も実施された。教育と官僚登用を目的とする学校制度では、国初以来あった国子監《こくしかん》は衰退していた。変法で施行した太学三舎法《たいがくさんしゃほう》は、初めて入学する学生は外舎にいれ（はじめ定員なし、のち七〇〇名）、年二回の試験の合格者は内舎にあげ（定員二〇〇名）、内舎生は上舎にあげ（定員一〇〇名）、上舎生の優秀なものは中書の覆試をへて除官するという学校制度である（寺田 一九六五：九八頁）。太学三舎法は科挙を経ない官僚の登用である。一方、科挙では現実の政治問題を論じる論策を重視した。太学や科挙の改革ではいずれも王安石の学問を基準とした点に当時の政局が大きく絡んでいる。

このほか胥吏《しょり》の有給化をはかった倉法《そうほう》があった。胥吏は北宋時代に官僚政治の事務を担うものとしてはっきりと姿を現した。本来胥吏は唐代の職役に起源をもつため俸給はなく、業務遂行に際して徴収する手数料のみが収入である。賄賂と区別しにくく、不正の温床となっていた。変法はここにメスをいれたのである。

元豊年間、官制改革が行なわれた。唐宋間の官制の大きな流れを振り返ると、唐前半の律令官制、後半の藩鎮体制下で令外の官制と律令官制が混合し複雑な様相を呈した時期、複雑化した官制を整理し、実職（差遣）と寄禄官《きろくかん》（俸禄の基準となる職階名称）の二本立てを基本とする体系を構築した宋初以来の時期、に分けられる。元豊の官制改革はその集大成で、宋初以来の複雑な官制を整然たるものに整理した（梅原 一九八五）。

宋代の軍事制度は禁軍と廂軍《しょうぐん》が主要なものである（郷兵・蕃兵もある）。兵数は宋初四〇万程度であったのが次第に増加し一〇〇万を突破した。禁軍は皇帝直属の戦闘部隊で、廂軍は地方政府が監理する労務を担う部隊である。傭兵制度にもとづくため歳出の七—八割に及ぶ財政負担は大きい反面、軍事的力量は次第に低下した。「熙豊変法」はおよそ三方面で改革を実施した。第一は更戌法《こうじゅほう》から将兵法への転換である。宋初以来、禁軍を地方に派出駐在する規定を更戌法といい、屯駐・駐泊・就糧の三形式があった。藩鎮の大きな軍事力に懲りた宋朝は京師から辺境に派遣する軍兵を半年から三年ごとの交代制(更戌法)とした。辺境の武将が軍兵を私兵化するのを防止するためである。ただ更戌法は効率が悪かったので、一〇七四年神宗は、地域ごとに一定数(数千—一万)の軍兵を将という単位で編成し要地に定着させることとした。開封府界から全国に拡大され一〇〇以上の将が設置された(金 二〇〇〇:二二七頁)。なお将兵制を施行したとき屯駐・駐泊の二形式は廃止された。従ってこれ以後禁軍は就糧禁軍のみとなった(小岩井 一九九八:第一篇第二章)。

第二に、王安石は財政負担を減らしながら軍事力を強化するため民兵を養成し、兵農一致の保甲法を施行した。一〇七〇年開封で実施したとき、一〇家=一保を最小単位として、五〇家=一大保、五〇〇家=一都保の体制であったが、一〇七三年全国に拡張したとき、五家=一保を最小単位として全体の規模を縮小した。これとともに保甲の機能は治安維持から兵種の一種に変わった。

第三の保馬法は、軍馬の輸入に苦しむ宋朝が民間に官馬を飼育させたもので、請け負った者は平時の馬の使役が許され、死んだ時は富裕者なら全額、貧者なら半額を弁償させた。また保馬法が保甲を前提としたものであったのに対し、個人が軍馬を養い官が買う戸馬法も実施した。

「熙豊変法」の体系性

これら多岐にわたる変法には相当な体系性がある。よく言われる富国強兵というのはその通りだが、遼夏とくに西夏に対峙するための軍糧をいかに確保するかに腐心し、多種多様な変法を連結して全国的に物流の組織化をはかっているのが際立った特徴である。銭貨を媒介にして各法を連結したり、経済官庁を各地に設立したりしたのはその目的に沿ったものである。このように貨幣を活用した面は新しい時代を彷彿させるが、反面、耕戦の民を組織したり、商品の流通過程を国家の直接的管理のもとに置いたりした面は、古い時代に立ち戻るかのようである。「熙豊変法」には新しさと古さが混在する。

「熙豊変法」はそのご新旧両党の党争によって興廃が繰り返され、北宋の滅亡をもってほぼ廃止された。もちろん当時の積弊に対処したものは残され、とくに保甲法によって創出された役を賦課する単位である都が次第に行政組織化した郷都村制は、形を変えながらも地方行政の単位として清代まで継承されることになる。

四、宋代貨幣経済の特色

ここでは「熙豊変法」時期も含む宋代史を通して、貨幣経済を特徴的に表現する現象を取り上げる。

紙幣

北宋四川は一一世紀にはいると鉄銭専用地域となったが、鉄銭専用の経済活動を円滑にするために交子という預り証を発行した。本来交子は鉄銭と同額の流通量があるだけのはずだが、実際にはかなりの発行額にのぼった。北宋最末期、交子を廃止し、銭引《せんいん》を発行して南宋に継承した。銭引は俸給支払いや租税納入等国家の支払い手段となるとともに、市場の価格表示手段ともなった。また界制(有効期限)を導入し、当初は一界三年、のち六年に延長して二つの界を併存させ流通額を二倍にした。交子と銭引は有価証券としての性格が全く異なり、銭引にいたって貨幣機能を獲得した紙幣と認めることができる。ただし価値保存機能は界制がある以上不十分だった。紙幣は銭貨より額面が相当に大きいが、有効期限内しか価値保存機能が働かないから財産の保全に利用できず、投資先はいきおい土地の集積・別荘の購入に偏った。北宋の四川以外の地域で交子に相当する有価証券には銅銭との引換券である交引があり、おもに送金手形として機能した。

南宋時代、既述の四川銭引のほかに、多くの紙幣が登場した。重要なものは東南会子(会子、官会ともいう)・両淮《りょうわい》交子・湖北会子である。東南会子は長江以南で荊湖北路北部と四川を除く全域で行使し中央戸部と建康府の総領所が管轄し、両淮交子は淮南《わいなん》東西路で行使し鎮江府の総領所が管轄し、湖北会子は京西南北路と荊湖北路の一部で行使し鄂《がく》州《しゅう》の総領所が管轄するというように、各種紙幣の通用地域は総領所と深い関係がある。東南会子の通用地域は圧倒的に広く、長江以南なら四川を除く全域で通用する基幹紙幣であり、全国的流通をになう紙幣である。両淮は長江と金国国境の間で鉄銭通用地域だから、両淮交子も鉄銭と連動する。金国への銅銭の流出を防止する目的の紙幣である。湖北会子は両淮交子と同様長江と金国国境の間で通用するが、銅銭地域であり、銅銭と連動する。要するに東南会子が全国通貨であるのに対し、四川銭引・両淮交子・湖北会子はそれぞれ目的を異にする地方通貨であり、それらが媒介する物貨の流通もその通用範囲内に限定される。

物流や紙幣と関係の深い総領所は全国に四カ所置かれた。鎮江府(両浙路、江蘇省鎮江)、建康府(江南東路、江蘇省南京)、鄂州(荊湖北路、湖北省武漢)、利州(利州東路、四川省広元県)であり、鎮江府の総領所は両淮交子を、鄂州の総領所は湖北会子を、利州の総領所は四川銭引を発行し、東南会子は国都臨安にある中央財務機関たる戸部が発行した。

四カ所の総領所は長江沿いと嘉陵江沿い(四川利州)にあるが、それは金国との国境に配備された屯駐大兵(大軍)に軍糧を供給するためである。総領所は管轄地域内の財務機関を統轄して軍糧や専売益金を調達し、管轄地域内で通用する紙幣を発行し、戸部とともに南宋軍事財政の円滑な運用に寄与した。

複合単位

複合単位とは、例えば「銀一両＋馬草二束＝三両束」という財政上の計算式のうち「両束」の部分をいう。この式が成立する根拠は、交換価値でなく、有用性を意味する使用価値で財貨の物量を計ること、同時に銀と馬草の一定量の使用価値が等しいと見なすことである。複合単位は唐中期以後に出現する。「石匹両貫束」という複合単位の場合、貫は銭貨を表すが、米(石)、絹(匹)と同格で扱われており、銭貨が実物と見なされる点が面白い。銭一貫＝米一石とは、米一石の価格が一貫だというのではない。銭一貫＝草一束である以上、草一束の価格でないことは明らかである。あくまで銭一貫の有用性は、米一石、絹一匹、草一束と等しいと使用価値の等価性を形式的に表現したものである(宮澤 一九九八：四二頁)。

短《たん》陌《ばく》

短陌とは一〇〇枚未満の銭を一〇〇文として計算、行使することをいう。業種によって様々な陌の値があった。計算方法は二通りあり、例えば、第一に七五を陌とするとき、七四枚の銭は七四文だが七五枚は一〇〇文とするのは陌の値を位取りとする場合であり、市場的流通で使われた(七五は開封の市場でもっとも多く見られる数値)。第二に七七を陌とするとき一〇〇枚の銭を一二九・八七〇文……と計算するのは陌の値を比例定数として扱う場合であり、国家財政で使われた(七七陌を省陌《しょうはく》という)。これらの二つの方式の場合、同一種類の銭貨の計算行使に関わるものだが、紙幣と銅銭の交換のように異種貨幣間のレートを計算するとき、紙幣と銅銭が貫文という貨幣単位を共有し、紙幣のほうが額面が大きく、また紙幣のほうが銅銭より安いため、両者の相場は銅銭の紙幣に対する短陌となって現れた。

短陌があることによって、銅銭の枚数は財貨がもつ交換価値を表せなくなる。例えば七五陌のとき銅銭七四枚は七四文、七五枚は一〇〇文と計算した。七五文から九九文までの価格は存在しなくなる。つまり銅銭の枚数とそれが表示する価格は比例せず、現代の経済学が前提する価値と価格の一致がそもそも成り立たないのである(宮澤 一九九八：三一〇頁)。

銭会中半

異なる二種類の貨幣を併用し、しかもどちらかに貶価がある場合二重価格(二価)が発生する。これは異種貨幣の関係が日本円と米ドルの関係のように相場がたち、しかも同一の貨幣単位を用いることから起こる現象である。中国前近代の貨幣はどの時代でも貨幣どうしが固くリンクすることはなかった。銅銭と鉄銭、銅銭と紙幣、官鋳銭と私鋳銭の関係で相場が立つどころか、銅の大銭(折二銭、当十銭の類)と小平銭の間においても相場が立ち、それぞれ独自の価値変動をする。北宋陝西のこと、小銅銭・大銅銭・旧鋳至和鉄銭・新鋳折二鉄銭・私鋳楞郭全備銭《りょうかくぜんびせん》・私鋳軽闕怯薄《けいけつきょうはく》銭《せん》が同時に通用したので六通りの価格が発生した(『長編』巻五一二。大銅銭は原史料に欠けているので加藤繁説に従って補う)。このような事態を防止するには、政府が市場に強力に介入するとともに、民間市場と官庁との銭関係(例えば、納税)で通用する銭貨すべてを等価で扱うことを徹底することである。政府の力量が減退するとこの種の問題はたちまち発生する。

これに対し南宋の二価問題とその対処方法は異なる。二価を回避するため、同じ物件を複数回売買するとき、貨幣の種類と価格の分割比を固定することが行なわれた。銭会中半は銅銭と会子で財貨の価格を等価で二分することである。銅銭・会子に限定せず、分割の価格も中分でない値で固定することを品搭《ひんとう》という。銭会中半にせよ、品搭にせよ、同一物件の複数回にわたる取引で価格の変化を認めないことから分かるように、市場の物貨変動に対応しない貨幣制度である。

宋代の価格問題を整理すると、財政レベルの価格体系と民間市場レベルの価格体系が異なることが指摘できる。時《じ》估《こ》(官庁が民間から物資を買い上げるときの価格)と市価、虚估と実估《じっこ》、公定比価(異種貨幣の相場で官が決める比価)と民間比価、省陌と短陌の二元システムが存在する。二つのシステムは相互に影響しあうが、全体として見れば、時間的には価格の短期的不安定に対する長期的安定を実現し、空間的には孤立分散的な農村市場に対する全国的規模の流通を組織したという点で、財政レベルの価格システムは成功をおさめた(宮澤 一九九八:第二部第五章)。

以上のように宋代特有の貨幣問題をみると、財政的物流と密接な関わりのあることが了解できる。社会的分業や生産力の増大を基礎とする市場的流通は唐宋変革期に発展したが、水文地文をこえて広大な版図内で、市場的流通を管理して物資を動かす財政的物流の優位は動かない。これを貨幣機能の点から言うと、宋代における貨幣の第一の機能は国家的支払い手段(官僚・軍隊の俸給、公共事業への投資、和糴和買代価の支払、租税徴収等)であり、それに基づく社会的な信用を基礎として、商品経済を媒介する流通手段としても機能したとまとめることができる。そこに宋代貨幣経済の歴史的位置が示される。

五、「八―一四世紀」における東アジア状勢

北方民族

i　モンゴル高原の遊牧ウイグル国(七四四―八四〇年)

ウイグルは七世紀初め鉄勒《てつろく》の一部族薛延陀《せつえんだ》に服属していた。鉄勒とはテュルクの音訳でトルコ族をさす。薛延陀が六四六年唐に滅ぼされたのち、七世紀末突厥が復興すると、ウイグルはふたたび突厥に服属した。七四四年突厥カガンの打倒に加わりモンゴル方面の覇者となったことで、遊牧ウイグル国(唐では九姓回鶻《かいこつ》国と称した)が成立した。その後安史の乱に際し唐朝の援軍となって長安を奪回、さらに唐の北辺にいた遊牧民を併呑し、モンゴル高原における遊

牧ウイグル国の支配権を確固たるものとした。しかし八三二年ごろから内乱状態に陥り、八四〇年、高原西北部のチュルク系部族キルギスの侵入を受けて崩壊、八四八年全く滅亡した。

大きな勢力を誇ったウイグルが九世紀に衰えると、東アジアは不安定化した。トルコ系の沙陀突厥は唐末に中国内地の山西で中国化した軍閥となり、唐滅亡後、あいついで華北に後唐・後晋・後漢を建てた。

ii　甘粛、内蒙西部方面のウイグル王国

九世紀前半、遊牧ウイグル国が内部分裂したとき、河西方面に入った集団は八九〇年代張氏政権の内紛に乗じて甘州を占拠し、ウイグル王国(甘州回鶻)を建国した。甘州は甘粛省張掖《ちょうえき》県。遼・宋と外交関係をもったが、タングートが東から勢力を伸ばし、一〇二八年甘州は陥落し、西夏に合併された(山田 一九七一)。

iii　新疆《しんきょう》のウイグル王国

天山方面に移動した集団は東部天山ビシュバリク方面、さらにトゥルファン盆地に進出して西ウイグル王国(和州回鶻、西州回鶻)を建国した。北庭(ビシュバリク)を国都とし、東トルキスタンを占める大国となったが、一三世紀前半モンゴルによってウイグルの政権は奪われた。西ウイグル王国はオアシス地帯の農業を営むと同時に牧畜も生業としていた。ウイグルは遊牧王朝として初めて各地に小規模の都市を建設したこと、初めマニ教を国教のように尊崇したことで知られているが、一一世紀には仏教国に変化した(山田 一九七一、森安 二〇二〇)
河西回廊・東部天山・タリム盆地北辺(天山南麓)でウイグル人が定着したことにより、この地のオアシス住民のテュルク化が急速に進展し、以後ユーラシア規模でのテュルク化西漸の引き金となった。

iv　契丹　遼（九〇七―一一二五年）

契丹は大興安嶺《だいこうあんれい》南、シラムレン川を根拠地（モンゴル高原東端）とする遊牧民で、モンゴル高原と華北に強大な政権がないことを背景に拡張した。九〇七年耶律阿保機《やりつあぼき》（八七二―九二六年）が契丹族の連合組織の君長となった。事実上の国家形成である。九一六年には君長位の選挙制度をやめ中国王朝にならって皇帝を称し、神冊《しんさく》と建元した。彼は独自の文字、契丹大字を制定し、のち小字も作った。文字の制定は中国王朝に倣ったものであるが、中国とは異なる文字を作ったのである。九二四年にタングート、吐谷渾《とよくこん》、阻卜《そぼく》（タタール）を、ついで渤海を倒して勢力を拡大し、中国の北に強大な国家を築いた。

九三六年第二代太宗堯骨《ぎょうこつ》（耶律徳光《やりつとくこう》）は、華北の後唐を滅ぼし、石敬瑭（八九二―九四二年）を後晋の帝位につけ、見返りに中国本土北辺のいわゆる燕雲十六州を獲得し国号を大遼と定めた。一時華北全域を支配下においたが、これは数カ月で放棄した。その後北辺の領有を維持したまま五代王朝・北宋と対峙した。北方民族の国家が本拠地を基礎としながら南方の中国に侵入し一部を獲得したのである。

一〇〇四年、契丹と宋の間に澶淵の盟が締結された。この盟約では宋遼は兄弟で名分上は対等だが現実には契丹が有利であった。盟約の主要な内容は、国境は現状維持し、越境者は送還すること、国境は不可侵とし、国境付近での軍事施設の建設を禁止すること、榷場を設け貿易すること、歳幣を宋から契丹へ送ることなどである。歳幣の内訳は、絹二〇万匹（一匹＝約一二メートル）・銀一〇万両（一両＝約四〇グラム）である。のち絹一〇万匹・銀一〇万両が増額された（一〇四二年）。一一一五年、勢力を伸ばしていた女真族完顔《ワンヤン》部の首長完顔阿骨打《アクダ》（一〇六八―一一二三年）が宋と組んで遼を挟撃し、太宗完顔晟《せい》の一一二五年、契丹の天祚帝《てんそてい》（一〇七五―一一二五年）は捕らえられた。

契丹の官僚機構は、北面官制と南面官制に分かれる。北面官制は最高決定機関が北枢密院で遊牧民の軍政・民政と農耕民の軍政をにない、南面官制は南枢密院が農耕民の民政をになった。契丹が一一世紀初頭中国北辺を領有し州県制をとるようになって南面官制が重要になった(島田 一九七八)。

契丹は牧畜を基盤とし社会が軍事的に編成される遊牧社会と、農耕を基盤とし軍政と民政が基本的に分れる州県制の農耕社会からなり、官制のほか財政・経済・法制・軍制などあらゆる面で二重統治あるいは二元統治の様相をしめした。

v ツングース 金(一一一五―一二三四年)

ツングース族の一派である女真《じょしん》(女直《じょちょく》)族の金朝は契丹東北辺境から勃興した。松花江《しょうかこう》流域の部族集団の首長の完顔阿骨打が契丹に反旗を翻し、一一一五年上京会寧府《じょうけいかいねいふ》で自立して帝位につき国号を大金と定め、年号を収国とした。彼は国家制度の整備につとめ、猛安《もうあん》・謀克《ぼうこく》制を定めたり、勃極烈《ボギレ》制を政務の統一機関に改めたり、女真文字を制定したりした(猛安は「千」を意味する女真語、謀克は「族長」を意味する女真語の漢音訳)。

猛安・謀克制は行政かつ軍事組織である。三〇〇戸＝一謀克、一〇謀克＝一猛安という行政的編成のもと、一謀克＝兵士一〇〇人、一猛安＝兵士一〇〇〇人という兵団を形成した。このように猛安・謀克は行政・軍事一体の制度であり、元来女真人の部族的軍事組織であったものを阿骨打が行政組織にまで拡張し、金朝一代を通じる制度となった。猛安・謀克の長は世襲で世官と言う。金初すべての支配下に適用されたが、華北を版図に加え州県制によって漢人を統治するようになると、それ以前猛安・謀克制のもとにあった漢人も州県制のもとにはいり、猛安・謀克は軍人である女真人・契丹人だけに適用されるものとなった。

次の太宗(完顔晟、一〇七五―一一三五年)は対外的な拡張を図って契丹と戦い、一一二五年ついに契丹を滅ぼした。さらに太宗は北宋を倒して淮水以北の華北を領有することになったが、中国本土の直接統治はせず、宋の降臣である張邦昌《ちょうほうしょう》(?―一一二七年)を楚国の皇帝につけ(一一二七年)、さらに劉豫《りゅうよ》(一〇七八―一一四三年)を斉《せい》国の皇帝とした(一一三〇年)。こうして金朝は当初、華北の一部(黄河以南)に漢人の傀儡王朝を建て中国を間接的に支配したが、次の熙《き》宗《そう》(一一一九―四九年)のとき直接の支配下におき(一一三七年)、南宋と対峙した。

これより先、熙宗は勃極烈制という女真固有の官制を廃止し三省など中国的官制に統一した(三上 一九七〇)。ただこれは勃極烈と女真君長の関係を、中国的官制と金国皇帝の関係に置き換えたものに過ぎなかった。一一四二年、金と南宋の間にようやく和議が結ばれ(皇統講和)、国境を淮水中流で確定すること、宋は金に臣事すること、金帝の生《せい》辰《しん》・正旦《せいたん》に宋は遣使し賀を称すること、沿辺に軍を屯駐しないこと、宋は金に歳貢(銀二五万両・絹二五万匹)を送ることなどが定められ実行された。こうして金国皇帝は女真君長でなく漢制を採用する中国王朝の天子となった。皇統講和によって、治安のため猛安・謀克軍人が華北に移駐して州県制下の漢人と混在すると、さまざまな問題が発生し、結局は金朝の滅亡を早める原因となったと言われる。

一二世紀半ば、熙宗を殺して帝位についた海陵王《かいりょうおう》(一一二二―六一年)は、熙宗にまして金国を中国化しようとした。彼は上京会寧府から燕京《えんけい》(現在の北京)に遷都し、金朝の主力を華北に移したのみならず、南宋を討伐しようとした。だが戦費負担に耐えられず北方で反乱が起こり、北帰の途上、臣下に暗殺された。

海陵王暗殺の前、反乱による混乱に乗じて華北で世宗(一一二三―八九年)が即位した。世宗は金宋交戦を厭う状勢を利用し、一一六五年和議にこぎつけた。和議の内容は、国境線はもとのままとすること、君臣関係を叔姪《しゅくてつ》に改めること、歳貢を歳幣に改め銀二〇万両・絹二〇万匹に減じることなどである。和議以前と比較すると、金側がやや不利になったのは、財政難による国力の低下が反映している。

その後章宗《しょうそう》(一一六八―一二〇八年)が即位(一一八九年)したころから、モンゴル系遊牧民の侵寇が激しくなり、さらに南宋との交戦のため、財政難はいっそう深刻化した。金朝は衰退期を迎え、一二三四年ついにモンゴルに滅ぼされた。

vi　モンゴル　元(一二〇六―一三六七年)

一三世紀初頭モンゴルが擡頭し瞬く間に勢力を拡大し、西夏・西遼・金朝を滅ぼした。一二六〇年クビライ(一二一五―九四年)は即位すると元号を中統と定め、一二七一年国号を大元《だいげん》と定めた。大元とは中国の古典『易経』の「大いなる哉、乾元、万物資始す」(万物が始まるの意)に由来する。またこの頃大都(現在の北京)を建設し、立后・立太子を行なった。いずれも中国風の国制を強めたといえる。ただし実態は別で、上都との二都制をとり季節ごとに官僚組織をともなって移動し、しかも大都城・上都城に入城することは殆ど無く狩猟地等に野営したと言われる(杉山 二〇〇四:第三章)。形式的な中国的国制と実質的な遊牧的行動の対比が顕著である。中国本土の統治については基本的に中国古来の州県制と行政組織を踏襲したうえで、行政官庁の長官・監督者としてダルガチをおき、遊牧領主の所領も州県制に組み込んだ。

クビライは一二七六年ついに南宋を倒して中央アジアから中国本土一帯を領有する巨大な帝国を樹立した。一二七六年はモンゴル軍が臨安を接収し南宋を併合した年である。なお南宋最後の幼帝趙昺《ちょうへい》は一二七九年崖山《がいざん》(広東省)で入水した。南宋を倒して以後、一三六七年北方に退くまでの約九〇年間、元朝は中国本土全域を支配した。

沙陀突厥が中国内部から建国し、西夏が中国と北方遊牧地帯の境界から勢力を拡大し中国西北部と東西交通路を版図内におさめたのに対し、契丹・金朝・モンゴルは北の大地から勢力を拡大した。契丹は五代のとき燕雲十六州を獲得し、また一時華北全域を手に入れ、金朝は華北に大帝国を築き、モンゴルは中国全域を統治した。ウイグルからモンゴルまで時代がくだるにつれて、北方民族の版図は中国本土の北辺から華北へ、華北から中国全土へと拡大した。

北方民族は四世紀の五胡以来継起的に中国に侵入し建国した。かの隋唐帝国も帝室は北魏に淵源する鮮卑に出自があり、五代王朝の幾つかは突厥に出自する。しかし一〇世紀以降中国に侵入した遼金元は、それ以前の中国に侵入した北方民族の国家とは一線を画すような国制を構築した。遼金元は根拠地で国家形成を実現して中国と対等に渡り合い、中国に侵入して華北を領有し、ついには中国全土を征服した。彼らは自らの本拠地の体制と征服した中国本土の体制を区別した。よく知られるように本拠地の社会に対応する部族制と、新たに領土化した中国の農耕社会に対する州県制という二元体制を採用した。

北方民族が中国の一部もしくは全域を征服すると、北方民族本来の遊牧・狩猟・農耕経済と中国の農耕経済とが混在し複合し、やがて北方社会の経済は中国の農耕経済に溶解する。北方民族と中国の農耕民をあわせて中国社会を統治するためには、強力な軍事力をもつ北方民族であっても中国の行政機構を多少の改編を伴いつつも基本的に踏襲せざるをえなかった。中国本土における遼金元の統治は歴代の中国史の流れの中に置いて違和感はない。かくて遼金元は中国本土においては中国として存在したのである。北方民族による中国本土の征服という事実自体は否定しようがないが、中国本土の社会の実態はやはり中国である。

なお元朝は明に大都を奪われ北の本拠地に退却した。これを元朝の滅亡と捉えるのでなく、征服した農耕社会を放棄して本来の遊牧社会に回帰し、遊牧国家としての本質を保ったと見ることができる。

「八―一四世紀」の東アジアにおける中国と関わりの深い国々

八世紀から一四世紀に中国を取り巻く東アジアの民族・国々は、一〇世紀から一四世紀に中国に侵入した契丹・金・元三国の北方民族にとどまらない。中国に侵入統治することはなかったけれども、中国文化の影響を受け、程度の差こそあれ中国の官僚制にならった行政機構を創設した国々があり、北方の三国とは違うやり方だが、中国の伝統文化の基礎の上に国家運営を実現した。

i　タングート族拓跋　西夏（一〇三八—一二二七年）

チベット系タングート（党項《とうこう》）種族は七世紀、四川松州《しょうしゅう》の西方で諸部族に分かれていた。タングートはやがて北方の吐谷渾と通婚したが、唐にも服属して李姓を賜わり、羈縻《きび》州となった。吐蕃《とばん》が興隆して吐谷渾を破り青海地方に進出すると、タングート諸部の一部は霊州や慶州に移動した。拓跋《たくばつ》部も慶州に移り、八世紀半ばオルドスの夏州《かしゅう》に平夏部をおいた。平夏部の拓跋思恭《しきょう》は九世紀後半、黄巣討伐に功績があり、唐朝から李姓を賜り夏州定難《ていなん》節度使となった。九八三年定難節度使李継捧《けいほう》（?—一〇〇四年）は夏・銀・綏《すい》・宥《ゆう》四州を宋に献じて服属したが、九九〇年一族の李継遷《りけいせん》（九六三—一〇〇四年）はそれに反対しオルドスで独立し夏国を建て宋と対峙し、一一世紀初頭宋の霊州をおとし西平府と改称した。次の李徳明は宋遼と和親関係を築き貿易の利をあげ、また甘州ウイグルを倒して西方に進出し、一〇二八年宋・遼から西平王の称号を与えられた。

着実に勢力を拡大した夏国は、一〇三八年李元昊《りげんこう》（一〇〇三—四八年）のとき皇帝を称し国号を大夏《だいか》と定め、中国と対等の国であることを示した。宋の西にあるので一般に西夏という。李元昊は中国にならった官僚制をしき、年号を顕道と定め、西夏文字を制定し、興慶府（銀川）を首都に定めるなど、大いに国力の充実をはかって宋遼とともに中国本土を三分した。西夏文字は表意文字で日本の西田龍雄が解読した。西夏文字でしるされた法律『天盛律令』が一九〇七—〇九年ハラホトの遺跡で発見され、西夏研究の貴重な資料を提供している（西田　一九九七、島田　二〇〇三）。一〇四〇年代の西夏・契丹関係は基本的に良好で、契丹に臣従し、冊封と公主の降嫁をうけ、西夏から朝貢使を送った。宋との関係では一〇四四年和約を結び、宋に臣礼をとった。ただし宋から西夏へ歳賜（絹一五万三〇〇〇匹、銀七万二〇〇〇両、茶三万斤）が送られている。西夏は皇帝と称しながら遼や宋に臣従したが、冊封を受けるなど遼に対する臣従の度合いが強かった。西夏と北宋の関係で忘れてならないのは青白塩である。西夏の青白塩の流入は、宋の専売制にとって由々しき問題であったからである（宮崎　一九五七）。青白塩問題も一因となって、和約以後も夏宋間には慢性的な交戦状態が続き、北宋の財政・軍事にとって大きな負担となった。一二二七年、モンゴル高原から興り西方に侵出したチンギス・カンによって滅ぼされた。

西夏は本拠地オルドスから甘粛省の全域、内蒙古自治区・新疆維吾爾《ウイグル》自治区の一部に広がる巨大な版図をもつに至った国家である。いわゆる「シルクロード」の東端に位置したので中央アジアと中国の間の中継貿易を行なった。一方、西方との直接ルートを遮断された北宋は、対外貿易の重点をより南方に置くこととなった。

李元昊は中国の制度を積極的に導入したとき、儒教の儀礼をとりこんだが、西夏の信仰としては仏教がさかんで独特の仏教文化が展開した(岡崎 一九七二)。

ii チベット 吐蕃(?—八四二年)

吐蕃は、七世紀前半、ソンツェン・ガンポ(?—六四九年)がチベット高原の各地に割拠していた諸部族を服属させ、ラサを中心に築いた王国で、後には仏教を公式に受け入れた。そして青海地方を根拠地とする遊牧民の王国たる吐谷渾を撃破し、唐にも侵入した。唐朝は六四一年、文成公主(六二五—六八〇年)を降嫁して対処した。ソンツェン・ガンポはチベット文字を制定し文化面でも大きな足跡を残した。

六六三年、吐蕃は吐谷渾を滅ぼし、河西回廊で唐と接するに至ったが、唐は八世紀前半吐蕃を防禦するため、河西・隴《ろうゆう》右節度使を設置した。安史の乱に際し、吐蕃は長安を攻略した。まもなく吐蕃軍は引き上げたが(七六三年)、河西・隴右地方は唐末まで占領しつづけた。安史の乱が起きたとき唐の国都長安は吐蕃が占領し、ウイグルが唐を助けて奪還したわけだが、乱後、東アジアは唐・吐蕃・ウイグルの三国が鼎立することとなった。安史の乱は唐朝内部の政権争いに端を発した動乱で、中国史上、唐宋社会変革の始まりを象徴するとともに、ウイグル・吐蕃という大国を巻きこみ、東アジアの国際関係に新しい状勢を生み出したという点でも意義深いものがある。

乱後、吐蕃はタリム盆地にも進出、さらに北に拡大してウイグルと衝突し、七九〇年には安西・北庭都護府を攻略し、ウイグルの生命線を一時断った。これに対しウイグルは唐と連合した。そのころ南方の雲南では南詔が吐蕃をはなれ唐についた。このようにウイグル、南詔が唐と結んだことによって吐蕃は孤立した。そこで八二一年長安で、翌年ラサで会盟が結ばれ、唐と吐蕃は対等の関係で平和となった。このときの会盟の背景、内容等を蕃漢二種の文字で詳細に記した碑文が残っている。唐蕃会盟碑《とうばんかいめいひ》といい、極めて重要な歴史史料となっている。碑石は現在ラサのジョカン寺院にある。同じ頃、吐蕃はウイグルとの間にも盟約を結んだ。九世紀前半が吐蕃の全盛期で、ダルマ王(八〇三―八四二年)に至って衰退し、その死とともに王国は瓦解した。チベットでは後継者をめぐって内乱がおこり、サキャ政権がモンゴル帝国から全チベットの支配権を賦与されるまで、ほぼ四〇〇年にわたる分裂時代にはいることになった(佐藤 一九五九)。

チベット仏教は近世以降、ヨーロッパ人にラマ教と呼ばれた。サキャ派の法王にパスパ(一二三五/三九―八〇年)が現れ、クビライの帝師となり、チベットにおけるサキャ派の優位が承認された。かれはクビライの命をうけて蒙古新字(パスパ文字)を制定したことでも有名である。

iii　雲南　南詔(六四九?―九〇二年)・大理(九三七―一二五三年)

雲南地方は、肥沃な大理盆地に農耕社会が広がるとともに、チベット・中国・インドシナ半島・ビルマに囲まれ古くから交通の要衝の位置を占めたため、様々な民族が流入定着した。これとともに、本来の土着の文化のうえに中国文化・チベット文化・インド文化・タイ文化など多くの要素が加わり、独特の文化的世界を築いた。七世紀前半、政治勢力は未熟で隋唐の羈縻州県が置かれ、吐蕃も侵入してきた。七世紀後半、政治統合が進展し、六つの部族いわゆる六詔が割拠した。「詔」(チャオ)とはタイ語の「王」の意味である。六つのうち最も南にあった勢力が南詔で、唐に入貢して唐の雲南経略に協力する一方、この地域の支配権を掌握して、七三八年唐から雲南王に封ぜられた。

しかし七五〇年南詔は唐の雲南都護府を攻略して唐朝に離反した。南詔は吐蕃の助けを借りて唐の討伐軍を破ったが、国内に安史の乱が起こった唐は雲南から撤退することとなった。南詔は一旦は吐蕃に臣従したものの、ウイグルと連合して吐蕃を孤立させ、七九四年には吐蕃から離れ、また唐朝と連合して吐蕃を駆逐した。このとき南詔は唐から「南詔王」の称号を与えられて唐の冊封体制に入り、多くの留学生を成都におくって唐の文化を持ち帰らせ、また仏教を奨励し、次第に勢力を拡張した。九世紀半ば吐蕃が崩壊し、唐も国力が衰えだすと、南詔はしばしば唐に侵攻するに至り、その状勢に苦しんだ唐は、八八三年安化長公主を降嫁し和睦した。その後南詔は内紛により衰え九〇二年滅亡した。

南詔国の滅亡後、残存勢力の政権を経たのち、通海節度使段思《だんし》平《へい》(任九三七―九四四年)が大理国を建て、強国に成長させた。彼は皇帝を称し、外見上は専制国家の形をとったが、南詔とは違って王権は弱かった。一〇九四年から九六年にかけて段氏の皇位は奪われ大理は一旦消滅した。復活した大理は皇帝の国でありながら、一一一七年北宋から「雲南節度使大理国王」の冊封も受け中国に臣従することとなった。雲南省の大部分を占めた大理国は、最盛期には四川、ベトナムとも接した。一二五三年、クビライの攻撃をうけて滅び、雲南行省が置かれた。

なお雲南の王朝はしばしば国号を変更した。普通、段思平より前を南詔、以後を大理と総称する。現在知られている国号の変遷は、南詔、大封民、大長和、大天興、大義寧、大理、大中、後理である。

iv　ベトナム

①　大越

唐朝は広東省・広西省・インドシナ半島東部のベトナム(漢字表記は越南)を北部の交州に安南都護府をおいて統治

したが、唐末期の八六〇年南詔が侵入し都護府をおとしいれたので、以後唐朝はベトナムを実効支配できなくなった。八六六年安南都護高駢《こうべん》（?−八八七年）が交州を南詔から奪回し、静海軍節度使として統治した。九〇六年、唐朝が滅ぶとベトナム民族に独立の気運がたかまり、交州の土豪曲氏がみずから節度使を称したのをはじめ、各地の土豪が交互に勢力を張って割拠し、なかには王を称するものも現れた。だが持続することはなく、十二使君とよばれる土豪がそれぞれ自立し抗争した。九三〇年南漢が曲氏を倒すと、九三八年呉権（八九八−九四四年）が南漢を撃退して王を称し、翌年呉朝（九三九−九六四年）を建てた。九六八年丁部領《ていぶりょう》（九二五−九七九年）が十二使君の割拠状況を平定し北ベトナムを統一した。彼は群臣に推されて皇帝に即位し、年号を太平、国号を大瞿越《だいくえつ》と定め、国制を次々に制定した。新都（華《か》閭《りょ》）・法制・官僚制・十道軍・銅銭（太平通宝）の発行などである。また宋に朝貢して冊封を受け、交趾《こうし》郡王《ぐんおう》の称号を得た。

九八〇年黎桓《れいかん》（九五〇−一〇〇五年）が丁部領の没後実権をにぎり大瞿越に代わって黎朝（九八〇−一〇〇九年、前黎朝ともいう）を建て（都は華閭）、さらに一〇一〇年李公蘊《りこううん》（九七四−一〇二八年）が帝位につき昇龍（ハノイ）を国都とする李朝を建て、諸制度を整えて国家の基礎をかためた。次の太宗李徳政（在位一〇二八−五四年）はチャンパーを討ち、国内の土豪を征伐して支配力を高めた。仏教の保護が有名である。三代聖祖（在位一〇五四−七一年）は一〇五四年国号を大越と改め、一一七四年宋から安南国王の称号を付与された。一二二六年李朝（一〇〇九−一二二六年）に代わって陳朝（一二二六−一四〇〇年）が成立した。一二四二年時点の地方制度は天下を一二路に分け、行政村を置き戸籍を作成した。一三世紀後半、三度モンゴルが侵略したが、陳朝はそのつど撃退し国体を維持した。以後、陳朝は一年ないし三年ごとに朝貢したものの冊封を受けることはなかった。チュノム（字喃）の考案もこのころである。

大越には独立した小帝国と中国冊封体制の一員という二側面がある。あるいは中国に藩属しつつ独自の国家を目指す二面性があると言ってもよい。地方統治制度は、外見は宋をまねるが機能することなく、史料に出現するのは路のほかでは府・州と甲・郷である。州は明瞭な領域をもたず、有力な甲や郷に与えられる名誉称号にすぎない。甲・郷は府・州の下の行政的な基礎単位である。俸給制でなく指定地域での収取にとどまる。租税や労働力の徴収・再分配システムについても殆ど不明である。仏教が盛んだが、儒教イデオロギーも一部導入した。一八世紀まで続く北部ベトナム王朝の伝統は李朝において成立した。

北部ベトナムでは、大規模な所有・経営は多くなく、小規模な農業が営まれており、それに対応する小規模な地方権力が分立した。官僚制や法制に基づく集権国家は存在せず、領域の不明確な地方政権が連合し、王権は弱かった(桃木 二〇一一)。

② チャンパー(占城)

チャンパーは中部ベトナム南部に位置し、唐代には安南都護府と南シナ海交易の支配権を争った。チャンパーは地方勢力のゆるやかな連合体で、中国に対し六四回朝貢したことが知られている(桃木 二〇一一:一三一頁)。ヒンドゥー寺院の国であるにもかかわらず、ムスリム商人が対中国貿易を担った。チャンパーは一四世紀に最盛期を迎える。

中国と南海諸国間の交易の中継点争いは、中部ベトナムが北部ベトナムに勝った。その背景に唐宋変革期、中国における経済的中心が黄河中流域から長江下流域に移動するにつれて、長江下流から占城方面に至る海路の中継地として福建・広東の諸港湾都市が発達し、北部ベトナムの交易拠点の地位が失われた事情がある。

中国と南海諸国の交易の拠点として北部ベトナムは脱落したが、中国に対してはチャンパーとならぶ七六回の交易を記録している(桃木 二〇一一:一三一頁)。

v 朝鮮半島

① 新羅《しらぎ》(前五七―九三五年)

新羅は六五四－七八〇年の統一時代が最盛期で、それに続く時期は王権衰退期にあたる。八八九年以後州郡県は貢賦を王京に運ばなくなり、新羅の郡県支配は崩壊した。それは反面、地方豪族の成長を意味し、新羅も地方豪族の一つになった。新羅の社会制度に五段階の身分制たる骨品制《こっぴんせい》があるが、全面崩壊することとなった(武田 一九七〇)。

②高麗(九一八－一三九二年)

朝鮮半島では、弓裔《きゅうえい》(?－九一八年、新羅末期の地方豪族、その国を泰封《たいふう》という)の武将であった王建《おうけん》(八七七－九四三年)が九一八年高麗国を建てたとき、新羅・後百済《ごひゃくさい》(九〇〇－九三六年)とあわせ三国が鼎立する一方、全国的に大小さまざまな地方豪族が割拠していた。王建は九三五年新羅を、翌九三六年後百済を滅ぼした。王建はこれら地方豪族の支持をうけ統一王朝を築いた。王建の死後、豪族間の争いが四〇年ほど続いたが、その間契丹が進攻、高麗は鴨緑江《おうりょっこう》以東を領有することとなった。さらに一〇一〇年、一九年にも契丹が侵入した。講和が結ばれたあと、かろうじて平穏な関係が続いた。高麗は一〇七六年官制を総合的に整備し、二省(中書門下省と尚書省)六部・百官の班次《はんじ》・田柴科《でんさいか》・禄科《ろくか》を定めた。一二世紀に入ると、国制は乱れ、李資謙《りしけん》の乱(一一二六年)・妙清《みょうせい》の乱(一一三五年)など反乱が相次ぐこととなった。

一方、高麗の東北方面では完顔阿骨打が一一一五年金国を建て、一一二五年遼国を滅ぼした。高麗は国家機構を唐朝にならって改革整備したが、王室は徒党によって乱れ、武人政権に移ったあとも武人間の政権争奪戦のため政情は不安定であった。高麗は初め唐末五代の混乱期にあった中国の影響を大きく受けなかったものの、契丹・女真・モンゴルが次々に擡頭すると、そのつど直接的な脅威にさらされた。とりわけ一二三一年以後、およそ三〇年にわたりモンゴルが侵入略奪した。高麗政府は都を開城から江華島に移して、モンゴルの支配下にはいり、国王は代々モンゴルと通婚し、モンゴルの属国となった。一二七〇年三別抄《さんべつしょう》軍が反乱を起こしたときも高麗政府はモンゴルと結んで鎮圧した。

高麗はさらに二度の日本遠征(一二七四、八一年)で疲弊し、一四世紀には前期倭寇の被害をうけた。一三六八年明朝が成立すると、内部抗争によって国力はいっそう衰え、やがて親明派の武将李成桂《りせいけい》(一三三五―一四〇八年)が現れて、一三九二年朝鮮王朝を建てた。

二省六部の中央官制に対し、地方官制は幾多の変遷をへて、中央から地方官を派遣する道州県制が定着し、かつて豪族のもとにあった賤民の居住地である郷・部曲・所・処等も行政区画に改変された。ただし郷・部曲等に地方官が派遣されることはあまりなく、在地の長吏が実質的な地方の支配者として、賤民を対象に徴税・徴兵・治安等をになった。州県制と郷・部曲等にこのような身分制をともなうのが高麗の地方行政の大きな特色である(武田 一九八五:第三章)。

財政は、田柴科体制と呼ばれる制度が興味深い。この体制は公田と私田に大別でき、公田には供上田と公廨田《こうかいでん》がある。供上田は王室に直属し、地方区画である荘・処に住む賤民も各邑に隷属するとともに同時に王室に直属する農民でもある。公廨田は諸司・郡県・駅館に支給される公田である。私田には地目として両班の功蔭田・宮寺院田・邑吏《ゆうり》田《でん》があり、田柴科とよばれる負担が課せられた。田柴科は九七六年に開始、一〇七六年に完成した。これは官僚を一八科に分け、田柴を賦課する田柴地(田地と柴地)を支給するものであるが、田地自体を支給するのでなく、田地から生じる国定の租を支給した。このように田柴科は一〇―一二世紀高麗前期の独特の分地制であり、新羅の禄邑制《ろくゆうせい》に類すると言われる。田柴科体制のもとで地主―佃戸関係が成立したが、私的隷属でなく地方官監視のもとにあった。なお公田では二五%、私田では五〇%の生産物を収取する(武田 一九七〇)。

高麗の身分制は良賤に大別される。良賤ともに減重かつ類層的であるのが特色で、およそ一〇世紀ごろ形成された。それには九五八年に創設された科挙が郷人・部曲人を排除する身分的制約をともなっていたからと思われる。良人の大部分は農民であるが、一部は官僚である。官僚は高級官僚たる文武両班(東西両班)と下級官僚たる南班から成り、文班(東班)は名門大家が高位を独占し、武班(西班)は寒門卑族が官僚化する道となった。賤民は様々な経緯によって発生するから存在形態は一様でないが、最下層のものに奴婢がいた。官衙《かんが》に係属されるものは公奴婢、私的に使役されるものは私奴婢である。各種の労働(生産労働、家内労働)に従事し、財産として売買されたり、相続の対象となったりした。

田柴科は有力両班による土地奪占で崩壊し、官僚への土地分給が困難となり、ひいては収税も減少した。一二七一年、その対策として高麗政府は田柴科にかえて禄科田を創設したが、効果はあまりなかった。田柴科体制の崩壊は並作半収の収取関係を内容とする私的な地主—小作関係を普遍化することとなり、公的な郡県制支配は不要となった(武田 一九八五:第三章)。

vi 渤海(六九八—九二六年)

六九八年満洲から朝鮮半島北部を領域として、高句麗遺民の大祚栄《だいそえい》(?—七一九年)が現れ、渤海国を建国した。七一三年唐朝はその実力を認め渤海郡王に封じ、その後七六二年第三代大欽茂《だいきんも》(?—七九四年)を渤海国王に封じた。大欽茂の治世のときが最盛期で、七二七年以後日本との国交・貿易も十数度に及んだ。一〇世紀にはいると内紛がおき、九二六年契丹諸部族を統一した耶律阿保機が滅ぼし遼を建国した。遼は渤海国の故地を直轄せず、東丹国(九二六—九三六年頃)を置き耶律倍《やりつばい》を国王としたが、やがて遼の直轄支配地とした。

渤海は唐制にならって国制を整えた。漢字を採用し、中央官制・地方行政制度・軍制等いずれも唐制に類似する。仏教国であり、立派な宮殿建築でも知られている(武田 一九八五:第二章)。

おわりに

以上のように、八世紀から一四世紀の中国を中心とする東アジアは、文化の異なる多くの国々から成りたつ。一〇世紀以後中国に侵入し征服した北方民族を一つのグループとし、それ以外の国々とに大別した。やや強引な腑分けではあるが、大別して同じ組になった国々のおおよその共通項は見て取れると思う。遼金元三王朝は中国の一部ないし全土を支配したが、二元体制をとって本拠地における本来の社会を忘れることはなかった。中国を反時計回りに西部から東北部まで取り巻く国々は、中国にならった制度を採用し中国の文化を受容したことで共通し、またいくつかの王朝は、国内に対して自ら皇帝と称し中国と対等の関係であるかのように見せながらも、一方で中国の冊封を受け臣従するというように、東アジア世界の中心に中国があって一つの中華世界を形作るなかで「小中華」として存在した。

それにしても広大な地理的空間をもつ東アジアが八―一四世紀という時間のなかで、ほとんど同時一斉に社会体制・国制を変化させた。それほど、当時の東アジアは一体だったということだろう。

参考文献

伊藤正彦(二〇一〇)『宋元郷村社会史論――明初里甲制体制の形成過程』汲古書院。
梅原郁(一九八五)『宋代官僚制度研究』同朋舎。
大澤正昭(一九九六)『唐宋変革期農業社会史研究』汲古書院。
岡崎精郎(一九七二)『タングート古代史研究』東洋史研究会。
加藤繁(一九五二)『支那経済史考証』上下、東洋文庫。
金成奎(二〇〇〇)『宋代の西北問題と異民族政策』汲古書院。

栗原益男（二〇一四）『唐宋変革期の国家と社会』汲古書院。

小岩井弘光（一九九八）『宋代兵制史の研究』汲古書院。

佐伯富（一九七一）『中国史研究第二』東洋史研究会。

佐藤長（一九五九）『古代チベット史研究』上下、東洋史研究会。

斯波義信（一九六八）『宋代商業史研究』風間書房。

島居一康（一九九三）『宋代税政史研究』汲古書院。

島田正郎（一九七八）『遼朝官制の研究』創文社。

島田正郎（二〇〇三）『西夏法典初探――東洋法史論集第八』創文社。

杉山正明（二〇〇四）『モンゴル帝国と大元ウルス』京都大学学術出版会。

周藤吉之（一九六五）『唐宋社会経済史研究』東京大学出版会。

高橋芳郎（二〇〇一）『宋―清身分法の研究』北海道大学図書刊行会。

武田幸男（一九七〇）「新羅の滅亡と高麗朝の展開」『岩波講座　世界歴史』第九巻、岩波書店。

武田幸男編（一九八五）『朝鮮史』山川出版社。

寺田剛（一九六五）『宋代教育史概説』博文社。

内藤湖南（一九二二）「概括的唐宋時代観」『内藤湖南全集』第八巻、筑摩書房、一九六九年所収、初出一九二二年。

西田龍雄（一九九七）『西夏王国の言語と文化』岩波書店。

日野開三郎（一九八三）「塩鈔法の研究」『日野開三郎東洋史学論集　宋代の貨幣と金融』第六巻、三一書房。

三上次男（一九七〇）『金史研究二――金代政治制度の研究』中央公論美術出版。

宮崎市定（一九五七）「西夏の興起と青白塩問題」『宮崎市定全集』第九巻、岩波書店、一九九二年所収、初出一九五七年。

宮澤知之（一九八五）「宋代先進地帯の階層構成」『鷹陵史学』一〇。

宮澤知之（一九九八）『宋代中国の国家と経済――財政・市場・貨幣』創文社。

宮澤知之（二〇〇七）「北宋交子論」三木聰編『宋―清代の政治と社会』汲古書院。

桃木至朗（二〇一一）『中世大越国家の成立と変容』大阪大学出版会。

森安孝夫（二〇二〇）『シルクロード世界史』講談社選書メチエ。

山崎覚士（二〇一〇）『中国五代国家論』思文閣出版。

山田信夫（一九七一）「トルキスタンの成立」『岩波講座　世界歴史』第六巻、岩波書店。

葉旦（一九九六）『大変法――宋神宗与十一世紀的改革運動』生活・読書・新知三聯書店。

コラム｜*Column*

西夏文字の銅銭と中国経済圏

宮澤知之

現在知られている、確実な西夏文字の銅銭は五種類ある。福聖宝銭、大安宝銭、貞観《じょうがん》宝銭、乾祐《けんゆう》宝銭、天慶《てんけい》宝銭の五つである。福聖宝銭は第二代皇帝毅宗《きそう》の福聖承道年間（一〇五三ー五六）、大安宝銭は第三代恵宗《けいそう》の大安年間（一〇七五ー八五）、貞観宝銭は第四代崇宗《すうそう》の貞観年間（一一〇一ー一三）、乾祐宝銭は第五代仁宗《じんそう》の乾祐年間（一一七〇ー九三）、天慶宝銭は第六代桓宗《かんそう》の天慶年間（一一九四ー一二〇六）の銅銭である。普通の小平銭と同じ銭径（約二四ミリメートル）の銅銭であるから一文銭である。大安、貞観、乾祐、天慶が二文字の年号であるのに対し、福聖承道は四文字の年号と一応されているが、福聖二年、承道二年とする史書もあり確定しない（清李兆洛『紀元編』巻上に引く『読史津逮』）。実は西夏の年号ははっきりしないものがいくつもある。福聖宝銭は「福聖」＋「宝銭」であるから、「福聖」年号説を支持する材料となるかも知れない。もっとも北宋銭にも大中祥符年間（一〇〇八ー一六）に祥符元宝と祥符通宝があり、四文字の年号を省略して二字にした例があるので、「福聖承道」という年号だった可能性はある。

西夏は初代景宗《けいそう》（李《り》元昊《げんこう》）から滅亡（一二二七年）まで全部で一〇代の皇帝がいる。宝銭は第二代から第六代の皇帝が各代一種類ずつ鋳造した。宝銭のほかは、年号に元宝あるいは通宝を加えた銅銭が七種あり、第四代から第八代の皇帝が鋳造した。これら西夏文字の宝銭、漢字の元宝・通宝の鋳造額はいずれも少なく、西夏朝後期の第五代・第七代・第八代の漢字の年号銭（天盛元宝・皇建元宝・光定元宝）が比較的多い程度で、出土銭から知られる流通銭は約八六％が北宋銭である（三宅俊彦『中国の埋められた銭貨』同成社、二〇〇五）。

国境を接した西夏と北宋の関係は一〇四四年の和議のあとも軍事的緊張が続き、また常時青白塩の宋への流入という国際問題があった。しかし西夏国内での北宋銭流通という事実は、経済交流が想像以上に活発であったことの証かも知れない。もっとも北宋銭の西夏への流入は金朝を介したと考えるのが適切だろうが。

ところで西夏はオルドスから甘粛省、内蒙古自治区と青海省の一部を版図とし、いわゆるシルクロードの東端を占めた大国である。甘粛の西隣は新疆《しんきょう》維吾爾《ウイグル》自治区（東トルキスタン）で時代によって中国の経済圏に入ったり、中央アジアの経済圏に入るなど変転した。唐代七世紀や乾隆以後の清代は中国の領域内に入り銅銭通用地域である。中国の勢力が新疆に及んでいないときは、西方の経済圏に入り銀貨が流通した。新疆は西方と中国が綱引きする地域であった。では新疆と中国本土の間に位置する甘粛はどうだったか。

　西夏の本拠地であった甘粛や陝西《せんせい》が中国本土であったことは言うまでもない。西夏は当然銅銭を鋳造した。そして西夏が新疆に勢力を拡張するにつれて中国経済圏は新疆に広がり、流通銭として鋳造したのが、漢字の元宝銭(天盛・皇建・光定)

福聖宝銭

貞観宝銭

天慶宝銭

大安宝銭

乾祐宝銭

である。西夏の鋳銭事業が本格化した時期は、南宋と金の南北対峙の状勢が固まり、夏金関係が良好になったときである。因《ちな》みに宋金関係は一一四二年に和議が結ばれ、金の海陵王《かいりょうおう》のとき南征による戦端が開かれたが、一一六五年に平和となった。西夏の天盛年間は一一四九―七〇年で、宋金関係が激動から安定に変わった時期にあたる。以後モンゴルが南下するまでの四十年あまり西夏・金・南宋の三国は安定した関係にあった。一般に戦争がおこり財政支出が軍事に大きく割かれると、小平銭のような一文銭でなく、大きな額面の銭貨や紙幣が発行されるのが普通である。言わば小平銭は平和の象徴である。
　これに対し西夏文字の銅銭は、漢字の小平銭と性格が全く異なる。前半期にやや多く、中国銭にはない宝銭を銭名に加えた年号銭である。文字が難しく一般の人々が判読するのは困難だったはずである。国内でしか意味をもたない西夏文字の銭貨は国際貿易や流通経済のための貨幣でないことは疑いない。西夏の君主は一〇四四年の和議で宋に臣礼をとり、宋は西夏の君主を夏国主と称したが、西夏の君主は国内に向けて皇帝を称した。西夏文字の宝銭は民族の文字を確認し、皇帝の権威を具体的に表現する国内用の銭貨ではなかったかと想像する。

問題群 | *Inquiry*

問題群｜*Inquiry*

唐後半期の政治・経済

丸橋充拓

はじめに

本巻において本章が分担する「唐後半期」という時代を専門的に研究する意義、あるいは一般教養として学ぶ意義はどこに存するのか。

研究上の原点として、内藤湖南が示し、宮崎市定が深めた「唐宋変革」論に立ち戻るならば、そこで示された唐宋間の変化の指標、すなわち貴族制から君主独裁へ(政治)、自然経済から貨幣経済へ(経済)、平民の台頭(社会)、平民文化の成立(文化)等は、今日なお生命力あるテーマとして、探究が続けられている。

一般教養という観点ではどうか。試みに高校世界史科目の「学習指導要領」とその「解説」から探ってみよう。二〇二二年度入学生から導入される新「学習指導要領」(平成三〇年告示)「世界史探究」の唐および宋にかかわる箇所の「解説」には次のように書かれている。

○**唐と近隣諸国の動向**については、遊牧国家との接触を背景に隋・唐が成立したこと、唐の支配体制、近隣諸国との関係を扱い、唐による広域支配の安定と、日本や新羅《しらぎ》、渤海《ぼっかい》などが唐の政治制度や文化を取り入れることで国家体制の整備を進めたことに気付くようにする。

○**宋の社会とモンゴル帝国の拡大**については、唐・ウイグル・吐蕃《とばん》の滅亡と入れ替わりに契丹《きったん》、続いて女真《じょしん》が台頭し、宋と政治的・軍事的に対抗しつつ、相互に交易を行ったことを扱う。また、中国社会は唐末以降に変容を遂げ、宋代になると新興地主層が台頭して政治の担い手になるとともに、産業や文化が発達し、商業都市が栄えたことに触れる。

二〇二一年度入学生まで用いられていた「学習指導要領」(平成二一年告示)「世界史B」の記載も、これとおおむね同内容である。

これらの記載内容より、この時代について高校世界史科目において学んでおくべきポイントとしては、「中華王朝と近隣諸勢力との関係」にかかわるテーマと、「中華王朝内部の支配体制や支配階層」にかかわるテーマが想定されていることが了解されよう。

これらのうち前者は、日本の学界においてこの三〇年ほどの間にめざましい深化を遂げた中央ユーラシア史・海域アジア史、さらにはユーラシア東部(ユーラシア東方)概念にかかわるテーマであり、本講座でも複数の論文において最新の知見が提示されるものと思われる。

他方、後者については本巻に含まれる何点かの論文によってカバーされる。本章においても、直近の研究をできるだけ取り入れた整理を試みたい。

検討の出発点として、唐代史に関する一般教養の最大公約数的な内容を、本章執筆時点で高校生が学んでいる「世界史B」教科書の記載等に基づいてまとめるならば、以下のようになろうか。

隋から唐前期にかけては「律令制《りつれいせい》」の時代である。律令格式《りつれいかくしき》に体系化された法制、三省六部《さんしょうりくぶ》から成る中央官制、州–県二級制に簡素化された地方官制、均田制《きんでんせい》・租庸調制《そようちょうせい》・府兵制《ふへいせい》の一体的運用のもとで実現した社会編成等を、その特色とする。

ところが安史《あんし》の乱前後からこのパッケージが崩れ始め、地方に藩鎮《はんちん》が乱立して唐の求心力は失われる。上記諸制度は大きく崩れ、両税法《りょうぜいほう》・募兵制《ぼへいせい》へと移行して小康を得るが、九世紀後半の相次ぐ反乱のなかで衰える。

これらのなかでも特に各種の制度(法制・官制・田制・税制・軍制)は、古代日本への影響が大きいこともあり、一般的な関心の高いテーマであるが、研究の進展と理解の刷新が現在進行形で行われているものを実は多く含んでいる。それらのなかにはすでに概説書や教科書において概ね反映されている知見もある(均田制の実現性については留保が必要であること等)が、反映のされ方がばらつく論点も少なからずある。本章ではそうした論点のうち唐代中期—後期のものを中心に、研究状況を踏まえながら、現時点での到達点を示していければと思う。

一、予兆——官制・軍制・財政の転換

律令諸制度の動揺

律令に定められた唐代の諸制度については、本講座第六巻(辻 二〇二二)において詳述された。本章ではまず、それらが動揺し、再編の試みが始まる玄宗《げんそう》(在位七一二—七五六年)期の状況から話を始めていこう。

動揺の芽はすでに、武則天《ぶそくてん》(在位六九〇—七〇五年)期に胚胎していた。国内では、武則天が貴族政治に対抗するため、科挙に合格して官僚となった新興層を大幅に登用する一方、末端社会では農村の分解が進み、戸籍に附せられた農民(編戸《へんこ》)が流亡する現象(逃戸《とうこ》)が問題になり始めた。国外に目を向ければ、太宗(在位六二六—六四九年)期に服属していた東突厥《ひがしとっけつ》《とっくつ》が再自立を果たし(突厥第二カガン国)、北辺情勢が緊迫の度を増していた。「開元の治」と称えられる玄宗の治世前半は、これらへの対応に多くの力が注ぎ込まれた。

唐代初期、「官品令《かんぴんれい》」や「職員令《しょくいんれい》」に定められた官僚制度は、三省《さんしょう》・六部《りくぶ》・一台《いちだい》・九寺《きゅうじ》・五監《ごかん》と総称されるように形式的体系性を旨としていたが、七世紀末以降に出来した新たな事態に十分対処することが難しかった。そこで令に規定のない臨時的・特命的なポスト、「令外官《りょうげのかん》」が設けられていくことになる。それらは、例えば節度使《せつどし》・転運使《てんうんし》のように「〇〇使」という名称をしばしば付されたため、「使職《ししょく》」と総称されることもある。

使職には、律令諸官にはない大きな権限がある。部下(属官)を自らの裁量で任用できる(これを辟召《へきしょう》という)のである。中国において官僚制度が始まった当初、各官署の長は属官を辟召することができた。官長が、自律的な人事権に基づいて属官を任用して形成した組織体は「府」「官府」「幕府」などと称される。官長と属官の間には、職務を超えた信頼関係・互恵関係がしばしば生まれ、魏晋南北朝時代には貴族がその勢力を維持・再生産する仕掛けとしても機能していたのだが、隋《ずい》の文帝《ぶんてい》(在位五八一―六〇四年)がこの慣行にメスを入れて以降、律令諸官はいずれも中央からの任命とされ、官長による辟召権は認められていなかった。

しかし唐代中期に登場した使職は、この禁忌の適用外にあった。辟召には、律令諸官のような煩瑣な任用手続きも必要ない。突厥の復興(第二カガン国)にともなう対外危機には節度使を新設し、首都圏の経済基盤強化には転運使を置く等、使職は、新たな政治課題に迅速かつ強力に対応できるノウハウとして重宝され、特命ポストから次第に常設ポストになっていく。

使職の幕府には、多くのスタッフ(幕職官《ばくしょくかん》)が辟召された。科挙に比べて任用の手続きが緩やかであるため、科挙未及第の知識層の受け皿となり、知識層の底辺拡大にも寄与することになる。そののち実務に密着した使職が行政的権能を強めると、科挙及第者が律令諸官よりも使職の幕職官を選好するケースも見られるようになる。国家公務員合格者が、本省の職務よりも、特命大臣付き補佐官・秘書官への出向を選ぶようなものである。

辟召で生まれた関係は、やがて人格的な紐帯へと育っていく。唐代後期の政治は、使職を頭目とし幕職官を股肱《ここう》とする人間関係が、文官であれば官僚党派の基盤として、武官であれば藩鎮武力の基盤として、機能することになるのである(礪波 一九八六)。

募兵制への転換

唐代前期の軍制は、かつては府兵制が全体をカバーする制度と考えられてきたが、近年の研究によって複合的な構成であったことが明らかにされている。まず防衛と兵站《へいたん》を担う常設的兵力は、皇帝側近に仕える親衛隊(北衙禁軍《ほくがきんぐん》)、蕃将《ばんしょう》(非漢族の将帥)が統率する部落兵、西北中国を中心に六百余カ所点在する折衝府《せっしょうふ》に属して南衙禁軍《なんがきんぐん》に上番する衛士《えいし》、全国各州で徴発され辺境の鎮《ちん》・戍《じゅ》に派遣される防人《ぼうじん》に大別される。他方、外敵征討や反乱鎮圧のための部隊は常設されず、必要に応じ、対象と期間を限定して「行軍《こうぐん》」が組織された。その兵力(兵募《へいぼ》)は、各州に割り当てて臨時徴発された(渡辺信 二〇一〇、島居 二〇一七、平田 二〇二一、同 二〇二二)。

ところが、武則天期の逃戸現象、さらには突厥第二カガン国の登場といった内外情勢をうけ、睿宗《えいそう》(在位六八四—六九〇、七一〇—七一二年)期から玄宗期にかけて、軍制の転換が進むことになる。

まず七一〇年代から、常設の軍事指揮官として節度使が次々に設けられ、辺境各地に派遣された。とりわけ重要なのが、北辺を守る河西《かせい》・隴右《ろうゆう》・朔方《さくほう》・河東《かとう》・范陽《はんよう》・平盧《へいろ》の六節度使であった。辺境防衛に起用される兵力は、それまで任期一年の防人と有期徴発の兵募のみであったが、常駐部隊の必要性に迫られた唐朝は、防人の徴発年限を少しずつ延長していく。その過程で六年任用(前半三年は義務労働、後半三年は給与支給)の健児《けんじ》制を経て、七三七年には無期有給の長征健児《ちょうせいけんじ》制(官健《かんけん》制)へと移行する。

中央禁軍の兵力は、逃戸現象で上番衛士の任用が難しくなったことを承け、張説《ちょうえつ》の提案に基づいて七二三年に募兵制へと転換し、翌年これを彍騎《かくき》と命名する。七四九年には禁軍と折衝府の統属関係が解消され、いわゆる「府兵制」

も最終的に廃止されることになった。

以上の改革を通じ、軍事力の調達は、義務労働(兵役)から雇用労働(募兵)へと転換したのである(渡辺信 二〇一〇、島居 二〇一七)。

財政基盤のてこ入れ

玄宗の治世は、軍制のみならず財政改革にも大きなエネルギーが費やされた。

喫緊の課題は武則天期以来の逃戸であった。逃戸現象は、税役賦課の基礎となる戸籍データと万民の居住実態を乖離させ、律令財政の危機に直結するからである。七二一年、宇文融《うぶんゆう》の献策によって始まった逃戸の再把握(括戸《かっこ》政策と呼ばれる)は、七二四年に大きく進展し、八〇万戸の再附籍を実現した。ちょうど前年に禁軍の募兵化が実現して、折衝府からの衛士上番が不要となったため、逃戸を本籍地で再登録することにこだわらず現住地での把握に方針転換できたことが、再附籍の進展を後押ししたとみられている。本籍地主義の後退は、後に両税法を成立させる素地になっていく(礪波 一九八六)。

次の課題は、長安周辺の首都圏における補給体制の改善であった。黄河中流域と渭水《いすい》は交通上の難所が多くて物資輸送に不向きだったため、長安は常々物資不足に苦しみ、高宗《こうそう》と武則天の時代はほとんどの期間、首都機能が洛陽に置かれていた(「東都就食《とうとしゅうしょく》」と呼ばれる)。長安に拠点を戻した玄宗政権は、首都圏に向けての補給体制の改善を、二段階にわたって行っている(渡辺信 二〇一〇)。

第一は七三三年、裴耀卿《はいようけい》が提出した献策に基づいて施行された漕運《そううん》改革である。江南《こうなん》から大運河・黄河・渭水を経て長安に至るまでの水運の要所に中継基地(転搬倉《てんぱんそう》)を整備し、江南で徴税した米の輸送を円滑化することで、毎年二〇万石《せき》ほどだった長安への穀物輸送を、こののち三年間の総計値で七〇〇万石まで増加させた。このとき、それまで編戸農民四〇〇万人の正役《せいえき》でまかなってきた輸送業務が、一人一五〇文の銅銭納付で免除され、これを財源とする雇用労働へと転換されたことは、「徭役《ようえき》から雇役へ」の移行を後押しすることとなった(菊池 一九七六)。

第二は七三七年、牛仙客《ぎゅうせんかく》等の着想に基づいて導入された関中和糴《わてき》政策である。これは市場に流通する商品穀物を、政府が首都圏(関中)において対価を支払って買い上げる(これを和糴という)もので、漕運による江南米輸送に比べ、低コストで穀物需要を満たすことができた。

江南からの漕運と関中での和糴は、首都圏の補給体制を支える二大施策として、こののち唐末まで継続されることとなった(丸橋 二〇〇六)。

この時期の財政改革でもう一つ重要なのが、「長行旨条《ちょうこうしじょう》」に基づく財務運営の始まり(七三六年)である。もともと唐朝の財務運営は、州県から提出される計帳を基礎に中央で収入を算定し、支出・輸送・監査に至るサイクルを毎年そのつど繰り返す方式が確立されていたが、その事務量は膨大・繁多であった。そこで、整理・定額化した収支項目を記載する長行旨条が作成され(「長行」には「持続的・安定的な」という意味合いがある)、財政業務の大幅な簡素化が実現したのである(大津 二〇〇六、渡辺信 二〇一三b)。

天宝財政統計を読む

玄宗の治世前半に施行された上記の諸改革は、律令諸制度の枠組みから大きく踏み出すものであった。

① 逃戸の現住地把握＝本籍地での登録が大前提でなくなった。
② 正役や兵役の後退＝義務労働でまかなっていたコストが、雇用労働に転嫁された。
③ 和糴政策＝穀物調達手段として、徴税方式に加えて、買い付け方式も導入された。
④ 長行旨条＝財政収入が、戸籍データの変動に左右されなくなった。

表1　天宝財政統計（出典：『通典』巻6）

	収入		支出	
粟	租	1260 余万（石）	中央　備蓄	600 万
	地税	1240 余万（石）	人件費等	400 万
			軍事　節度使軍糧	190 万
			地方　備蓄	890 万
			人件費等	500 万
	小計	2500 余万（石）	小計	2500 余万（石）
布絹綿	庸調　絹	740 余万（疋）	中央　長安・洛陽へ輸送	1400 万
	綿	185 余万（屯）	軍事　人件費・和糴財源	1100 万
	布	1035 余万（端）	地方　人件費・通信費	200 万
	江南折租布*	570 余万（端）		
	小計	2500 余万（疋屯端）	小計	2700 余万（疋屯端）
銭	税銭	200 余万（貫）	軍事　和糴財源	60 万
			地方　人件費・通信費	140 万
	小計	200 余万（貫）	小計	200 万（貫）

税収合計	5230 余万（端疋屯貫石）
資課**・勾剝***	470 余万
総計	5700 余万

*　江南の租を布で折納（代納）したもの
**　色役を免じられるために支払う代価
***　民間貸し付けの回収額

要するに、本籍地において生産物と労働力を無媒介に収取する方式から、市場経済を利用しつつ財物や労働力を臨機に調達する財政運営への転換である。この転換が如実に表れているのが、『通典《つてん》』に採録された天宝《てんぽう》年間（七四二―七五六）の財政統計である（**表1**参照）。

この統計は、上述の財政諸改革を反映した新たな財政の姿を伝えてくれる。

第一に収入の基幹は租粟《そぞく》および庸調とされ、「租調役制から租庸調《そようちょう》制への転換」が明瞭に示されている。これ以前、調（毎年二丈）と庸（免役二〇日で合計六丈）を「庸調」と連称し、合計二匹（一匹は四丈）を一括納入する傾向が唐代前期を通じて徐々に強まる一方（李 一九九五）、正役の方は既述のように裴耀卿の漕運改革（七三三）によって雇役化が決定的となった（渡辺信 二〇一〇・同 二〇一九）。統計にはその転換後の状況が現れている。

第二に地税（土地面積あたりに賦課する穀物税）・税銭（戸等を基準に賦課する銭納税）といった新税が加わっている。これらは、貧富の差に応じて税の軽重を変えるタイプの賦課という点で、両税法の先駆に位置づけられる。

第三に支出では軍事費が多くを占めている。従来は、こうした統計を根拠に、「府兵制(兵役=安価な軍隊)から募兵制(雇役)への転換が、軍事費の激増を招いた」とする見解が多く見られた。しかし近年では、兵役も雇役も、兵力調達に要するコストの充足方式が異なるだけであり、兵制改革前後におけるコスト総量は、それほど急激には変化していないという理解が広がりつつある(丸橋 二〇一〇)。

第四にさまざまな財物について単位の違いを顧慮せず、数字部分のみを単純に加算し、末尾に各種単位を並記する方式(複合単位)を用いている。同表下方の税収合計が「五二三〇余万端疋屯貫石《たんひきとんかんせき》」となっているところなどがそれである。この独特な通計方式は、今日の観点からしばしば算術的不合理が指摘される。しかし同時代的な視座に立って財政の推移をたどってみれば、正役・兵役から雇役への転換が進み、労働力の調達を含むあらゆる財政収支の総量が「財物の数量」によって換算・列挙・一望できるようになったことが、この方式に表現されていると解することができる。「国用」「国計」という、われわれが今日用いる「財政」に近い意味の語がこの時代から頻出することも、以上のような経過と無縁ではあるまい(丸橋 二〇一〇、岡本 二〇一三)。

二、激震——藩鎮の割拠

安史の乱の爪痕

玄宗時代、北辺に列置された六節度使のうち、東方の三節度使を独占した安禄山《あんろくざん》は、外敵に向けるべき刃を国内へと転じて反乱を起こし(七五五年)、一時は華北の大半を手中に収めるまで勢力を広げた。反乱の平定は、玄宗の後を継いだ粛宗《しゅくそう》(在位七五六—七六二年)・代宗《だいそう》(在位七六二—七七九年)に託されることになるが、七六三年に鎮圧されるまで一〇年近く命脈を保った大反乱の爪痕は深く、唐朝の権威は大きく揺らぐこととなる。

そこで唐朝は、国内の治安維持のため節度使などの軍事系使職をほぼ全土に布置した。ところが、それらは唐朝から半ば独立した軍閥「藩鎮」と化し、世は群雄割拠の様相を帯び始める。とりわけ反乱軍から帰順した勢力によって立てられた盧龍《ろりょう》・魏博《ぎはく》・成徳《せいとく》の三節度使（いわゆる河北三鎮《かほくさんちん》）や、河南に割拠する平盧節度使・淮西《わいせい》節度使（河南《かなん》二鎮《ちん》）は、しばしば唐朝にまつろわぬ動きを起こした。藩鎮と唐朝の衝突は七七五年から七八六年にかけて頻発し、なかでも上記諸藩鎮と涇原《けいげん》節度使朱泚《しゅせい》が起こした反乱（七八三年）は、時の皇帝徳宗《とくそう》（在位七七九—八〇五年）を都落ちさせるまでに追い込んだのである。

藩鎮の権力構造

藩鎮が自立的な勢力を保ち得た要因は複合的に考えられる（日野 一九八〇、堀 二〇〇二、高瀬 二〇〇二、島居 二〇一八）。

第一に、軍事指揮権を持つ節度使が、民政を掌《つかさど》る観察使《かんさつし》、財政に関わる支度使《したくし》・営田使《えいでんし》・水運使《すいうんし》などを兼務し、文武にわたる包括的な権限を持つようになったこと。

第二に、管区内の諸州を統括下に置いていたこと。藩鎮は、節度使・観察使自らが刺史《しし》（長官）を務める中心的な州（使府《しふ》）とそれ以外の州（巡属《じゅんぞく》）で構成される。巡属の州県官は観察使の統轄下に置かれていた。

第三に、牙軍《がぐん》と外鎮《がいちん》から成る強力な軍事力を有したこと。牙軍は節度使の親衛隊であり、藩鎮の中核的武力を構成する。藩によっては、牙軍が地域有力者の既得権集団になっていて、節度使と対立したり、節度使の擁立・廃立を左右するケースも見られた。そうした場合には、節度使サイドが別に私兵集団（元随《げんずい》）を編成し、一部の者と擬制的な血縁関係（仮父子《かふし》関係）を結んで団結を強めることも多かった。外鎮は藩内各地に設置された軍事基地である。長官の鎮《ちん》将《しょう》を節度使が自ら任命・派遣したため、節度使・観察使は「観察使－刺史」の民政系統に加え、「節度使－鎮将」の軍事系統からも藩内における統制力を保持した。

第四に、藩全体の税収を財政基盤としたこと。七八〇年に導入された両税法（後述）において、巡属各州で徴収された税は、まず各州の取り分（留州《りゅうしゅう》という）を確保した上で藩鎮に送られ、ついで藩鎮において藩の取り分（留使《りゅうし》という）を確保した上で都に送られる（上供《じょうきょう》という）。つまり節度使は、巡属各州から送られる税収に、お膝元である使府州の税収を合わせた財政基盤を有していたのである。なお、上述した河北・河南の五鎮は、両税の上供を拒んでいた。その分、財政基盤が強固だったことは言うまでもない［図1］。

第五に、部下（幕職官）に対する人事権を握っていたこと。

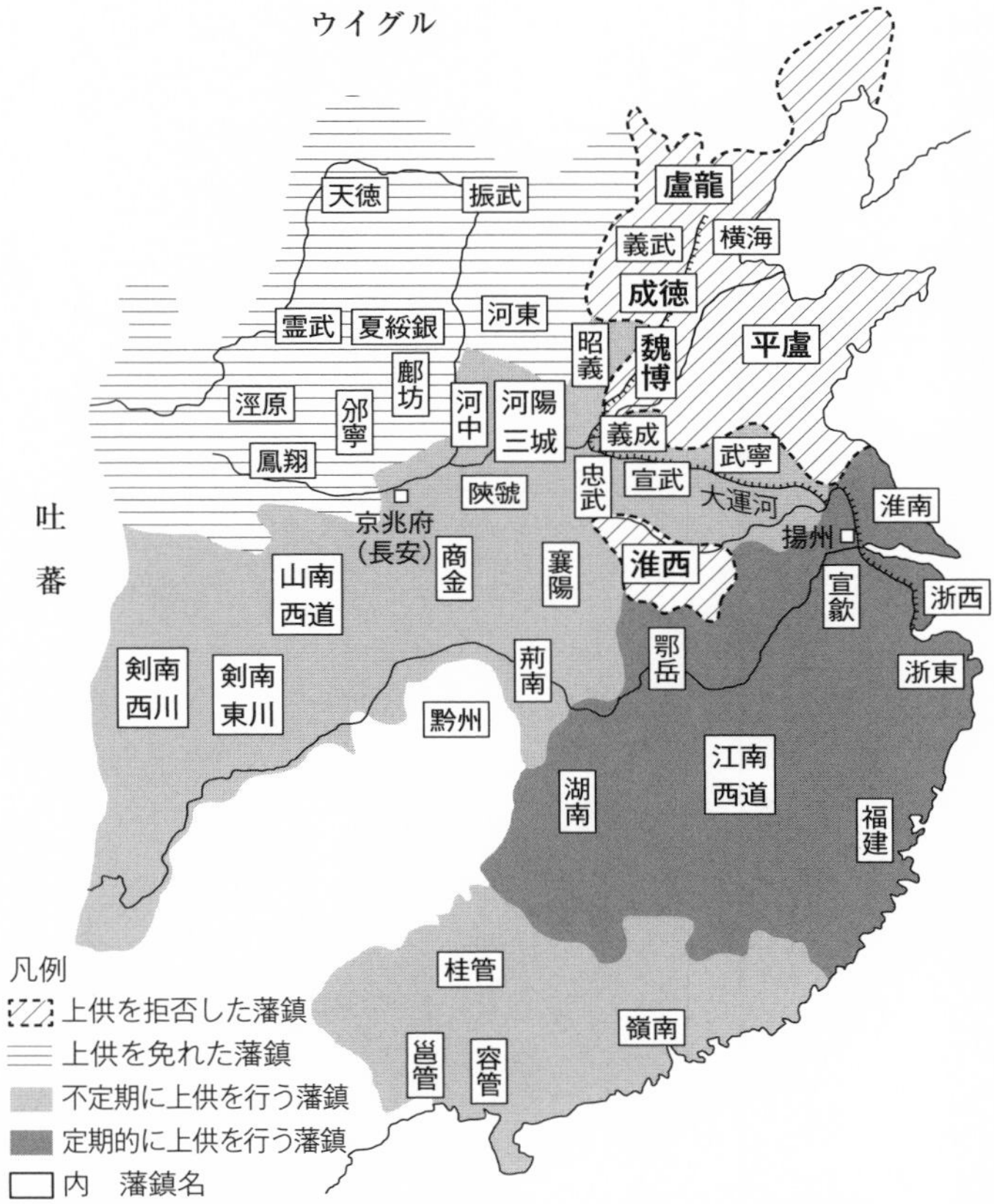

図1　9世紀初頭の藩鎮と両税上供の状況（愛宕元・冨谷至編『中国の歴史上（古代－中世）』（昭和堂，2005年）を基に作成）

既述の通り、使職は属官を登用(辟召)する権限を持つ。節度使には文官系(副使《ふくし》、判官《はんがん》、長史《ちょうし》、司馬、倉曹参軍《そうそうさんぐん》、胄曹《ちゅうそう》参軍、兵曹《へいそう》参軍など)と武官系(都知兵馬使《とちへいばし》、都虞候《とぐこう》、都押衙《とおうが》、都教練使《ときょうれんし》など)の属官が、観察使には文官系(副使、支使《しし》、判官、掌書《しょうしょ》記《き》、推官《すいかん》、巡官《じゅんかん》、衙推《がすい》、随軍、要籍《ようせき》、進奏官《しんそうかん》など)の属官がおり、これらを自ら辟召することで、人的基盤を強化したのである。

幕職官のうち、上層のものは貴族層からの任用がなお多かったが、下層のものについては新興地主層が登用され、こののち後者が社会的地位を上昇させていく足がかりとなった。ひとたび幕職官に登用されれば、上司の推薦でそののち律令諸官のポストを得ることも可能である。入仕の後、幕職官と律令諸官に交互に就き、ジグザグコースの出世をたどるパターンが常態化するようになる。官界への門戸は広がり、それが在地社会における知識層の拡大をうながしていくのである(礪波 一九八六、渡辺孝 二〇〇一a、同 二〇〇一b)。

藩鎮抑制の試み

藩鎮の割拠に対し、唐朝とて指をくわえて眺めていたわけではない。代宗から徳宗にかけての期間、後文で述べるようなさまざまな財政改革を積み重ねて力を蓄え、それが憲宗(在位八〇五―八二〇年)期の反転攻勢に結びついていく。憲宗は即位早々の八〇六年に剣南西川《けんなんせいせん》節度使・夏綏銀《かすいぎん》節度使、八〇七年には浙西《せっせい》節度使、八〇九年には昭義《しょうぎ》節度使、八一〇年には義武《ぎぶ》節度使にそれぞれ武力介入して、それらを平定する。つづいて河南二鎮の淮西節度使・平盧節度使を討伐して(それぞれ八一七年・八一九年)、それらの分割解体を達成した。そこから河北三鎮にも手を伸ばし、八一九年には魏博節度使を屈服させる。この流れは翌年に即位した穆宗《ぼくそう》(在位八二〇―八二四年)にも継承され、八二〇年には成徳節度使を、八二一年には盧龍節度使を従属させるに至り、こののち藩鎮の反抗は沈静化するようになる。こうした業績から、憲宗の治世は在位中の元号にちなんで「元和中興《げんなちゅうこう》」と呼ばれることになる。

藩鎮の抑制は、これに先立ついくつかの施策の果実でもあった。そのうち、徳宗の治世後半に実現した財政改革と禁軍強化については後文で述べる。ここでは、憲宗時代に行われた節度使の権力基盤を削ぐ財政・軍事両面の試みを、先に紹介しておきたい。

その第一は、両税収入の分割方法を改めたこと。使府州の両税について上供を免除して留使に充てることを認める代わりに、それまで使府州に送られていた巡属州の両税を上供に回すことにした。第二は、藩内に分布する外鎮の指揮系統を変更したこと。巡属州にある外鎮を当州刺史の指揮下に置き、節度使は使府州内の外鎮を管轄するのみとした。

これらを通じ、節度使と巡属州は財政・軍事両面で事実上切り離されることになり、節度使の財政・軍事基盤は使府州に限定されるようになったのである(日野 一九八〇)。

藩鎮は、唐朝からの分離的性格が目立ちがちであるが、前述のように藩内の牙軍や在地有力者との間で緊張を抱えることも多く、節度使の勢力基盤は必ずしも安定していなかった。藩内における権力を確かなものにするため、節度使たちの方が唐朝からのポスト任命に依存していた面も厳然としてあったのである。元和中興の後しばらくのあいだ訪れる唐朝の安定は、唐朝と藩鎮のそうした相互依存関係が要因の一つになっていた。

三、再建——財政の南北分業

専売制度の始まり

安史の乱とそれにつづく藩鎮の割拠は、唐朝の基盤を大きく掘り崩した。安史の乱直前の七五四年には九〇〇〇万戸以上あった編戸(戸籍を通じて唐朝が把握した世帯)が、反乱勃発直後の七六〇年には一九〇〇万戸台に激減し、財政再建が進んだ九世紀になってもついに五〇〇万戸には届かなかったところに、唐朝の支配は往時の水準を回復できなかったことが如実に現れている。

しかしこうした退潮の一方で、唐朝が反乱後一五〇年にわたって命脈を保ったこともまた事実である。その背景には、以下に述べるような一連の財政改革があった。それらはその後の中華帝国における財政の骨格になっていくものばかりであり、唐という一王朝の延命に留まらない歴史的影響を、後世に残していくことになる。

それらのうち最初に挙げるべきは、安史の乱の勃発直後、七五八年に導入された塩の専売制度であろう。このとき登用された財務官僚の第五琦《だいごき》は、塩の生産から買い上げ、運搬、販売に至る全過程を政府が管理する方式（禁榷法《きんかくほう》、官《かん》売法《ばいほう》などと呼ばれる）を採用し、売り上げを税収として国庫に納めた。つづいて起用された劉晏《りゅうあん》は、塩の運搬・販売を特許商人に委託し、商人から塩税を徴収する方式（通商法《つうしょうほう》）を導入する。

塩は一斗あたりの原価が一〇文ほどだったが、そこに一〇〇文もの塩税が課された（税率はこの後も断続的に引き上げられ、最高時には一斗あたり三七〇文にもなった）。海岸線から離れた内地の多い中国において塩の産地は非常に限られており、多くの民にとって塩は「買わないと入手できないもの」だったため、これほどの高率であっても専売は成り立った。劉晏が専売を担った最終年（七七九年）には、塩税収入は六〇〇万貫にも達した。

安史の乱によって実効支配地が狭まり、田土把握を前提とする農業税に依存できなくなっていた唐朝にとって、指定商人を誘導して定点徴収できる塩税は恰好の財源となった。しかも塩税収入は、江南上供米の輸送費用に充当されたため、大運河を通じた財政運輸（漕運）の復興と、首都圏に向けた補給体制の再建が一挙に進んだのである。一連の業務は塩鉄転運使が担い、江南地方における集配の拠点都市揚州《ようしゅう》は経済的繁栄を迎えることとなった（高橋 一九七二、妹尾 一九八二）。

両税法の創設

安史の乱後の粛宗・代宗の時代、採用された財政再建策は専売制度だけではない。様々な名目の賦課が次々に創設され、税制は混乱を極めた。そこで徳宗の即位とともに起用された楊炎《ようえん》は、乱立する雑税を「両税」のもとに一本化することを提案し、七八〇年から実行に移した。

両税法は、銅銭（両税銭《りょうぜいせん》。布帛《ふはく》での代納も可能）と穀類（両税斛斗《りょうぜいこくと》）の二本立てで構成され、それぞれ夏・秋いずれかでの納入を定める（地域によっては第三の納期を設定する場合もある）。人頭税的に一律賦課されていた租調役《そちょうえき》とは異なり、貧富に応じて負担に差を設けている点（両税銭は戸ごとの資産によって、両税斛斗は田土面積によって負担額を定める）、本籍地にこだわらず現住地で納税者を把握する点が特徴である（日野 一九八二、船越 一九九六、島居 二〇一四、渡辺信 二〇一五）。

両税法には「定額制」が採用され、収入・支出が費目ごとに固定された。この方式は、前述のように玄宗の時代、長行旨条においてすでに導入されていた（七三六年）が、安史の乱後の雑税乱立によって有名無実化していた。そこで徳宗政権は、両税法創設直前に当たる大暦年間（七六六—七七九）の最高徴税額を基準に税額を決定する形で、定額制を再建した。定額の設定は、官庁ごと州県ごとの細かな収支費目まで及ぶ。定額は各費目の長期的な基準値の役割を果たし、年々の経済状況により過不足を生じる場合は、余剰と不足を次年度以降に累積していく形で処理された（帳簿上、前者は「見在《げんざい》」、後者は「応在《おうざい》」と記録される）（渡辺信 二〇一三a、同 二〇一三b）。

両税法研究では、これまで多くの議論がなされてきた。最大の争点は、両税を「銅銭による納入が原則で、穀類や布帛の納入は例外（代納）」と考えるか（日野 一九八二、古賀 二〇一二）、それとも「銅銭と穀類の二本立て（布帛は代納）」と考えるか（船越 一九九六、島居 二〇一四、渡辺信 二〇一五）である。日本では当初前者が通説的位置を占め、概説書等でもこれに従うものが今日なお多いが、財政史の専門研究では後者が大方の支持を集めている。中国の学界においても、銅銭と穀類の二本立てとするのが通説である(ただし両税の起源についての理解は日中で差異がある)。

また両税法によって、財政の運営が「量入為出」(収入見込みに基づいて支出計画を立てる方式)から「量出制入」(支出見込みに基づいて収入計画を立てる方式)に変わったと記録されること(にもかかわらず、両税法導入後にも「量入為出」を記す史料が残っていること)をどう考えるか、後者をもって近代的な意味での予算制度が成立したと言えるのかについても、さまざまな考えが示されている。たとえば、「当初は量出制入を謳ったが実現されず、実施段階では量入為出のままだった」「「出」は財政支出ではなく、農民の生産を意味する」等である(宮澤 一九九九、呉 二〇一九)。

最近はまた、「量入為出」「量出制入」と同じ土俵で考えるべき枠組みとして「定額制」の問題を組み込んで検討する試みが始まったところであり、本章ではそれに基づく議論を紹介した(宮澤 一九九九、渡辺信 二〇一三b)。「両税法を以て予算制度の成立と見なしうるか」の議論も、今後は「定額制」と併せて深めていくことが期待される。

唐代後期の財政構造

創設以降の両税収入に関する断片的な記録を大まかにたどると、両税銭がおよそ二四〇〇万貫(中央一〇〇〇万、地方一四〇〇万)、両税斛斗がおよそ一二〇〇万石(中央二〇〇万、地方一〇〇〇万)で推移している。塩の専売収益は増加を続け、八〇九年には一八〇〇万貫を超えるほどになった。このほか、酒・茶の専売収益や銅銭の新規発行などが収入を構成することになる。

一方、支出は軍事費と官僚人件費が九割を占め、残る一割が祭祀・宮廷費や賞賜、和糴等だった。軍事費のなかでも、とりわけ募兵の扶養は支出の多くを占めた(渡辺信 二〇一〇)。八二〇年代には九九万人にまで膨れ上がった募兵およびその家族には、食糧(月糧《げつりょう》、家口糧《かこうりょう》)と衣料(衣賜《いし》、春冬衣《しゅんとうい》)を支給する必要がある。時に官営の屯田《とんでん》を小作させたり、田土を与えて担税戸化させる場合もあったが、多くは給与に寄食する存在であり、維持には膨大なコストがかかったのである(丸橋 二〇〇六、與座 二〇一八)。

両税法は、塩の専売収益とともに収入の二大財源として、その後の唐朝を支えた。従来の税より銭納の割合が大幅に増えたため、税の収放を通じて官民双方が貨幣経済との関わりをこののち深めていく。ただし、この時代における貨幣の流通は十分なものではなかったため、両税銭の納入は民にとって大きな負担となった。そこで両税銭は布帛で代納することが認められるようになっていく(両税銭を穀類で代納する場合もあり、「折糴《せってき》」と呼ばれた)。そこで両税銭を布帛で代納する際の交換レートが公定されたわけだが、民間経済では銅銭が不足がちだったため、銅銭に対する布帛の実勢価格は徐々に下落し(「銭重物軽《せんじゅうぶっけい》」と表現された)、所定額を納めるのに要する布帛がその分増えていった。

両税法の設計が、民間における貨幣経済の現実に比して性急だった面は否めないが、裏を返せば政府主導で貨幣経済が起動・駆動された面も一方では認められるのである(日野 一九八二、宮澤 一九九三)。

南北分業の構図

唐代後期の財政を中心的に担ったのが、度支使《たくしし》(判度支《はんたくし》)と塩鉄転運使である。

もともと律令制下において、財政を指揮していたのは六部のひとつ戸部《こぶ》であり、職務ごとに四つの部局、すなわち戸部曹《こぶそう》(戸籍・田土管理)、度支曹《たくしそう》(収支の管理調整)、金部曹《きんぶそう》(穀類以外の財貨の出納)、倉部曹《そうぶそう》(穀類の出納)に分かれていた。

ところが玄宗の治世中期以降、生産物や労働力の直接収取から雇用労働への転換が進み、財政の役割が拡大するようになると、「国用」の担当部局である度支曹の重要性が高まるようになる。職員令所定の官員では足りなくなり、他部局からの出向スタッフ(判案郎官《はんあんろうかん》と称する)を多数加えた特命部署の様相を呈するようになり、律令制下の度支郎中ではなく度支使(判度支)が実質的責任者となっていく。

一方、塩の専売が始まり、その収益が江南からの物資輸送費に充当されるようになると、専売と漕運が不可分の業務となっていき、塩鉄使と転運使を同一人物が兼務する傾向が強まっていく。

塩鉄転運使は先述のように揚州を核とする専売・漕運業務を担ったため、唐朝の財政は長安と揚州の二極構造を呈するようになる。そして七九二年以降は、西北中国を度支使が、東南中国を塩鉄転運使が地域的に分掌する体制が採られるようになり、両者はそれぞれの管轄区域に巡院《じゅんいん》という出先機関を数多く設けて、緻密な財政運営網を形成していった（高橋　一九七三）。

東南部は多くの衣食を産する穀倉地帯である一方、西北部は募兵と官僚という非生産人口を多数抱えるため、大運河を介して東南から西北へ物流を編成・維持することが政策の骨格となっていく。徳宗の治世後半（七九〇年代）は、「江南―長安―北辺」を結ぶ巨大な物流編成が軌道に乗り始める。ただし食糧の輸送はかさばって高コストだったため、江南―長安間の輸送は布帛などが中心となり、食糧の調達は首都圏での和糴、すなわち市場に依拠して実現する手法が拡大した。他方、長安―北辺間においては、各地の節度使や度支直轄の水運使（代北水運使《だいほくすいうんし》）が募兵を動員して兵站を維持した（丸橋　二〇〇六）。

同じ頃には、戸部四曹のひとつ戸部曹において除陌銭《じょはくせん》（政府が支払いを行う際に〇・二％控除する）・別貯銭《べっちょせん》（人件費のやりくりで浮いた費用）という新たな財源が創設され、官僚の給与や和糴の代価等に充当するための恒久財源として、国家財政を補完する役割を担うようになる。こののち、塩鉄転運使、度支使（判度支）に判戸部《はんこぶ》を加えた三者が「三司」と総称されるようになり、これが宋代には国家財政を総覧する「三司使《さんしし》」へと成長していくのである（礪波　一九八六、丸橋　二〇〇六、渡辺信　二〇一〇）。

四、斜陽――動乱の序曲

宦官《かんがん》の専権

「元和中興」を実現に導いた要因として、前節で述べた財政改革に劣らず重要なのが、禁軍の強化である。このころの禁軍は、神策軍《しんさくぐん》という北衙の一部隊が中核を担っていた。

既述のように玄宗時代まで、禁軍は正規軍の南衙と、皇帝の私的な護衛である北衙が並立していたが、安史の乱以降は南衙が形骸化し、北衙が力を持つようになる。神策軍はもともと北衙諸部隊の一つに過ぎなかったのだが、七八三年に起こった朱泚の乱の際、都落ちしていた徳宗とたまたま合流するという僥倖《ぎょうこう》に恵まれ、これを護衛して還都を実現したことがきっかけとなって徳宗の絶大な信頼を勝ち取り、禁軍随一の部隊へとその地位を高めていた。

そのトップ(護軍中尉《ごぐんちゅうい》)の地位が、七九六年以降、宦官によって担われることになった。こののち宦官は、神策軍の武力を背景に、権力を振るい始めるようになる。

宦官はまた、皇帝の私的空間と公務の場を取り次ぐ秘書的役割を担う枢密使《すうみつし》や、節度使のお目付役として各藩に派遣される監軍使《かんぐんし》などのポストにつき、唐朝を支える文武官員ににらみを利かせていた。

そしてその活動を支える経済基盤となったのが内蔵庫《ないぞうこ》(内庫)である。宦官が運営する皇帝の私的財庫で、百官・万民が「進奉《しんぽう》」と称して皇帝に届ける貢納品を納めた。内蔵庫の財貨は、臨機の財政出動に用いられる一方、官民に対する賜与に用いられることも多かった。国家財政の不足を補完する役割に加え、「貢納と賜与」を通じて君臣が個人的な結びつきを強める目的にも用いられたわけだが、君臣の間を取り持つ宦官の存在感を高める構造がそこに生まれたのである。

権力基盤を得た宦官はそののち急速に力を伸ばす。憲宗が些細なことで宦官に恨まれて弑害《しいがい》の憂き目を見ると、宦官勢力は穆宗を擁立する。そののち即位した歴代皇帝のほとんどは、宦官によって擁立された。

宦官は、このように皇帝の廃立をほしいままにした姿のみから見れば、皇帝権力にとって脅威に映るかもしれない。

しかし、子孫を残さぬ宦官は皇帝に取って代わる野望を持つことがない。貴族のような自律的な基盤も備えておらず、皇帝権に依拠することで初めて力を持ち得る存在であるため、その行動は結果的に皇帝権強化に働くことになる。世界屈指の中央集権体制を採る中華帝国において、宦官が必要とされる所以はまさしくそこにあった。神策軍、枢密使、監軍使といった組織、さらには内蔵庫の財貨は、いずれも皇帝権を支える重要要素として解されるのである(松本 一九九九、兼平 二〇一四)。

さて、唐代政治史のもう一方の主役である官僚たちは、ちょうどこのころ、次節で述べる「牛李党争《ぎゅうりとうそう》」のただ中にあった。彼らは宦官の専横を苦々しく思いながらも、自派の優位を確かなものにするため、宦官に膝を屈することをしばしば余儀なくされた。八三五年、宰相李訓《りくん》等が画策した宦官掃討計画が失敗すると(甘露《かんろ》の変)、宦官の強勢は頂点に達することになったのである。

牛李党争

九世紀前半の唐代政治史は、宦官の専権に加え、官僚の党争も基調の一つとなっていた。官界の荒波を生き残るため、官僚たちは党派(朋党《ほうとう》)を結成する。それは例えば、科挙及第の際、試験官を務めてくれた先輩官僚との間、あるいは同年合格者同士の間などの交友が発展したものであったり、使職と幕職官の辟召を介した紐帯であったり等、さまざまな回路で結ばれ、キャリアを通じた互恵関係へとしばしば発展した。

このような下地があるため、政界における主導権争いは「党争」という姿で立ち現れる。憲宗から穆宗、敬宗《けいそう》(在位八二四—八二六年)、文宗《ぶんそう》(在位八二六—八四〇年)、武宗《ぶそう》(在位八四〇—八四六年)、宣宗《せんそう》(在位八四六—八五九年)に至るまでの約四〇年間、政治に関わった官僚たちは二つの党派、すなわち牛僧孺《ぎゅうそうじゅ》・李宗閔《りそうびん》を中心とする牛党と、李徳裕《りとくゆう》を領袖とする李党に分かれて綱引きを繰り返した。

党争がどのような性格のものだったかについては、さまざまな議論がある。まず官僚たちの出自に着目し、「牛党＝科挙を通じて入仕した新興地主勢力」対「李党＝任子《にんし》（恩蔭《おんいん》）を通じて入仕した門閥貴族勢力」の争いとする見解が、これまで多数提起されてきた。ただし実際には、門閥出身ながら科挙に及第して入仕する者が両党いずれも増えていることから、「牛党＝関隴《かんろう》（華北西部）出身の門閥」対「李党＝山東（華北東部）出身の門閥」、あるいは「牛党＝科挙を介した朋党関係を基盤に成長した勢力」対「李党＝科挙を介した朋党関係に批判的な勢力」とする見方も示されている。他方、藩鎮や外夷に対する姿勢に着目し、「牛党＝対藩鎮・対外消極派」対「李党＝対藩鎮・対外強硬派」の争いとする見解も有力である（渡辺孝 一九九四）。

両党それぞれ多数のメンバーを抱えている関係上、ある観点に基づいて分類しても、例外は常にある程度検出される。定論に至らず議論が百出する所以であるが、「入仕のあるべき姿をめぐる価値観の相違」や「唐朝を脅かす外部勢力に対する方針の相違」が、権力闘争の有力な観点になっていた点は確かであり、そこに唐代後期の時代性を読み取ることは可能と考えられる。

統治体制の空洞化

九世紀前期から中期、憲宗の元和中興から「小太宗」と称えられた宣宗の治世までは、以上のような宮廷内での権力闘争は激しかったものの、藩鎮対策は小康を得ていた。対外関係においても、八二〇年代にはウイグル帝国・古代チベット帝国（吐蕃）・南詔《なんしょう》国との同盟が成り、八四〇年代にウイグル・チベットの瓦解（八四〇年代）にともなう国境地帯の混乱も乗り切るなど、安定軌道にあったといってよい。

ところがその背面で、統治体制を空洞化させる現象が進行していたことも事実である。先述した「進奉」の盛行もその一つである。官僚から皇帝に送られた貢納品は、羨余《せんよ》（定額以上に集まった税の余剰）を原資としていることがしばしばだったが、初めから意図的に過剰な誅求《ちゅうきゅう》を働き、羨余と称して貢納に充てる場合もあった。公的資金が税金として国庫に収まる「表ルート」と並行して、官僚個人に流用され皇帝の私的財庫に収まる「裏ルート」が生まれていたのである。

また北方を防衛すべき諸藩では、「表の財貨の動き」（①中央からの軍費受給、②商人からの食糧和糴、③近隣諸蕃からの軍馬購入）に対して、「裏の財貨の動き」（①軍費を不正受給し、その利を中央への進奉に充てる、②和糴の代価不払いと和糴穀物の流用・転売・着服、③軍馬の強制買い上げや代価不払いを働き、その利を遊牧兵の召募に充てる）が日常化していた（村井 二〇一五、丸橋 二〇一六）。

「影庇《えいひ》」（「傘下に隠れる」の意）という現象も社会問題化した。このころ成長しつつあった富商・富農などが、禁軍の軍務、官庁・藩鎮における行政実務、塩専売などの官業等に従事する者として名前を登録し、給与支給や専売特権を得るばかりでなく、公務への従事を隠れ蓑にして、一般民に課せられる役務労働（職役《しょくえき》・色役《しきえき》）をも免除される現象で、長安や江南など富民の多い都市でしばしば見られた。特に禁軍においては、登録した富民が実際の軍務に就かず、別人を雇って肩代わりさせていたため、禁軍は実戦部隊として全く機能しなくなった（大澤 二〇一一）。

行政運営の根本を掘り崩しかねないこうした現象がまかりとおったのは関係者の私利私欲ゆえばかりではない。両税など主要な収入は基本的に国費にカテゴライズされており（「属省銭物」という）、各官庁や藩鎮にはわずかな運用基金（公用銭、食利本銭など）以外、自主財源と呼べるような財政基盤がほとんどなかった（渡辺信 二〇一〇）。そこで各官庁や藩鎮はある種の「自主営業」として、富民に便宜を図ることで、弾力的な資金調達を模索していたという事情が、上記のような現象の裏側には存した。

そして北辺軍の空洞化、禁軍の弱体化、官業と富民の接近といった現象は、このあとに起こる動乱の世において、唐朝瓦解の引き金を引く要因にそれぞれなっていくのである。

唐末の動乱

前述のように、専売塩の価格設定は極めて高く、一般民にとって大きな経済負担となった。そうした背景ゆえ、専売には密売がつきものだった。たとえば専売塩の半値で売っても十分儲けになるから、密売を試みる者は後を絶たない。政府側から見れば密売は税収減に直結するので、取り締まりを強化する。密売商人はそれに対抗すべく自ら武装し、時には武力衝突が発生する。九世紀の半ばには、「塩賊《えんぞく》」と呼ばれる集団が各地で多発し、社会不安が高まっていた。

　そうしたなか、九世紀後半になると各地で立て続けに反乱が起こる。浙江において海賊勢力が起こした裘甫《きゅうほ》の乱（八五九—八六〇年）、大運河沿線で武寧《ぶねい》軍（徐州《じょしゅう》）の兵士たちが起こした龐勛《ほうくん》の乱（八六四—八六九年）、そして塩の密売商人等が山東で起こし、南は広州から北は長安までの広い範囲を戦渦に巻き込んだ王仙芝《おうせんし》・黄巣《こうそう》の乱（八七四—八八四年）である。黄巣の乱さなかの八七八年には、北辺に勢力を扶植していた沙陀《さだ》族の李克用《りこくよう》までもが反乱を起こし、二正面作戦を強いられた唐朝の力は大きく削がれてしまう（西村 二〇一六、新見 二〇二〇）。

　黄巣・李克用の乱は一〇年ほどでひとまず沈静化した。諸反乱の参加者、さらに反乱鎮圧後に各地に置かれた節度使は、地方藩鎮の武官・兵卒や無頼上がりなど、乱の過程で浮上した者たちばかりであった。それ以前の藩鎮が、唐朝に抵抗しつつも、唐朝から得る官職に依存する面も兼備していたのとは大きく異なる。こののち唐朝は長安周辺を実効支配するのみとなり、その求心力も急速に衰えていく（堀 二〇〇二）。

　政局はその後、黄巣の乱平定の二大功労者、朱全忠《しゅぜんちゅう》と李克用の主導権争いが中心となり、かつて権力の中枢にあった宦官や貴族層を葬り去った朱全忠の手で、唐朝の命脈にも終焉が告げられたのである。

おわりに

最後に、本章で論及した諸テーマ（およびそれと関連の深い唐代前期のテーマ）のうち、現時点での研究成果と、高校世界史教科書や概説書等との間で隔たりが見られるものを何点か挙げ、整理しておきたい。

【教科書記述が、通説と異なるもの】

○「正役と庸の関係」について。

賦役令に定められた編戸農民の経済負担は、租（「耕」＝男性による生産活動の所産としての穀類）、調（「織」＝女性による生産活動の所産としての布帛）、正役（中央政府が編成する義務労働）であり、庸は正役免除の代わりに納める布帛を指す。ところが現行「学習指導要領」下の「世界史B」教科書（全七種）のなかで、庸について説明を付しているもの六種のうち、五種は〈庸＝力役〉とし、一種は〈庸＝力役＋代納品〉と記載しており、ただしく〈庸＝代納品〉と記載するものは一つもない。

【通説化した理解が、概説書・教科書に十分に反映されていないもの】

○軍制の複合性について。

統一王朝の軍制は必ずしも一つの組織に統合されているわけではない。実戦性を優先した熟練兵と、軍役均等賦課による社会統合に重きを置く兵役徴発が並立するパターンがしばしば見られる。近年の研究では、唐代前期軍制を府兵制のみで包括的に理解するのではなく、淵源を異にする複合的な軍制とされることが定着している（渡辺信

二〇一〇、丸橋 二〇一八、平田 二〇二一）。

○両税法の構成について。

上述したように、銭納原則説がまだ根強いが、財政史研究では銅銭・穀類二本立て説への支持が多い。

○「均」の意味について。

「均田」「均率」「均税」などというときの「均」は、支給や負担に差等を設けること、資産や地位に応じて負担に差を付けることを意味する（山田 二〇〇一、古賀 二〇一二、渡辺信 二〇一九）。

【新たな理解が広がりつつあるもの】

○租調役か租庸調・租調庸か

律令制下の税制の名称は「租庸調」（一部の教科書には「租調庸」とも）が一般的に用いられている。しかし制度名称としては、代替義務である庸よりも、本来義務である役を用い、「租調役」と呼ぶ方が妥当である。実態としても、上述したように裴耀卿の漕運改革（七三三年）において銅銭代納を財源とする雇役が導入されるまでは正役の徴発が一般的だったことから、それ以前の時期については「租調役」を用いるべきとする考え方が一般化しつつある（渡辺信 二〇一九、荒川 二〇二二）。

「租庸調」が頻用されるようになったのは、『新唐書《しんとうじょ》』『資治通鑑《しじつがん》』など宋代編纂物による影響が大きい（日野 一九七四、渡辺信 二〇一九）。ただし、これらは唐代後期の陸贄《りくし》の文章「一曰租、二曰調、三曰庸」（「均節賦税恤百姓第一条」）を参照しており、さらに「租粟と庸調物」の総称が唐代の史料において「租庸」と略記される事例も少なからずあることから、「租庸調」の呼称が合成される素地は唐代においてすでに存したと考えられる。

○徭役を組み込んだ財政理解

徭役と税制・財政は地続きの関係にある（張 一九八六、丸橋 二〇一〇）。喩えるなら、学校の掃除を、生徒の当番制で行うのが徭役、家庭から経費徴収して業者委託するのが税制・財政である。つまり「校内環境維持に要するコスト」の充足方式と編成理念（負担均等を基礎とする社会統合重視か、実務熟練度を基礎とする成果実現重視か）が異なるものの、前者から後者への転換がただちに「コストの総量」を増やすわけではないのである。徭役と税制・財政を同じ土俵の上でとらえる視角は、明清史研究においては「原額主義《げんがくしゅぎ》」理解の定着に基づいて広く共有されているが、唐代史においてはまだ一般的とは言えず、「府兵制は安価な軍制であったが、募兵制の導入によって軍費が激増した」という理解はなお根強い。

ここにも挙がっている均田制・租庸調・府兵制、あるいは藩鎮や両税法など、唐代史を彩るキーワードについて検討するに当たり、近年あらたに注目されているのが「後人による唐朝像の創造」が歴史分析にもたらす影響についてである。

われわれが分析に活用する『新唐書』『資治通鑑』『玉海《ぎょくかい》』などには欧陽脩《おうようしゅう》・司馬光《しばこう》・王応麟《おうおうりん》ら宋人のまなざしに基づく整理なり編集なりが行われていることに注意を喚起し、そのフィルターの向こう側を透視するために、詔勅・上奏や文学作品・墓誌銘など、唐代の同時代史料を活用した分析が試みられている（他方、同じ唐代の史料であっても、李《り》林甫《りんぽ》等『唐六典《とうりくてん》』、杜佑《とゆう》『通典』、王溥《おうふ》『唐会要《とうかいよう》』、李繁《りはん》『鄴侯家伝《ぎょうこうかでん》』などの編纂物は、それぞれ無加工で中立的な記録では必ずしもない）。

たとえば「租庸調」の創造については前述の通りであり、また「府兵制」については『鄴侯家伝』から『新唐書』を経て、「府兵制＝唐代前期軍制の総称」という理解が広がっていく過程が、詳細にたどれるようになっている（平田 二〇二二）。「藩鎮」「方鎮」の語も、時代と価値観によって意味内容がやはり変化しており、そうしたフィルターを越えた藩鎮像の模索も始まっている(山根 二〇一四)。

同じような課題を内包している「唐人《とうひと》による南北朝像の創造」については、すでに多角的な検討が行われている。他方、「宋人《そうひと》による唐朝像の創造」もこれとパラレルな課題として、ひきつづき論じられていくと思われる。これは「宋は唐をどのように継承する王朝と自己認識していたか」というテーマにもつながる視角であり、今後の深化に期待したい。

参考文献

荒川正晴(二〇二二)「中華世界の再編とユーラシア東部」『岩波講座 世界歴史 中華世界の再編とユーラシア東部』第六巻、岩波書店。

大澤正昭(二〇一一)「唐・五代の「影庇」問題とその周辺」『唐宋変革研究通訊』第二輯。

大津透(二〇〇六)『日唐律令制の財政構造』岩波書店。

岡本隆司編(二〇一三)『中国経済史』名古屋大学出版会。

兼平雅子(二〇一四)「唐代宦官職掌研究の成果と課題」『立正史学』第一一五号。

菊池秀夫(一九七六)「唐賦役令庸調物条再考」『史朋』第四号。

古賀登(二〇一二)『両税法成立史の研究』雄山閣。

呉明浩(二〇一九)「楊炎の「量出以制入」と両税法の成立再考」『東洋史研究』第七八巻第一号。

島居一康(二〇一四)「楊炎両税法の課税構造――日野〝六原則〟不成立の論証」『唐宋変革研究通訊』第五輯。

島居一康(二〇一七)「唐 前期節度使の権力構造――唐宋時代の軍制と行政Ⅱ」『唐宋変革研究通訊』第八輯。

島居一康(二〇一八)「唐 後期節度使の権力構造――唐宋時代の軍制と行政Ⅲ」『唐宋変革研究通訊』第九輯。

妹尾達彦(一九八二)「唐代後半期における江淮塩税機関の立地と機能」『史学雑誌』第九一編第二号。

高瀬奈津子(二〇〇二)「第二次大戦後の唐代藩鎮研究」堀敏一『唐末五代変革期の政治と経済』汲古書院。

高橋継男(一九七二)「劉晏の巡院設置について」『集刊東洋学』第二八号。

高橋継男(一九七三)「唐後半期に於ける度支使・塩鉄転運使系巡院の設置について」『集刊東洋学』第三〇号。

辻正博(二〇二二)「隋唐国制の特質」『岩波講座 世界歴史』第六巻、岩波書店。

礪波護(一九八六)『唐代政治社会史研究』同朋舎。

新見まどか(二〇二〇)「僖宗朝における唐代藩鎮体制の崩壊——黄巣の乱と李克用の乱」『史学雑誌』第一二九編第九号。

西村陽子(二〇一八)『唐代沙陀突厥史の研究』汲古書院。

日野開三郎(一九七四)『唐代租調庸の研究 一 色額篇』私家版。

日野開三郎(一九八〇)『日野開三郎東洋史学論集 唐代藩鎮の支配体制』第一巻、三一書房。

日野開三郎(一九八二)『日野開三郎東洋史学論集 唐代両税法の研究 本編』第四巻、三一書房。

平田陽一郎(二〇二一)『隋唐帝国形成期における軍事と外交』汲古書院。

平田陽一郎(二〇二二)「魏晋隋唐の兵制——誰が兵士になったのか」吉澤誠一郎監修『論点・東洋史学』ミネルヴァ書房。

船越泰次(一九九六)『唐代両税法研究』汲古書院。

堀敏一(二〇〇二)『唐末五代変革期の政治と経済』汲古書院。

松本保宣(一九九九)「唐代宦官論——近年の中国人研究者の論説を中心に」『立命館文学』第五六二号。

丸橋充拓(二〇〇六)『唐代北辺財政の研究』岩波書店。

丸橋充拓(二〇一〇)「府兵制下の「軍事財政」」『唐代史研究』一三号。

丸橋充拓(二〇一六)「唐代後半の北辺経済再考」『アジア史学論集』第一〇号。

丸橋充拓(二〇一八)「「闘争集団」と「普遍的軍事秩序」のあいだ——親衛軍研究の可能性」宮宅潔編『多民族社会の軍事統治——出土史料が語る中国古代』京都大学学術出版会。

宮澤知之(一九九三)「唐より明にいたる貨幣経済の展開」中村哲編『東アジア専制国家と社会・経済——比較史の視点から』青木書店。

宮澤知之(一九九九)「中国専制国家財政の展開」『岩波講座 世界歴史』第九巻、岩波書店。

村井恭子(二〇一五)「河西と代北——九世紀前半の唐北邊藩鎮と遊牧兵」『東洋史研究』第七四巻第二号。

山田勝芳(二〇〇一)『中国のユートピアと「均の理念」』汲古書院。

山根直生（二〇一四）「藩鎮再考」『七隈史学』第一六号。

與座良一（二〇一八）「唐後半期の募兵制に関する一試論――宋代募兵制との比較から」『唐宋変革研究通訊』第九輯。

渡辺信一郎（二〇一〇）『中国古代の財政と国家』汲古書院。

渡辺信一郎（二〇一三a）「百姓ノ腹ノ内――唐代後半期の会計と財務運営」『唐宋変革研究通訊』第四輯。

渡辺信一郎（二〇一三b）「定額制の成立――唐代後半期における財務運営の転換」『国立歴史民俗博物館研究報告』第一七九集。

渡辺信一郎（二〇一五）「唐代両税法の構成――建中元年二月十一日起請条を中心に」『洛北史学』一七号。

渡辺信一郎（二〇一九）『中華の成立――唐代まで』岩波書店。

渡辺孝（一九九三）「中唐期における「門閥」貴族官僚の動向――中央枢要官職の人的構成を中心に」柳田節子先生古稀記念『中国伝統社会と家族』汲古書院。

渡辺孝（一九九四）「牛李の党争研究の現状と展望――牛李党争研究序説」『史境』第二九巻。

渡辺孝（一九九八）「中晩唐期における官人の幕職官入仕とその背景」松本肇・川合康三編『中唐文学の視角』創文社。

渡辺孝（二〇〇一a）「唐後半期の藩鎮辟召制についての再検討――淮南・浙西藩鎮における幕職官の人的構成などを手がかりに」『東洋史研究』第六〇巻第一号。

渡辺孝（二〇〇一b）「唐代藩鎮における下級幕職官について」『中国史学』第一一号。

李錦繡（一九九五）『唐代財政史稿（上巻）』北京大学出版社。

李錦繡（二〇〇一）『唐代財政史稿（下巻）』北京大学出版社。

張沢咸（一九八六）『唐五代賦役史草』中華書局。

キタイ・タングト・ジュルチェン・モンゴル

――覇権の遷移とその構造

舩田善之

はじめに

本章は、キタイ（契丹《きったん》）・タングト（ミニャク、タングート、党項《とうこう》）・ジュルチェン（ジュルチン、ジュシェン、女真《じょしん》、女《じょ》直《ちょく》）・モンゴルの諸帝国を対象とする。これらは、それぞれ漢語世界向けに、大遼《だいりょう》・大夏《だいか》（いわゆる西夏《せいか》）・大金《だいきん》・大元《だいげん》という国号を冠するが、本章ではこれらの集団名を主たる用語として用いる。

これらは、マンチュリアを含む形で広域に設定した中央ユーラシアから勃興した帝国である一方で、時期と地域によっては、いわゆる中華帝国の性格も備えるようになった。すなわち、中国（いわゆる歴史・文化的中国）の一部ないし全てを統治し、また中華帝国の制度と体裁を部分的に採用ないし併用した。中央ユーラシアと東アジアの双方を接合ないし統合した帝国とも位置づけられる。

本章では、近年の研究によって提示された知見や視角を踏まえつつ、キタイからモンゴルに至る覇権の遷移と構造を描出することを目的とする。具体的には、これらの帝国をめぐる理解と歴史的な位置づけについて、以下の論点を設定して議論を行う。第一に、キタイ・タングト・ジュルチェン・モンゴルが興亡した地域について、本章が対象とする空間を設定する。第二に、これらの帝国が興亡した時代の特徴について、これまでの研究を整理した上で筆者の視座を提示する。第三に、この時代を通じて、覇権の重心が遷移する状況に基づいて、これらの諸帝国の興亡とその背景を検討する。同時に、それが中国の歴史展開にも多大な影響を与えたことを提示する。第四に、これらの帝国を中心とする南北関係の構造を考察し、それをより長いスパンの歴史に定位する。第五に、国号や部族という用語の問題に論及し、これらの帝国の性格の一端を考察する。

一、空間の設定——農牧接壌《せつじょう》地帯と東北ユーラシア

本章が対象とするのは、キタイ・タングト・ジュルチェン・モンゴル諸帝国の統治範囲で、時代が下るほど拡大していく。ただし、その全体を論じ尽くすことは不可能であり、叙述の対象範囲を便宜的に限定する。すなわちユーラシア大陸の東部のうち、森安孝夫(二〇〇七：第一章)・妹尾達彦(二〇二〇)がそれぞれ農牧接壌地帯・農牧境界地帯と呼ぶ地帯及びそれに接する地域で、具体的には、モンゴル高原・マンチュリア・河西《かせい》・華北を包摂する。

さらに対象を鮮明にするための歴史空間として、本章は「東北ユーラシア」を設定する。これは、小澤実らが設定した「北西ユーラシア世界」という概念に触発されて切り出した地域世界である。小澤は中央ユーラシア史の視座を組み込みつつ、「ロシアとその周辺諸力の織りなす重層的な歴史空間」であるとそれを定義する(小澤 二〇一六)。ロシアを相対化するとともに、それのみを切り出すことなく隣接地域との結びつきを踏まえた分析概念といえる。杉山正明はこの概念に先行して「西北ユーラシア大草原」という用語を用いる。それは、キプチャク草原からカルパティア山脈に至るステップ地帯であり、コーカサス北麓・黒海北岸、さらには西のハンガリー平原も射程に入れたものである(杉山 一九九七b：第二章)。東北ユーラシアは、ある意味においてこれらと対になるが、設定の意図と性格が以

下の二点で異なっている。第一に、その域内において、中心となる一地域を想定しない。第二に、植生も一様ではなく、ステップのみで構成されているわけでもない。

この空間はキタイ・タングト・ジュルチェン・モンゴルの勃興した地域、前三者の諸帝国の全域ならびにモンゴル帝国の中核地域をすべて包摂する。そればかりか、南方の五代・宋（北宋）の首都を中心とする地域まで含む。この範囲は、当時のモンゴル人によって「ジャウクト」と呼ばれた地域にモンゴル高原を加えたものにほぼ相当する。ジャウクトとは、ジュルチェン帝国やその疆域《きょういき》を指し、時として、キタイ（華北）・ジュルチャ（マンチュリア）・タングト（河西）・ソランガ（朝鮮半島）から成る地域に対する呼称である。タングト・ソランガを含む例があるのは、ジュルチェンがタングト・高麗《こうらい》を臣従させていたためであろう。いずれにせよ、一〇―一四世紀の東アジアにおける覇権確立とその交替劇は、モンゴル・ジャウクトを合わせたこの地域を舞台に繰り広げられており、この空間は、分析概念として一定の有効性をもっている。

二、一〇―一四世紀東北ユーラシアの時代的特徴

征服王朝と中央ユーラシア型国家

キタイ・ジュルチェン（マンジュ、満洲）・モンゴルによって建てられた帝国、すなわち遼・金・元・清《しん》は、かつてしばしば「征服王朝」と形容された。この語はウィットフォーゲルによって提唱されて以来、日本でも特に遼・金・元を指す語として定着し、盛んに用いられた。中でも北アジア史（マンチュリア・モンゴルを対象とした戦前の満蒙史）研究者は、ウィットフォーゲルがこれらの王朝を中国史の展開に位置づけることを批判し、北アジア史の「発展」に位置づけるべきであると主張した（護 一九七〇、田村 一九七一）。これに対して、北アジアの一元的な歴史的発展のメル

クマールに征服王朝の出現を位置づけること自体への疑問も提出された(吉田 二〇一九：第一三章)。吉田が論じたように、モンゴル・マンチュリアの歴史において、中国に対する征服・支配を中心的な指標とすることは必ずしも妥当とはいえないだろう。

杉山正明は、征服王朝の用語自体が「中国中心論」の発露であるとする中国の研究者の意見を紹介した上で、ユーラシアにおいては「外来者・異種族の征服型の権力・国家」が普遍的であることを指摘し、その有効性に疑念を示した(杉山 一九九七a、同 一九九七c)。杉山の疑念に先立ち、田村実造(一九七一)も征服王朝は普通名詞であり、アジア史上さまざまな帝国にも使えると述べている。ビラン(Biran 2017)は、すべての中国王朝が先行する王朝や敵対勢力を征服することによって成立していることを理由に、征服王朝という呼称は正確ではないと指摘している。ウィットフォーゲル以後の研究者すべてが、必ずしも彼の定義に従って征服王朝を解釈しているわけではないが、遼・金・元・清を征服王朝と称する分析概念自体は、すでに学術的な役割を終えているといってよい。なお、ビランは、厳密には「非漢人によって支配された」王朝と呼ぶべきであると述べる。実はこれも「漢人」を中心とした中国史に対する裏返しに過ぎない。統治者の出自の違いがどのような意味を有し、それが王朝の性格をどのように規定したかについては、今なおさらなる検討と比較が必要である。

森安孝夫によって提唱されたのが「中央ユーラシア型国家」である。森安は、「遊牧民が草原に本拠を置きながら、農耕地帯や都市をも包含して支配する」中央ユーラシア型国家の成立を、世界史の一大転換期として提示する。すなわち、一〇世紀前後における、キタイ帝国・沙陀《さだ》王朝(五代後唐《こうとう》・後晋《こうしん》・後漢《こうかん》・後周《こうしゅう》)・タングト帝国・甘州ウイグル王国・西ウイグル王国・カラハン朝・ガズナ朝・セルジューク朝・ハザール帝国である。その完成形がモンゴル帝国であり、その継承国家としてティムール・オスマン・ムガル・ロシア・大清《だいしん》の諸帝国を挙げる。先駆的な存在として渤《ぼっ》海《かい》・安史王朝(大燕《だいえん》)・ウイグル帝国(ウイグル・カガン国)を挙げる点は、独創性を有する卓見である。中央ユーラシア型国家の特徴は、遊牧民の軍事力とシルクロードの経済力を背景に、少数の軍事権力によって多数の農耕・都市民を効率的かつ安定的に支配するシステムにある(森安 二〇〇七:第一・七章、森安 二〇一五:第一章)。

森安の仮説は、江上波夫・護雅夫・佐口透・岡田英弘らから杉山正明や森安に至る、日本における前近代中央ユーラシア史研究が到達した一つの歴史像である。中央ユーラシアからみたユーラシアの歴史展開を明快に説明するモデルといってよい。ただし、最大公約数的に構築したものであるがゆえに、個々の国家の特徴がそのモデルに埋没してしまうきらいがある。例えば、モンゴルの遊牧民とマンチュリアの農耕・牧畜・狩猟民による国家間の共通点・相違点をどのように理解・説明するのか、モンゴルと大清《だいしん》との狭間にある大明《だいみん》をどう位置づけるのか、といった古くからの問いに対しては、必ずしも十分な解答を提示できていない。また、中央ユーラシアの中心性を強調しすぎると、ステップ地帯の南方に広がる農耕世界を遊牧民の付属物、換言すれば、中国・西アジア・インドなどを中央ユーラシアに従属する空間とみることになりかねず、この点には注意を要する。

さらに、パミール高原以西については、モンゴル帝国とその直接の継承政権(ジャライル朝・ティムール朝など)は別として、このモデルは必ずしも受け入れられておらず、その有効性は今後検証されなければならない。パミール高原の東西は乾燥地帯という共通性を有するが、北半のステップについて東西を比較すると、モンスーンの影響で相対的に湿潤で夏場に集中的な降雨があるために、ほぼ遊牧に依拠できるという、東側のモンゴル高原の特質が際立っている(奈良間・渡邊 二〇一五)。そして、その南にユーラシア最大の人口地域かつ農業先進地域の中国が後背地として存在していた。これは、東北ユーラシア最大の地理的な特徴である。ユーラシアの人間集団の移動には、主として北から南、東から西の二つの波がみられる(林 二〇〇七:第二章)が、後者は、この特徴が主因となっているといってよい。

オスマン帝国やムガル帝国の性格をモンゴル帝国の継承国家の側面から説明しようとするのは、中央ユーラシア史の立場である。当該帝国の専門家は、その側面を否定しないかもしれないが、その性格のみを中核に置いているわけではない。例えば、オスマン帝国の起源に関する王朝自身の言説は、世界帝国の形成が進む一五―一六世紀に整備された。テュルクの系譜としてのオグズ伝承やセルジューク朝・モンゴル帝国との関係性が、同時代の政治・社会および国際関係の影響を受けながら、王権の権威強化のために選別されて構成されたものであった(小笠原 二〇一四：第一・四・五章など)。また、ムガル帝国におけるムグル Muġul(ムガル)は彼らの自称ではなく、北インド住民からの他称である。もちろん、ムガル帝国の正統性と権威はティムール朝の後裔であることによって主張されていたが、彼らはモンゴルとの繋がりを重視する中央アジア的社会環境にはなかったのである(真下 二〇〇〇)。このように、自意識・系譜意識・歴史叙述の特質と、制度・統治システムの類似性・継承関係とを峻別した上で、個々の国家についてより実証的な検討を加える必要がある。

盟約の時代と多国体制

唐とモンゴル帝国との狭間の時代における国際関係を形作ったのは、いわゆる「多国体制 multistate system」であり、それは王朝間で締結された盟約によって支えられたため、「盟約の時代 age of treaties」と呼ばれる(Franke and Twitchett 1994)。このような国際秩序のあり方については、とくに近年の日本で研究の深化がみられる(古松 二〇一一、同 二〇二〇a、同 二〇二〇b、Endō et al. 2017など)。以下、古松崇志の整理に基づき、その概要を述べる。

キタイ・宋間の澶淵《せんえん》の盟《めい》(一〇〇四年)に代表されるこの時代の盟約に基づく比較的安定した国際関係は、杉山正明の議論を踏まえ、古松崇志が「澶淵体制」と称してその歴史的意義を喚起した。その後、個々の盟約の具体的内容とその背景や歴史的意義が再検討され、宋朝を中心に国際関係を描く歴史像は解体され、キタイ・ジュルチェンが覇権国家として国際秩序の安定を主導していたことが実証をともなって描かれるようになった。

澶淵の盟は、キタイと李克用《りこくよう》、後唐から北宋初期に至る会盟・和議の試行錯誤を経て練り上げられたもので、それゆえ一〇〇年以上にわたる両国間の平和的関係を実現させた。のみならず、両者が皇帝を自称し、かつ承認し合う対等関係であったことは、それまでの中国における政治の理念とそれに基づく儀礼・文書など外交の実態を大きく変えた意味でも画期的であった。この体制の下で、両国君主の擬制的血縁関係とその継承、使節の往来と文書による交渉、国境の策定・管理及び貿易、軍事的衝突の回避、宋からキタイへの銀・絹の贈与(歳幣《さいへい》)などが取り決められた。また、名分上は対等であったが、締結の経緯と歳幣の存在は当然のことながら、誓書の作成送付の手続きや儀礼から帰納されるように、キタイが宋よりも優位にあったという実態も重要である。この時代の東北ユーラシアの覇権国はキタイ帝国であった。

一一二五年、二七年にキタイ・北宋がそれぞれ滅亡した後、その覇権はジュルチェン帝国に継承され、一一四二年に南宋と和議が締結されて盟約を基軸とする体制が再構築される。その関係は皇帝同士の君臣関係であり、一一六一年のジュルチェン四代皇帝迪古乃《ディグナイ》(海陵王《かいりょうおう》)の南宋遠征失敗を経て、一一六五年以降は叔姪《しゅくてつ》関係(叔父とおいの関係)へ移行するが、ジュルチェンの優位は継続した。

東北ユーラシアにおける他の王国、タングトと高麗も、その名分と実情に基づいて、キタイと、後にジュルチェンと盟約・通婚・冊封・朝貢といった政治的関係を結んでいた。この国際秩序は、モンゴルの征服と統合によって終止符が打たれるが、モンゴル自身もジュルチェンの覇権下から浮上した勢力であった。モンゴルも当初はジュルチェンに取って代わる覇権国としてその秩序を継承する方策を採用し、ジュルチェンや南宋との外交交渉にもその影響を垣間見ることができる。

澶淵の盟から二世紀余りの間、一部の時期を除いて、安定した時代が続いたのは盟約に基づく国際関係が有効に機能していたからである。ただし、古松自身が留保するように、全体として一つのシステムが構築されていたわけではない。二国間関係に個々の政権の実情と思惑が錯綜する複雑系であったがゆえに、均衡を失う可能性も有していた。

その要因となったのが、二度とも北の新興勢力であったことは重要である。そして、ジュルチェンもモンゴルも、澶淵体制以来の先例と国際秩序に基づいて、南の王朝との交渉に臨んでいた。他方、覇権を相手に握られていたとはいえ、宋はそれらを好機として、結果は失敗に終わるものの、盟約の破棄、約定の反故など主体的に政治的判断を行ったのであった。キタイ・ジュルチェンの覇権体制下で、宋は、「屈辱的」な立場に甘んじざるを得ず、華夷思想を醸成していた。しかし、宋は澶淵体制の枠内のみに閉じ込められていたわけではなく、とくに南方において独自の論理によって別の天下秩序を構築しようとしていた側面(遠藤 二〇一七)にも留意したい。

三、東北ユーラシアの東西と覇権の遷移

遷移する覇権の重心

一〇–一三世紀、東アジアの覇権は、キタイからジュルチェンを経てモンゴルへと移行した。かつての中国史の枠組みからみると、それは、いわゆる征服王朝が交替し、まず燕雲《えんうん》十六州が、ついで華北が、最終的に中国全土が領有され、北の王朝が南へ拡大していく過程として理解される。かたや東北ユーラシアの視座に転じると、その覇権の重心が大きく東西に移動したことに注目される。ウイグルと唐が対峙していた時代、覇権の重心は、オルドバリクが築城されたモンゴル高原中央部やや西のオルホン渓谷と、唐の長安にあった。

それに対して、キタイ帝国の中心地は、モンゴル高原東南部に位置するシラムレン川流域で、カガン(皇帝)らは、都の上京臨潢府《じょうけいりんこうふ》を中心として、季節ごとにいくつかの拠点(捺鉢《ナトボ》)へ移動し、そこに滞在して政治を行っていた。その移動圏は、上京周辺のほか、東北は長春州一帯、松花江《しょうかこう》上流の洮児《トール》河・嫩江《のんこう》合流域、南はラオハムレン川流域の中京大定府一帯からさらに南京析津府《せきしんふ》(燕京《えんけい》、現在の北京)・西京大同府一帯にまで至る。ルート上にある河川湖沼や山麓な

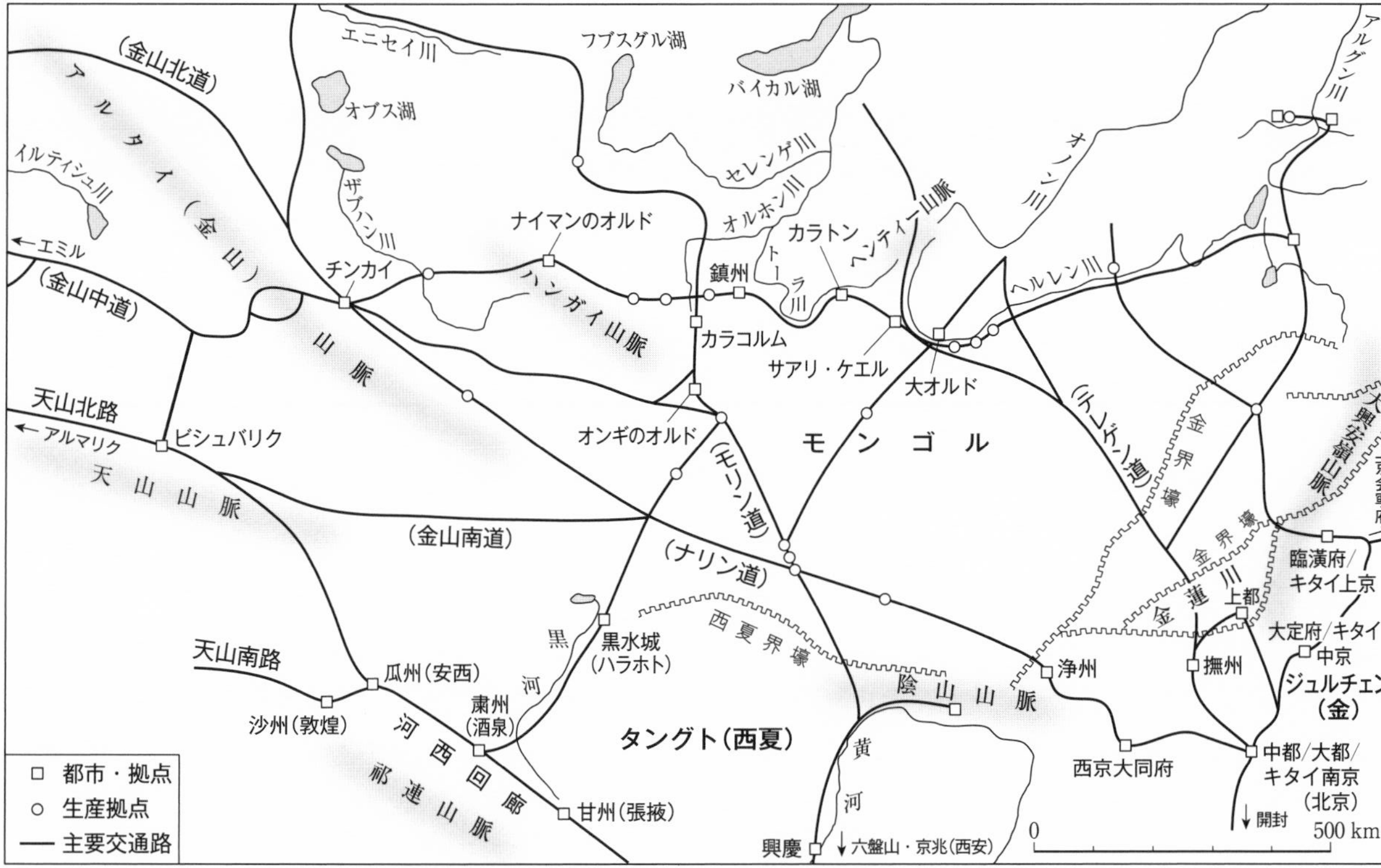

モンゴル高原およびその隣接地域における都市・拠点と交通路(白石 2017:図6-8を基に作成)

ど、狩猟や避暑避寒に適した地に拠点が置かれた。ジュルチェン帝国は松花江流域から勃興し、上京会寧府に都を置き、一一五三年に中都へ遷都した。ジュルチェンの君主らも、都市に定住したわけではなく、首都・陪都《ばいと》や季節ごとの拠点を往来した。三代皇帝合剌《ハラ》（熙宗《きそう》）の長春州一帯や臨潢・燕京地域への巡幸が知られるが、これは、キタイ時代のそれを継承したものとみなせる。五代皇帝烏禄《ウル》（世宗）の治世（一一六一―八九年）には、中都（現在の北京）を拠点としつつ、夏季を、キタイの君主もしばしば滞留した閃電河《せんでんが》（灤河《らんが》上流）流域に広がる金蓮川《シャル・タラ》草原で過ごすことが多くなった。そしてモンゴルの中都包囲を経て城下の盟を締結した後、一二一四年にその脅威を避けて開封《かいほう》へ遷都する。この段階をもって覇権がモンゴルへ移行したとみなせよう。

モンゴルは、テムジン（チンギス・カン）の時代、ヘルレン（ケルレン）川の大オルド（アウラガ遺跡）一帯を、オゴデイからモンケまではオルホン渓谷のカラコルム一帯を、クビライ（フビライ）以降は、大都（現在の北京）と金蓮川の上都一帯を、それぞれ首都ならびに移動圏とした。

妹尾達彦は、この「遊牧諸政権」の拠点移動と、農業地域の主要政権（中華帝国）の首都の移動とが連動し、両者が交流・衝突する地点が中国西北部から東北部へ移動したとみなす。これが、中国の首都の立地の変遷および東西複都制から南北複都制への移行の要因の一つである。この軍事要因に加え、主要穀倉地帯が華北から江南へ移動した経済要因と、交通幹線が内陸の陸路から沿海部の水路・海路へ移動した交通要因を挙げる（妹尾 二〇二〇）。ただし、「遊牧諸政権」の拠点は単方向に西から東へ移動したわけではない。また、その移動には複雑な内的・外的要因が考えられる。

以下、妹尾の成果を出発点として、東北ユーラシアにおける覇権の重心が移動する歴史的背景や過程を論述する。

オルホン渓谷からシラムレン川へ

東北ユーラシアの西部に位置するオルホン渓谷及びハンガイ山脈山麓は、中央ユーラシア屈指の草原を擁し、歴代遊牧帝国の多くが拠点とした地域である。しかしながら、八四〇年のウイグル帝国崩壊後、一三世紀初めのモンゴル帝国までこの地を拠点とする強大な国家は出現しなかった。その崩壊の要因は、直接にはキルギスの侵攻であるが、近年の研究によると、その遠因として、八世紀末から九世紀半ばにかけての乾燥化・寒冷化、およびそれによる唐とウイグル双方の経済への影響も推定されている(di Cosmo 2018)。オルドバリクなど複数の都城を草原地帯に造営したウイグルにおいては、南方からの物資・人口の流入、さらにそれを保持するための農耕が行われていたため、環境に対する負荷は、それまでの時代に比して大きくなっていた。このことは、ウイグルの瓦解のみならず、その後のオルホン渓谷における政治的空白の要因にもなったと推定される(di Cosmo et al. 2018)。

オルホン渓谷の衰退と入れ替わるように浮上するのが、東北ユーラシアの東部である。この地域が浮上する前提は、唐のいわゆる羈縻《きび》政策と安禄山の経営にある。営州・幽《ゆう》州(現在の北京)一帯において、安禄山は、羈縻州の突厥《とっけつ》・ソグド・キタイ・奚《けい》など遊牧民系の軍団を麾《き》下《か》に組み入れていた。さらに、ソグド人のネットワークを活用して交易を行い、同地域は商業都市としても発展することとなった(森部 二〇一〇)。唐からみれば辺境であった幽州は、こうして安史王朝の拠点となったのである。安史王朝は短命に終わるが、幽州とその周辺は、河朔《かさく》三鎮の拠点として継承され、最終的にキタイの領有するところとなった。

ウイグルの瓦解と唐の弱体化により、幽州の北側において、モンゴル高原東南部のキタイが自立して急速に成長していく。ウイグル・唐の掣肘《せいちゅう》を受けなくなったことが大きな要因であるが、その他の要因は必ずしも明確ではない。シラムレン川・ラオハムレン川流域は、遊牧に適した草原地帯であると同時に、八世紀中葉から農業も行われており(韓 一九九九：第二章)、騎馬軍団と可耕地の双方を擁する環境がキタイ勃興の原動力の一つであったとみることも可能である。キタイは、その拡大と征服の過程で、中原《ちゅうげん》や渤海の住民を移住させ、中核地域の両河川流域を始めとして、各地で都城の建設と農地の開墾を促進させた（韓 一九九九：第二・三章）。一〇―一三世紀の当該地域の気温は総じて温暖で、大同・燕京地区も温暖湿潤であったとされるが、中原・江南《こうなん》地域に比べるとデータは少なく（葛 二〇一一：第七章）、今後、局地的な状況はもちろん、同時にキタイの開発が気候と環境の変化とどのように関連するのか解明が期待される。

前述のように、キタイの君主らは季節移動を行っており、一〇二〇年代以降、春にジュルチェン居住地域に近い湿地帯に滞在し、拠点として長春州が置かれていた。そこでは、狩猟を楽しむだけではなく、ジュルチェンなど諸集団との貢納・回賜と祝宴といった政治儀礼を挙行した。他の拠点でもジュルチェンなどとの交易が行われていた。さらに、渤海・ジュルチェンの人びとが移住させられた拠点もあり、そこでは鉄驪《てつり》・吐谷渾《とよくこん》・高麗・靺鞨《まっかつ》・室韋《しつい》・兀惹《ウェジ》・ウイグル・タングト・奚なども居住していた（井黒 二〇二二）。このようなキタイによる拠点の東北への伸張、人間集団の移住・混在とその地域諸集団との接触が、後の帝国を興す按出虎水《アルチュク》完顔《ワンヤン》部の政治的成長を促したのである（古松 二〇二〇c：第四章）。

上京会寧府《かいねいふ》から中都へ

ジュルチェンは松花江流域から勃興してそこを拠点とし、当初より、漢人らの中原地域から松花江流域への移住、猛安《ムンガン》・謀克《ムケ》の十進法体系をとる軍事組織に属する軍人とその家族の華北への移住を行い、その他のさまざまな集団の移住が政策的・戦略的に実行される（井黒 二〇二二）。北部の上京路では農業開発が進む（韓 一九九九：第七章）とともに、上京会寧府を皮切りに、水運交通の要所に城郭都市が造営された。これらは、水系ごとの地域集団の主要地点に立地しており、行政組織も備えたものであった（臼杵 二〇一五）。

上京を中心としつつ、時としてキタイの五京地域まで行幸するという政治の体制と移動の構造は、四代皇帝迪古乃《ディグナイ》による中都への遷都によって一変する。政治の中心を大きく南に移したのは、先代皇帝や宗室を殺害して強引な権力集中を進めた結果であることに加え、旧キタイ領と華北を統治するには上京は北に偏りすぎていたためである。さらに、迪古乃は一一六一年、南宋征服を企図しており、その後の帝国統治も視野に入れた遷都であった。従来、彼の遷都と中央集権化は、中国的専制国家への移行と評価されていたが、天下唯一の皇帝を志向して新たな国家形成を目指したものと評価すべきである(井黒 二〇一〇)。それは、澶淵体制・多国体制への挑戦でもあった。キタイの五京制を継承しながらも、新都を「中都大興府」と命名し、「大興」に強い意味を込めると同時に、「都」が他の四京より上位にあることを示そうとしたことも、その国家プランの一端である。

このように、九―一〇世紀にかけて、東北ユーラシア北部では、政治の重心が西から東へ移動した。期を同じくして、南部の中原王朝の都も長安から開封へ移動した。その結果、東北ユーラシアの南北を結ぶ主要幹線は、オルホン渓谷と長安を結ぶ参天可汗《カガン》道(モンゴル時代のモリン道)から、上京臨潢府―南京(燕京)―開封へ移行した。そして、キタイ時代の君主の移動幹線の一つである長春州一帯までのルートが、ジュルチェン時代には上京会寧府まで結ぶようになった。前者は唐・ウイグルの外交、歳幣の輸送、絹馬交易を担い、後者はキタイ・ジュルチェンと宋との間の外交、歳幣の輸送、国境貿易を担っていた。東北ユーラシアの政治経済の動脈が大きく東にシフトしたのであった。

そして、かつての主要幹線のルート上の地域で繁栄を享受したのがタングト帝国である。河西回廊の東西交易路を抑えたことがタングトの経済基盤を支えたが、この南北交通のルート上に位置していたことも同様に重要であった。このことは、モンゴル勃興前夜において、モンゴル高原の有力者が亡命・通婚などタングトとの関係を有していたこと、ウイグル商人が河西とモンゴル高原を往来していたこと、モンゴル高原の遺跡からタングト産の陶器や鉄インゴット(鋳塊《ちゅうかい》)が出土している事実などからも裏づけられる(森安 二〇一五:第一〇章、白石 二〇一七:第二・六章、舩田 二〇一八)。東北ユーラシアにおける政治と南北交通の重心は東へ移行したが、その間隙を縫ったのがタングトであった。

キタイ・ジュルチェン時代のモンゴル高原

白石典之によると、キタイは、一〇世紀半ばまではモンゴル高原東部、大興安嶺《だいこうあんれい》山脈が南北に走るフルンボイル地方からヘルレン川流域へ、末にはトーラ川流域へとその勢力を伸張させた。一一世紀初めにはトーラ川流域に鎮州などの辺防城を築城し、当地の遊牧集団との摩擦を惹起しながらも、一〇三〇年代に平和な安定期に入ると、その拠点を東のヘルレン川流域に後退させた。九二年の反乱以後、北モンゴル(かつての外モンゴル)は戦乱状態に入る。キタイは、これらの辺防城を拠点として、軍隊の駐屯と植民による農耕を進めていた。この政策が、モンゴル高原中央部の遊牧民を北の森林ステップへと押しやり、そこで集団間の交易や対立が激化した結果、在地の集団の自立が促進された(白石 一九九四、同 二〇〇八)。

ジュルチェン帝国は、モンゴル高原に対する防衛ラインを大興安嶺山脈の東まで後退させ、キタイ・奚・タングトなど遊牧民を中心に「糺《ジュ》軍」を編成し、境界地帯に配備して北辺防衛を担当させた。また、防衛ラインに三〇〇〇キロメートルを超える長城(界壕《かいごう》)も築く。他方、従属関係にある遊牧集団に他の集団を攻撃させ、時には遠征軍を派遣する積極策に出ることもあった。軍事遠征の目的がモンゴルの人口を減少させることにあったとも記されており、ジュルチェンにとってモンゴル対策は優先課題であった。前述のように、五代皇帝烏《ウ》禄《ル》が、モンゴル高原東南部の金蓮川《シャル・タラ》草原にしばしば行幸したのも、モンゴルへの影響力の強化を目的としていた。境界地帯には貿易拠点も設け、従属集団の朝貢とそれに対する見返りとしての宴会を行っていた(賈 一九八五、吉野 二〇一八、古松 二〇二〇c:第四章)。その中からモンゴル高原の覇権を握っていくのが、一一九六年のジュルチェンのタタルに対する遠征軍に協力したケレイトであり、その麾下にあったテムジン(チンギス・カン)がその覇権を奪取したのであった(白石 二〇一七:

第二章)。

ヘルレン川の大オルドとカラコルム

一二〇四年、アルタイ山脈方面のナイマンを滅ぼし、モンゴル高原の覇権を握ったテムジンは、一二〇五―〇九年、タングトを攻めて屈服させ、タングトは和議を結んで皇女を送り、モンゴルに臣従する。一一年には、ジュルチェンに叛旗を翻し、一三年に中都を包囲した後、翌一四年に和議が結ばれ、ジュルチェンは歳幣と公主を差し出すことを受け入れた。いわゆる澶淵体制の盟主がジュルチェンからモンゴルへ交替するかに思われたが、ジュルチェンが開封に遷都したことを口実に、一五年、モンゴルは中都を攻略する。その後両国は長い交戦を続けることになり、南宋もジュルチェンへの歳幣を停止する。その結果、東北ユーラシアでは戦乱の時代が続くが、この段階で、覇権はジュルチェンからモンゴルへの移行期に突入した。

テムジンは、当初ヘルレン川上流域の谷を、ついで川が南から東へと湾曲する中流域、バヤン・オラーン山南麓の大オルドとこれに隣接するコデエ・アラルの平原を拠点・移動圏とした。白石によれば、南北に延びる谷が気候の変動に対して放牧地の移動で対応できるという利点、ケレイトの勢力圏に近い立地、鉄資源へのアクセス、モンゴル高原において相対的に水と草の環境が良好で、良馬の産地であったこと、そして、ジュルチェンの中都への交通上の要衝にあったことがその選択の理由であり、またテムジンの勢力拡大の要因ともなった。トーラ川流域に位置するカラトン(ブフグ遺跡)は、かつてのケレイトの拠点であり、サアリ・ケエルの土城(ブールルジュート遺跡)とともにキタイ時代に造営された城郭を再利用したものであった(白石 二〇〇二:第三・四章、同 二〇一七)。

以上のように、ケレイトとモンゴルは、かつてキタイが高原に勢力を伸ばした地域を勢力圏として勃興し、またキタイが造営した防衛拠点を活用して勢力を拡大させたのである。そして、ジュルチェンに臣従することにより、その支援を得て高原内の敵対勢力を殲滅していった。ジュルチェンとの、そして征服後の華北との往来と物資の輸送には、キタイ時代の辺防城と上京臨潢府とを結ぶ街道（モンゴル時代のテレゲン道）が使われた（白石 二〇一七：第五・六章）。ケレイトのトオリルやテムジンがオルホン渓谷ではなく、ヘルレン川からトーラ川に本拠地を定めた背景には、キタイ時代の開発ならびにジュルチェンとの往来の利便性があった。そしてこの道は、モンゴルのジュルチェン侵攻の進軍路としても用いられた。

テムジンの後を継いだオゴデイは、ジュルチェンを滅ぼした翌年の一二三五年、オルホン渓谷に新たな都カラコルムを造営し、カラコルム周辺とその南のオンギン川流域に位置するオンギのオルド（シャーザン・ホト遺跡）に至る範囲を首都圏として季節移動を行った。三代・四代の君主、グユクとモンケもこれを踏襲した（白石 二〇〇二：第三・四章、Atwood 2015b）。近年、中央ユーラシアの環境史に取り組んでいるディ・コズモは、この政治中心の移動の要因を環境に求め、一二一一年以降、オルホン渓谷の気候は格段に良好となり、草原の生産性と環境収容力を向上させていたと結論する。このような変化が、恒久的な都市の建設、農業、集約的な牧畜を可能とした（di Cosmo 2015）。この分析は妥当であるが、ウイグル帝国崩壊後、モンゴル高原における政治的活動と築城・屯田の重心が、トーラ川・ヘルレン川流域にあったことも重要な因子である。この間、突厥・ウイグル時代に集中的に利用された結果、荒廃傾向にあったオルホン渓谷の草原の地力も回復の時間を与えられていた。環境の変化は、気候変動のみならず、人間の政治・経済活動の影響も大きく受けたとみなければならない。

当時のモンゴル帝国は、ジュルチェンからの支援を期待することはもとより、その脅威を考慮する必要もなくなっていた。そして華北・河西・トルキスタンを獲得し、南側の三方向の地域から物資と富がモンゴル高原に輸送されていた。オルホン渓谷は、東南の華北へつながるテレゲン道、南の六盤山《ろくばんざん》一帯・京兆《けいちょう》（現在の西安）へつながるモリン道（途中からナリン道をとれば西京大同府に、別の支線をとれば河西にも通じる）、西のアルタイ山脈を越えてトルキスタンへつながるルート、北の森林地帯へ至るルートが交叉する地点に位置している。さらに、ジュルチェンを滅ぼしたオゴデイは、キプチャク草原・東欧と南宋に遠征軍を、モンケは西アジアと大理・南宋に遠征軍を相継いで派遣する。モンゴル高原の東南と西の双方を征服・支配する立地としては、東寄りに位置する大オルド一帯よりも、東西南北のルートの起点となるカラコルム一帯が帝国の政治中心としては相応《ふさわ》しかったのである。

カラコルムから大都・上都へ

この構造は、モンケの急死、弟クビライとアリク・ボケ(アリク・ブケ)の即位による内戦、そしてクビライの勝利を経て大きく変化する。クビライも定住民地域の統治にあたってはオゴデイ以降に確立した方式を基本的に継承する(舩田 二〇一八)が、帝国の拠点としては、金蓮川《シャル・タラ》草原の開平府とその南の燕京を選択し、それぞれ上都・大都と命名してその一帯を首都圏・移動圏とした。ここに、東北ユーラシアの覇権の重心は再び東に移動したのであった。

そもそも、クビライとしては、生前に関係の悪化した兄モンケ、そして継承戦争の敵手であった弟アリク・ボケの拠点であったカラコルム圏で政治を行うことはリスクが高かった。加えて、人口過多となっていたモンゴル高原への糧食・物資供給を封鎖することによって継承戦争に勝利したクビライは、北モンゴルに政治的拠点を置くことを躊躇しただろう。何よりも重要な点は、非合法であった即位を当初より強力に支持したのが、モンゴル高原東部からマンチュリアに分封されていた東方三ウルス(テムジンの弟の王家)とモンゴル高原東南部に展開していたジャライル・コンギラトなど五投下の千人隊の諸軍団であったことである(海老沢 一九六七、同 一九七二、杉山 二〇〇四:第二章)。なお、「投下」とは、遊牧領主とその麾下の遊牧集団、さらにはその領民を指す。この五投下は、対ジュルチェン帝国侵攻の一翼とその後の防衛の中核を担った五つの遊牧集団に起源をもつ。クビライの支持基盤が東に偏在していた以上、上都・大都がその政治的中心となるのは必然であった。

覇権の重心が東に偏ったことに加え、内戦後の中央アジア政策が失敗に終わり、中央アジアのオゴデイ・チャガタイ両王家の勢力をまとめ上げたカイドと対立状況に陥る。クビライは帝国唯一のカーン位は保持するものの、帝国が当初より有していた各ウルスの自立傾向がいっそう進む。カイド死去により内乱に終止符が打たれた後も、カーンはジョチ・ウルス(キプチャク・カン国)、チャガタイ・ウルス(チャガタイ・カン国)、フレグ・ウルス(イル・カン国)の統治に介入することはほとんどなく、帝国は自立的なウルスの連合体のままであった。これら西方三ウルスの当主はウルス内の統治(徴税・人事や外交・戦争)を独自に行っており、現在の国家観からすれば、それぞれが国家の体裁を有していた。しかし、理念としては全ウルスが一体であるという認識と本家のカーンが帝国全体の君主であるという共通認識を有していた。また、定期・不定期の賜与、そして徐々に形骸化していくが中国に保有していた所領からの収入の分配を通じて、経済・財政のつながりも保持していた。クビライ以降のモンゴル帝国も、このように一定の統合は持続していたのである(杉山 一九九二:第二章、舩田 二〇一八、Kim 2009, 2015)。

さらに重要なポイントは、クビライの拠点と移動圏が、ジュルチェンのそれを踏襲していることである。大都は中都の東北一帯のほぼ更地から造り上げられた計画都市であったが、その立地の一つのポイントとなったのが太液池《たいえきち》(北海・中南海)である。杉山正明は、この水辺が遊牧民の冬営地として格好の地点であり、大都造営以前、クビライとその麾下の遊牧軍団は、ここに駐営していたと指摘する。太液池に浮かぶ瓊華島《けいか》の広寒殿は、儀式・接待時に活用された(杉山 二〇〇四:第三章)。ジュルチェン時代、瓊華島にはジュルチェンの離宮万寧宮が置かれ、広寒殿はそれを構成する一棟であった(陳 一九八二:第二章)。以上から、クビライの季節移動に基づく政治構造の淵源が、中都遷都後のジュルチェン帝国にあることが窺える。大都・上都も中都を強く意識した命名である。即位後のクビライは、モンゴル高原と皇族・遊牧民に対してはカーンとしての正統性を主張しつつ、政治中心の立地と移動圏、中国に臨む体制はジュルチェン帝国をモデルとしたのであった。

杉山は、クビライとアリク・ボケとの内戦を漢地派と遊牧派との対立に帰す従来の見方を明快に退けた（杉山 二〇〇四：第二章）。東北ユーラシアという視点からみると、これはモンゴル高原中央部とモンゴル高原東部の遊牧軍団同士の対立構造が、時代を超えてプレイヤーを変えながらも繰り返し続いていたことがみえてくる。すなわち、①突厥遺民を含む安史王朝―ウイグル、②キタイ―モンゴル高原の遊牧諸集団、③ジュルチェン―キタイの残存勢力とモンゴル高原の遊牧諸集団、④クビライ―モンケとアリク・ボケという対立構造である。この対立は覇権の重心の遷移と連動して展開した。そして、モンケやアリク・ボケの重要な姻族が高原西北のオイラトで、クビライのそれが東南のコンギラトであった（宇野 一九九三）ことは、象徴的である。

クビライが統合する三つの重心

クビライ王朝（カーンのウルス、いわゆる元朝、大元ウルス）の基本構造の中核は、三つのウルスであった。クビライは、即位後、夭逝《ようせい》した長子ドルジ以外の三人の嫡子を王に分封した。次子チンキムを皇太子・燕王として大都・上都を含む中書省《ちゅうしょしょう》直轄地域のトップ中書令にも任じ、自身の補佐を担わせた。第三子マンガラは、安西王として京兆と六盤山の開成を含む陝西《せんせい》・河西に分封され、あわせて雲南・四川・チベットを指揮下に置いた。末子ノムガンは、北平王として北モンゴルに出鎮し、カラコルム一帯を拠点とした（杉山 一九九五）。これは、大都・上都に政治の中心を置きながらも、オルホン・ヘルレンと関中・河西というかつての覇権の重心が位置した重要な地域の統治を皇子に分担させる体制であった。クビライは、東北ユーラシアにおいて、大興安嶺山脈一帯とその東は自身の即位に協力的であった東方三ウルスをほぼそのまま温存し、それ以外の地域については、自身と三人の皇子で統治する体制を構築したのであった。域内の王族とそのウルスや江南・雲南・チベットに分封されたクビライの他の皇子たちは、クビライかこの三人のいずれかの統制下に組み込まれた。

王家断絶や政変・反乱により、三ウルスは順調に継続したわけではなかった。しかし、クビライ以降の東北ユーラシアの政治史とカーン継承をめぐる紛争は、この三地域の相克と平衡を基軸に展開した。この三地域の間の往来や物資の供給を担ったのが、テレゲン道・モリン道・ナリン道などのジャムチ（駅伝）・ルートであった。大都は、大運河・海運と他のジャムチ・ルートによって、江南を含む中国各地と連結していた。大都すなわち後の北京は、モンゴル以後も東北ユーラシアの覇権の重心であり続ける。キタイ・ジュルチェン・モンゴルの時代に、東アジアの覇権の構造と国際秩序のあり方は大きく変容し、それが現在に至るまで影響を及ぼしているのである。

四、東北ユーラシアの南北関係の変遷とその構造

東アジアの歴史を通時的にみると、東北ユーラシアの北・南の二つの国家、遊牧・中央ユーラシア型帝国と中華帝国との間における抗争と共存がそれを織りなしている。そして、前者が優勢な時代、後者が優勢な時代、両者が拮抗・共存する時代、両者を包含する大帝国の時代と大きく類別できる。本章が取りあげる時代の前中期は、前者が優勢でありながらも、澶淵体制というしくみのもとで南北共存が実現した時代である。ただし、その拮抗する境界線は、キタイ時代にはおおむね拒馬河《きょばが》・恒山《こうざん》山系で、ジュルチェン時代とモンゴル時代初期は淮河《わいが》・秦嶺《しんれい》山脈まで南下し、最終的にモンゴル帝国の統合に達してその境界は消滅した。それぞれの状況は、それぞれの時代の特徴を反映したものであり、当然ながら覇権の構造は相互に異なっている。他方、このような状況の差異を超えて共通する構造もある。

第一に、基本的に物資と財貨が南から北へと移転することである。北が優勢な時代においては、それは歳幣の形をとり、南が優勢な場合は、朝貢に対する下賜という形をとった。もちろん、実際には北が優勢であったが、南が建前として朝貢と記録する場合もある。南から北へ物資や財貨が流れる構造は、大統合を遂げたモンゴル帝国においても

みることができる。王族や千人隊組織の遊牧集団の長は、華北・江南に保有する所領からの税収の一定部分を受領したほか、カーンから定期・不定期の賜与を獲得していた。最上級の王家には、毎年銀一〇〇錠(約二〇〇〇キログラム)が与えられていた。

また、モンゴル帝国の征服・拡大、捕虜の連行、そして富の集積と都城の造営の結果、多数の流入人口を抱えており、その食糧供給が課題であった。さらに中央アジアとの紛争により、膨大な軍糧も必要となっていた。カラコルムへの糧食の供給は、屯田、官営輸送、商人からの買い上げによって行われていた。一三〇八—一四年、カイド陣営からの投降者一〇〇万人に対応するための数字であるが、大同からカラコルム方面へ年間数万石《せき》(数百万リットル)輸送した記録がある(松田 二〇〇〇)。ハラホト文書によると、西北辺境のエシナ路は、甘粛・寧夏・山西から得た糧食を西北の駐屯軍へ供給していた。河西地域の王族がカラコルムへ向かう際には、甘粛から穀物や小麦粉が供出された(杜・陳・朱 二〇一五:第一章、赤木 二〇一七)。また、北方で旱害・雪害が起こると、中央政府はモンゴル高原の王族や遊牧集団に救済のための糧食や交鈔《こうしょう》(紙幣)を支給していた(王 二〇一〇:第二・七章)

第二に、遊牧民を中核とする騎馬軍団の配置と展開である。東北ユーラシアの南北の帝国が対峙している時代、いずれかが優勢であるにせよ、両者の勢力が拮抗しているにせよ、その境界地帯には、防衛・攻撃のための軍団が配備される。そして、農牧接壌地帯一帯に展開させた軍団の主力は、遊牧民を中核とする騎馬軍団であった。遊牧民由来の人びとを編成したり、模倣して編成したりする場合もあった。これらも含めて遊牧民的騎馬軍団と呼ぼう。

ジュルチェンは狩猟・農耕民などから構成されるさまざまな集団であったが、騎射に優れた騎馬軍団を中核とし、征服したキタイ・奚の遊牧民も軍事組織の猛安・謀克に編成し、他の遊牧民も辺境防衛などのために利用した(古松 二〇二〇c:第四章)。南の宋も、北の帝国に対抗するために、遊牧民的騎馬軍団は不可欠であった。軍事的に後唐から後周に至る沙陀系軍団の流れを汲む宋でも、初期にその中核の軍事力を担ったのは、農牧接壌地帯の河北・山西出身者であった。その指揮官・軍人には、沙陀・ソグド(ソグド系突厥も含む)・キタイ・奚や吐谷渾系の吐渾《とこん》が含まれていた。澶淵の盟以後、宋の辺防は、タングト帝国との西北国境が重要な課題となる。この方面の軍事活動を支えた軍団は「西兵」と称され、そこではタングト・チベット系の指揮官・軍人も重要な役割を果たしていた(森部 二〇一〇:第六章、伊藤 二〇二一)。

このように、多国並存期の東北ユーラシアにおいては、農牧接壌地帯を中心に、南北双方が遊牧民的軍団を対峙させる構造が存在した。この構造に関して、杉山正明の「多種族複合国家」、妹尾達彦の「農牧複合国家」という表現は、これら南北の国家群の本質を突いている(杉山 一九九七a、同 一九九七b、妹尾 二〇二〇)。タングト帝国も、遊牧・農耕両地域を包摂し、軍事力は遊牧民的軍団が主力であった。そして、これらの帝国は、南の宋に対してだけでなく、北辺にも軍団を配置・展開させる必要があった。

北モンゴルから南中国まで統合したモンゴル帝国も、実はこの構造を共有している。モンゴル帝国は、国境地帯を中心に探馬赤《タンマチ》と呼ばれる諸集団から構成される駐屯軍を配置していた。北モンゴルに拠点を置きつつ、東北ユーラシアでは、モンゴル高原南部、ついで華北にそれらを展開させた。クビライの時代になり、政治の中心を上都・大都に移し、南宋を滅ぼした後でも、これら駐屯軍を万戸府・千戸府に編成して中国各地に配備した。また、クビライは、諸集団から成る侍衛親軍を編成して大都・上都エリアに配置する。華北東北部からモンゴル高原東南部にかけては、クビライ直属のこの軍団とクビライに近い五投下の軍団が展開しており、中国・モンゴル高原・マンチュリアに睨みをきかせていたのである。京兆・六盤山一帯や河西地域に分封された王族の軍団も、中国・モンゴル高原・中央アジアに対して同様の機能を有していた。統合した帝国においても、軍団の配置とその機能に大きな変化はなかったと理解することができよう。

この状況は、本章が対象とする時代以外にもみられる状況である。安史王朝・唐双方ともソグド・突厥・キタイ・

奚など遊牧民出身・由来の指揮官・軍人が重要な役割を果たし（森部 二〇一〇）、大明も多くのモンゴル・ジュルチェンなどの武官・軍人を採用していた（張 一九九九）。東北ユーラシアの農牧接壌地帯は、歴代の王朝にとって遊牧民的軍団の供給源であるとともに、王朝の内外を統御・防衛・攻撃するために軍団を展開させる軍事上の重要地帯であった。

五、国を形作るもの

国号からみた独自性と中国への意識

これら諸帝国は、大遼・大夏・大金・大元という漢語国号とは別に、それぞれの言語による国号を有していた。漢字文献から推定・復元されたキタイ・ジュルチェンの各言語による国号は、それぞれ大キタイ国・大ジュルチェン金国と訳される。これらの呼称に加え、それぞれ大中央フリジ・キタイ国、大中央アルチュン国と訳すことができるキタイ（契丹）文字・ジュルチェン（女真）文字の国号があった（劉 二〇〇六、愛新覚羅 二〇〇四、同 二〇〇九、ザイツェフ 二〇一二）。キタイ文字の国号には、単語の転倒・省略などさまざまなバリアントが知られる。フリジの語義については、カラ（黒）ないし遼を意味する、あるいはモンゴル語のウルス（人びと、くにたみ、国）と同源語根とする説がある。

これらの国号は、モンゴルと同様に、集団名あるいはそれを区別するための地域名（アルチュンは按出虎水《アルチュク》に因《ちな》む）を冠する点で中華帝国のそれとは異なる論理で命名されており、そこに独自性をみることができる。一方で、「中央」については、それが独自のものであれ借用であれ「中国」を意識した用法かもしれない。その意味では、キタイ・ジュルチェンが備え始めた「中華意識」（古松 二〇二〇b）の発露とみることも可能である。そして、ジュルチェンが南宋を臣従させたこと、迪古乃《ディグナイ》が南宋滅亡を企図したこと、さらには、テムジンがジュルチェンの皇帝号の撤回を要求したことなども、「皇帝」意識の強い表出である。宋の「偏狭」な華夷思想と版図奪還の悲願のみならず、ジュルチェンやモンゴルのセントリズム的な対外政策も澶淵体制下の安定を崩壊させた因子となった。なお、チャガタイ・ウルスの自称、中央モンゴル国（Matsui 2009）も、キタイ・ジュルチェンの国号の系譜を引いている可能性があるだろう。

タングトの自身の言語による国号は、大白上国ないし白上大国と漢語訳できる。タングト（西夏）文字表記の逐語訳は「白・上・国・大」で、上は高と解釈される場合もある。白上は、白河（四川・甘粛の境界一帯）の上流が発祥地と考えられていたため、白を貴んだため、など所説あるが、やはり独自の論理を見出せる。漢語国号の「夏」を意訳した文字を含む白高大夏国というバリアントもあり、キタイなどと同様、言語や場面によって複数の国号を使い分けていたことがわかる（李 一九九七：第一章、荒川 二〇一四、孫 二〇二〇）。

モンゴルの国号は、大モンゴル国であったが、近年の研究により、テムジンがチンギス・カンとして即位した一二〇六年ではなく、ジュルチェンに叛旗を翻した一二一一年にこれを称したことが解明された。ただし、大金国を援用して漢語世界向けに「大蒙古国」を称し、それがモンゴル語に直訳されたとするデ・ラケヴィルツの主張については、中村淳が述べるように留保するのが妥当である。しかし、国号の制定がジュルチェンを意識してなされたことは確実であろう（de Rachewiltz 2006; 中村 二〇二一）。実質的なクーデタにより政権を奪取したクビライは、正統性の強化と来るべき南宋征服をみすえて、大元という国号を定める。大元大モンゴル国が正式な国号であったとする見解もあるが、漢語・モンゴル語合璧史料による限り、大モンゴル国と大元は等値であり、本源的にはモンゴル語の国号が前者、漢語の国号が後者と解釈すべきである。そして、大元も大モンゴル国と同様に、クビライとその後継者たちの理念としては、いわゆる大元ウルス・元朝の範囲にとどまらず、モンゴル帝国全体を包摂するものであった（舩田 二〇〇四、Kim 2015）。なお、キタイ・ジュルチェンの国号を踏まえると大元大モンゴル国のバリアントもあり得るが、現時点では一つの用例のみで議論するのは性急である。確かに、モンゴル時代後半になってくると、大元の呼称がモンゴル語世界でも通用するようになり、それが明初の『華夷訳語』の「大元モンゴル・カーン」、一五―一六世紀のバト・モンケの称号ダヤン(大元)・ハーン(カーン)に受け継がれる。ただし、これらも大明を意識して大元の正統性を主張したものであった。

部族連合国家に対する疑問

しばしばこれら諸集団の社会は部族社会であり、これらの帝国は部族連合国家であると表現される。東北ユーラシアの遊牧民や狩猟農耕民の集団を部・部落・部族と記す同時代の漢語史料の例はあるが、その概念は現代日本語のそれと必ずしも一致しない。一般には部族という語は未開を連想させてしまうため、その使用には注意が必要である。漢語史料の用語も州県制度をもたない集団を指し、未開とみなすようなニュアンスを含意する。もちろん、近年の日本の研究者は必ずしも否定的な意味で用いているわけではないが、かといって厳密に定義しているわけでもない。

この問題について、スニースは以下のような挑戦的かつ刺激的な議論を提起した――遊牧民の社会と国家を部族社会・部族国家と理解することは、植民地主義の残滓であり、棄却されなければならない。部族や氏族のような細分化された親族集団が存在しているわけではなく、その社会と国家は、階層化された貴族的秩序によって構成されている。そして、ペルシア語のカウムやモンゴル語のオボクを部族・氏族と翻訳するのは誤りである――と糾弾する(Sneath 2007)。アトウッドは、この議論を踏まえ、同時代史料の精査を行い、モンゴル帝国時代に部族・氏族の秩序を体現する語はみられず、アイマクは軍事・行政単位を意味し、オボクはグループを指すのではなく男系の姓のようなものである、と結論づけた。アトウッドは、アイマクが部族の意味を獲得したのは後世のことであるとするスニースの見解に賛同し、それは、マンジュ(満洲)語・漢語からの透写語としてモンゴル語に流入した概念だと述べる(Atwood 2015a)。これらの研究成果を踏まえると、アイマク・オボク・カウムは、辞書に部族・氏族・一族といった意味があるものの、無批判にこれらを訳語にあてるのは極めて危険である。

この点、氏族・部族を「叙述上の用語として慣用しているものにすぎない」と断る杉山正明(一九九七c)の慎重な態度は堅実である。ジュルチェンについて、河内良弘・臼杵勲・井黒忍がそれぞれ豪族・地域集団・地方集団(河内一九七〇、臼杵二〇一五、井黒二〇一一)の語を用いるのも、部族という用語を避けるとともに、血縁集団としてではなく、水系ごとの地域のまとまりを重視したものである。また、福島伸介(二〇一一)もオボクと氏族制の再検討の必要性を提起するとともに、安易に「部族社会」を用いることに警鐘を鳴らす。

筆者も概念と用語に関する以上の議論に賛同し、これらの帝国の社会と国家を部族社会・部族連合国家と称することは適切でないと考えている。アイマクは、原義的には遊牧集団と訳すのが中立的であり、遊牧移動圏が地理的に近接する複数のアイル(一から数家族によって構成される遊牧の最小単位)が政治行政的にまとめられたものと考えるべきである。もちろんその中には血縁を同じくする集団がそのまま包摂される場合もあるが、アイマク全体としてみれば血縁集団というよりは地域集団である。そして政治権力が強大になると、十進法体系の軍事社会組織として政治的に再編されたのであった。そのアイマクが政治的に統合されたものがウルスであり、また政治的な分民(分封)によって分立したものもまたウルスである。したがって、モンゴル帝国を部族連合国家と呼ぶべきではなく、それは政治行政上の高度な階層構造をもつウルス・アイマク国家であった。

おわりに

東北ユーラシアという空間を設定し、キタイからジュルチェンを経てモンゴルに至る覇権の重心の遷移を中心に、諸帝国の興亡を論述した。妹尾達彦が提示したように、それは、南の中華帝国における首都の立地と連動するがごとく、西から東へと移動している。妹尾の議論は、確かに中華帝国の首都が長安・洛陽から開封、そして北京へと移行していく要因を明快に説明している。ただし、東北ユーラシアにおける覇権の重心の移行は、南の中華帝国における軍事・経済・交通だけが主たる要因ではなく、むしろモンゴル高原・マンチュリアとその帝国の内在的な要因が大きかったことを、本章は示すことができたと考える。それは、中国のように西から東へ単方向に移動したのではなく、振り子のような揺り戻しの過程を経ていた。

　これまでなされてきたように、これらの帝国の興亡の要因を気候変動に求める議論は極めて魅力的であり、近年におけるデータの増加と緻密な分析によって、その説得力は増している。他方、気候変動だけではなく、帝国の政策による人為的な環境改変——人口移動・都市建設・農地開発——も、人間の経済活動に対してより脆弱な乾燥地帯において、大きな負荷と影響を与えたはずである。キタイからモンゴルに至る諸帝国は、しばしば、モンゴルの草原から農牧接壌地帯に至る乾燥地帯、さらにはマンチュリアの湿地帯において、防衛拠点や都市の建設とセットで、人口の移住と手工業・農業の生産拠点の開発を戦略的に行っていた。おそらくその起源は、唐の北辺における羈縻《きび》州の設置と開発、ウイグル帝国における都市建設と農地開発にある。それらは、人口集積と農地拡張という「発展」とその後の「荒廃」のサイクルを発生させ、そのサイクルが新たな人口の変動と移動をもたらす。同時にそれは覇権の重心の遷移と密接に関連するものであった。今後より精細な環境プロキシ・データが得られるとともに、人為的な負荷を明確にする方法論の確立が求められるだろう。

　農牧接壌地帯以北においてある程度分散して立地している拠点群とそれらの南側に広がる華北の農耕地帯を統合する政治権力の源泉は、農牧接壌地帯以北を供給源とする遊牧民の騎馬軍団である。そして、この多様な地域と集団から成る東北ユーラシアを統治し、各地に展開する騎馬軍団を統御するためのしくみの一つが、移動する中央権力であった。前述のように、これらの帝国の君主たちは移動をしながら統治を行った。それは、遊牧民の季節移動に基づく形態であるとしばしばいわれていた。確かに、君主とその麾下の官僚・軍団、さらには家畜群の大規模な移動を可能としたのは、遊牧民の生活形態とそれを支える機動性であった。しかし、アトウッドが示したように、統治者の移動の距離と範囲は、通常の遊牧経済が要するそれらを大きく超越していた。その長距離・広範囲にわたる移動は、遊牧や行政の効率のためではなく、各地に展開する王族・将軍とその軍団に対する権威の誇示を目的としていた(Atwood 2015b)。さらに、キタイが宋にかけた政治的圧力の例(古松 二〇一一)からもわかるように、このような統治者の移動は、時として国外への示威行動にもなった。その移動距離の大きさは、権威誇示による統制を目的としつつも、統治者が抱える軍団と家畜の規模の過多にも規定された結果でもあり、それを支えるための草原と糧食といった経済的要因もあったはずである。アトウッドが論じるように、それは遊牧経済の収益の最大化をもたらすものではなく、むしろ、環境や住民に多大な負荷を負わせるものであった(Atwood 2015b)。最終的にクビライは、自身と皇子たちが大都・上都、京兆・開成、カラコルムの三圏域で移動を行うことにより、東北ユーラシア全体を統御する体制を目指したのであった。

北の帝国は、その軍事力を背景に優位な形で、後唐から宋に至る諸王朝と盟約を結び、安全保障と経済的利益を獲得することに成功する。それは比較的長期にわたり安定した時代を実現させた。しかし、時代を逐うごとに両者間の国境は南へシフトし、最終的にモンゴルによる統合により、この盟約の時代は終わりを告げる。ただし、多国体制とモンゴルによる統合の時代を問わず、農牧接壌地帯に展開する軍事力が北と南を牽制する政治構造と、南から北へ物資が移動する経済構造は変わることがなかった。その構造は前の時代から受け継いだものであり、さらに後世にも継承されていくのである。

赤木崇敏（二〇一七）「地方行政を仲介する文書たち――《賭博に関する賞金のこと》」同ほか『元典章』が語ること――元代法令集の諸相』大阪大学出版会。

荒川慎太郎（二〇一四）『西夏文金剛経の研究』松香堂。

井黒忍（二〇一〇）「金初の外交史料に見るユーラシア東方の国際関係――『大金弔伐録』の検討を中心に」荒川慎太郎・高井康典行・渡辺健哉編『遼金西夏史研究の現在(三)』東京外国語大学アジア・アフリカ言語文化研究所。

井黒忍（二〇一三）「受書礼に見る一二～一三世紀ユーラシア東方の国際秩序」平田茂樹・遠藤隆俊編『外交史料から十～一四世紀を探る』汲古書院。

井黒忍（二〇二一）「女真の形成――東北アジアにおける諸集団の興亡」古松崇志・伊藤一馬・井黒忍『金(女真)と宋――一二世紀ユーラシア東方の民族・軍事・外交』研文出版。

伊藤一馬（二〇二一）「北宋最強軍団とその担い手たち――澶淵の盟から靖康の変へ」前掲書所収。

臼杵勲（二〇一五）『東アジアの中世城郭――女真の山城と平城』吉川弘文館。

宇野伸浩（一九九三）「チンギス・カン家の通婚関係の変遷」『東洋史研究』五二―三。

海老沢哲雄（一九六七）「モンゴル＝元時代の五投下について」山崎先生退官記念会編『山崎先生退官記念東洋史学論集』山崎先生退官記念会。

海老沢哲雄（一九七二）「モンゴル帝国の東方三王家に関する諸問題」『埼玉大学紀要 教育学部(人文・社会科学)』二一。

遠藤総史（二〇一七）「未完の統一王朝――宋朝による天下理念の再構築とその「周辺」」『史学雑誌』一二六―六。

小笠原弘幸（二〇一四）『イスラーム世界における王朝起源論の生成と変容――古典期オスマン帝国の系譜伝承をめぐって』刀水書房。

小澤実（二〇一六）「北西ユーラシアの歴史空間の射程」小澤実・長縄宣博編著『北西ユーラシアの歴史空間――前近代ロシアと周辺世界』北海道大学出版会。

河内良弘（一九七〇）「金王朝の成立とその国家構造」護雅夫ほか『岩波講座 世界歴史』第九巻、岩波書店。

ザイツェフ、ヴァチェスラフ・P（二〇一一）「ロシア科学アカデミー東洋文献研究所所蔵契丹大字写本」荒川慎太郎訳『内陸アジア言語の研究』二七。

白石典之（一九九四）「モンゴル部族の自立と成長の契機――十～一二世紀の考古学資料を中心に」『人文科学研究』八六。

白石典之（二〇〇二）『モンゴル帝国史の考古学的研究』同成社。

白石典之（二〇〇八）「ヘルレン河流域における遼（契丹）時代の城郭遺跡」荒川慎太郎・高井康典行・渡辺健哉編『遼金西夏史研究の現在（二）』アジア・アフリカ言語文化研究所。

白石典之（二〇一七）『モンゴル帝国誕生――チンギス・カンの都を掘る』講談社選書メチエ。

杉山正明（一九九二）『大モンゴルの世界――陸と海の巨大帝国』角川選書。

杉山正明（一九九五）「大元ウルスの三大王国――カイシャンの奪権とその前後（上）」『京都大学文学部研究紀要』三四。

杉山正明（一九九七ａ）「日本における遼金元時代史研究」『中国――社会と文化』一二。

杉山正明（一九九七ｂ）『遊牧民から見た世界史――民族も国境もこえて』日本経済新聞社。

杉山正明（一九九七ｃ）「中央ユーラシアの歴史構図――世界史をつないだもの」同ほか『岩波講座　世界歴史』第一一巻、岩波書店。

杉山正明（二〇〇四）『モンゴル帝国と大元ウルス』京都大学学術出版会。

妹尾達彦（二〇二〇）「東アジアの複都制――六～十三世紀を中心に」同編『アフロ・ユーラシア大陸の都市と社会』中央大学出版部。

田村実造（一九七一）『中国征服王朝の研究　中』東洋史研究会。

中村淳（二〇一二）「大モンゴル国の成立――一二〇六年と一二一一年」『駒沢史学』九六。

奈良間千之・渡邊三津子（二〇一五）「中央ユーラシアの自然環境とその変遷」白石典之編『チンギス・カンとその時代』勉誠出版。

林俊雄（二〇〇七）『スキタイと匈奴――遊牧の文明』講談社。

福島伸介（二〇一一）「モンゴル帝国成立過程における〝氏族制〟批判――ウラディミルツォフ的解釈を離れるために」早稲田大学モンゴル研究所編『モンゴル史研究――現状と展望』明石書店。

舩田善之（二〇〇四）「杉山正明著『モンゴル帝国と大元ウルス』」『史学雑誌』一一三―一一。

舩田善之（二〇一八）「モンゴル帝国の定住民地域に対する拡大と統治――転機とその背景」『史学研究』三〇〇。

古松崇志（二〇一一）「十～一三世紀多国並存時代のユーラシア（Eurasia）東方における国際関係」『中国史学』二一。

古松崇志（二〇二〇ａ）「十～一二世紀ユーラシア東方における「多国体制」再考」『唐代史研究』二三。

古松崇志（二〇二〇b）「一一世紀ユーラシア東方における多国体制と「帝国」」『西洋史研究』四九。

古松崇志（二〇二〇c）『草原の制覇――大モンゴルまで』岩波新書。

真下裕之（二〇〇〇）「一六世紀前半北インドのMugulについて」『東方学報』京都七二。

松田孝一（二〇〇〇）「中国交通史――元時代の交通と南北物流」同編『東アジア経済史の諸問題』阿吽社。

護雅夫（一九七〇）「総説」同ほか『岩波講座 世界歴史』第九巻、岩波書店。

森部豊（二〇一〇）『ソグド人の東方活動と東ユーラシア世界の歴史的展開』関西大学出版部。

森安孝夫（二〇〇七）『シルクロードと唐帝国』講談社。

森安孝夫（二〇一五）『東西ウイグルと中央ユーラシア』名古屋大学出版会。

吉田順一（二〇一九）『モンゴルの歴史と社会』風間書房。

吉野正史（二〇一八）「巡幸と界壕――金世宗、章宗時代の北辺防衛体制」『歴史学研究』九七二。


愛新覚羅烏拉熙春（二〇〇四）『遼金史与契丹・女真文』東亜歴史文化研究会。

愛新覚羅烏拉熙春（二〇〇九）『愛新覚羅烏拉熙春女真契丹学研究』松香堂。

陳高華（一九八二）『元大都』北京出版社。

杜立暉・陳瑞青・朱建路（二〇一五）『黒水城元代漢文軍政文書研究』天津古籍出版社。

葛全勝（二〇一一）『中国歴朝気候変化』科学出版社。

韓茂利（一九九九）『遼金農業地理』社会科学文献出版社。

賈敬顔（一九八五）「従金朝的北征・界壕・榷場和宴賜看蒙古的興起」『元史及北方民族研究集刊』九。

李蔚（一九九七）『簡明西夏史』人民出版社。

劉鳳翥（二〇〇六）「契丹大字《耶律祺墓誌銘》考釈」『内蒙古文物考古』二〇〇六―一。

孫伯君（二〇二〇）「西夏皇帝又称白天子考」『寧夏社会科学』二〇二〇―二。

王培華（二〇一〇）『元代北方災荒与救済』北京師範大学出版社。

張鴻翔（一九九九）『明代各民族人士入仕中原考』中央民族大学出版社。

Atwood, Christopher (2015a), "The Administrative Origins of Mongolia's Tribal Vocabulary", *Eurasia: Statum et Legem*, 1/4.

Atwood, Christopher (2015b), "Imperial Itinerance and Mobile Pastoralism: The State and Mobility in Medieval Inner Asia", *Inner Asia*, 17.

Biran, Michal (2017), "Periods of Non-Han Rule", Michael Szonyi (ed.), *The Companion of Chinese History*, Oxford: Willey Blackwell.

de Rachewiltz, Igor (2006), "The Genesis of the Name Yeke Monggol Ulus", *East Asian History*, 17.

di Cosmo, Nicola (2015), "Why Qara Qorum? Climate and Geography in the Early Mongol Empire", *Archivum Eurasiae Medii Aevi*, 21.

di Cosmo, Nicola (2018), "Maligned Exchanges: The Uyghur-Tang Trade in the Light of Climate Data", Haun Saussy (ed.), *Texts and Transformations: Essays in Honor of the 75th Birthday of Victor H. Mair*, Amherst: Cambria Press.

di Cosmo, Nicola et al. (2018), "Environmental Stress and Steppe Nomads: Rethinking the History of the Uyghur Empire (744-840) with Paleoclimate Data", *Journal of Interdisciplinary History*, 48/4.

Endō Satoshi et al. (2017), "Recent Japanese Scholarship on the Multi-State Order in East Eurasia from the Tenth to Thirteenth Centuries", *Journal of Song-Yuan Studies*, 47.

Franke, Herbert and Denis Twitchett (eds.) (1994), *The Cambridge History of China, volume 6: Alien Regimes and Border States 907-1368*, Cambridge: Cambridge University Press.

Kim, Hodong (2009), "The Unity of the Mongol Empire and Continental Exchange over Eurasia", *Journal of Central Eurasian Studies*, 1.

Kim, Hodong (2015), "Was 'da Yuan' a Chinese Dynasty?", *Journal of Song-Yuan Studies*, 45.

Matsui, Dai (2009), "Dumdadu Mongγol Ulus 'the Middle Mongolian Empire'", Volker Rybatzki et al. (eds.), *The Early Mongols: Language, Culture and History: Studies in Honor of Igor de Rachewiltz on the Occasion of His 80th Birthday*, Bloomington: Indiana University Press.

Sneath, David (2007), *The Headless State: Aristocratic Orders, Kinship Society, and Misrepresentations of Nomadic Inner Asia*, New York: Columbia University Press.

コラム｜*Column*

パスパ文字とその史資料

舩田善之

　モンゴル帝国（大元《だいげん》）はクビライ（フビライ）の時代、新たにパスパ（パクパ）文字を制定した。その制定に関する政権の公式見解は、一二六九年のクビライの詔に示されている。すなわち、キタイ（契丹）とジュルチェン（女真）などの文字を引き合いに出し、独自の文字がないのは王朝の制度として不備であるというのが理由であった。その目的は、あらゆる文字を訳して表記し、ことば通りに情報を伝達させることにあった。文字としての実質的な機能については、この通りであるが、視野を広げると、その制定は、大都造営（一二六七―）・南宋遠征再開（一二六八―）・国号制定（一二七一年）や他のさまざまな制度整備を推進したクビライによる新たな国家建設政策の一環に位置づけられる。すなわち、一二六四年に弟アリク・ボケ（アリク・ブケ）との継承戦争に勝利し、内外に正統カーンとして君臨することを喧伝したいクビライにとって、あらゆる文字の頂点に位置づけて制定・使用する全く新しい文字は、帝国の統合と権威の強化のための重要なツールでもあった。

　制定当初、カーンの命令文書にパスパ文字を用い、発令先の文字を副本として添付するよう命じられた。その後、その使用範囲は拡大し、祭祀の祝文、官印、ジャムチ（駅伝）利用のための牌子《パイザ》や証明書、主要官庁における文書の題目や上奏の要旨もパスパ文字で書かれるようになった。私印など公的な場以外でも用いられた。

　パスパ文字は、チベット仏教の高僧で国師（一二七〇年に帝師）に任じられていたパスパによって作成された。チベット文字を基礎にしているため、ほとんどの文字は、チベット文字からその音価を類推することができる。チベット文字では母音記号によって母音を表すが、それを文字化した点がパスパ文字の特徴である。ただし、子音に続く母音aは綴《つづ》らない。また、ハングルでは存在するゼロ子音に相当する文字はない。とはいえ、音と字がほぼ一対一で対応しており、ウイグル文字モンゴル語と異なり、音と綴りが乖離していない。同系統の音は同系統の字形で表すというブラーフミー系文字の特徴も継承する。このような文字体系は、声調を区別できない点を除けば、漢字音を写すのにも適している。モンゴル語だけでなく漢語も書写することを想定して、文字体系が選ばれたと考えられる。これらの特徴は、モンゴル語や漢語を母語としない学習者にとっては、ウイグル文字・漢字よりは便宜を提供するものであった。ただし、複数の言語のさまざまな音価を可能な限り一対一で表そうとしたため、表音文字としては文字数が多い点（数え方によって四〇―五〇字前後）は、必ず

（上） 1314年立石「少林寺聖旨碑」（少林寺）
（左） 1307年発給「加封孔子制詔碑」（曲阜孔子廟）拓影
（京都大学人文科学研究所所蔵）

しも効率的な文字体系とはいえない。

チベット文字は横書きで左から右に書写するのに対し、パスパ文字は縦書きで、行は左から右に書写するという点が大きく異なる。また、方形文字とも呼ばれるように、一字一字がほぼ方眼に入るような字形である。これらは、ウイグル文字・漢字の影響を一部受けたものと考えられる。

手軽にパスパ文字史資料にアクセスできるものとして、古代文字資料館ウェブサイト（http://kodaimoji.her.jp/）を紹介したい。パスパ文字を始めとするさまざまな文字資料の写真が公開されている。サイト内で公開される概説・論文も有益である。そのうち、吉池孝一「日本の八思巴（パスパ）文字資料―資料目録稿」（『KOTONOHA』七八、二〇〇九）は、日本に所蔵されるパスパ文字資料の目録である。実物の実見には所定の手続きが必要な場合も多いが、博物館に展示されている場合は入館すれば実見できる。長崎県松浦市の鷹島《たかしま》神崎《こうざき》遺跡から出土した管軍総把《かんぐんそうは》印は、複製が松浦市立埋蔵文化財センターのガイダンス施設に展示されており、実物もしばしば各地の博物館の特別展に提供される。博多遺跡出土の銅銭・私印・指輪もしばしば福岡市博物館の常設展で展示されている。

パスパ文字の伝世文書としては、チベットに宛てられた命令文書群が有名である。日本語の訳注として、栗林均・松川節『『西藏歴史檔案薈粹』所収パスパ文字文書』（東北大学東北アジア研究センター、二〇一六、http://hdl.handle.net/10097/63072）があり、文書の写真もみることができる。パスパ文字史料として重要な位置を占めるのが石碑である。京都大学人文科学研究所所蔵の拓影《たくえい》（拓本の写真）がウェブ上で公開されており（http://kanji.zinbun.kyoto-u.ac.jp/db-machine/imgsrv/takuhon/）、パスパ文字を含む拓影が閲覧できる。石碑の実物は中国各地に現存しており、孔子廟（山東省曲阜《きょくふ》）・少林寺（河南省登封《とうほう》）・重陽宮（陝《せん》西《せい》省周至《しゅうし》県）などを訪れれば、パスパ文字の刻まれた迫力のある石碑が訪問者を出迎えてくれる。

問題群｜*Inquiry*

宋金元の郷村社会の展開

I　宋金元代の華北郷村社会——山西地域を中心に

井黒　忍

はじめに

前近代華北の郷村《きょうそん》（農村）社会史は、中国史研究における大きなブランクの一つである。中でも、一二世紀前半に始まる金の統治期とこれに続くモンゴル帝国および元朝（大元《だいげん》ウルス）の統治下における華北の郷村社会については、全体像の把握に不可欠な個別事象の積み重ねすら不十分な状況にある。一方、北宋期の華北郷村社会の研究に関しても、これが南宋期の江南《こうなん》郷村社会の研究に接続されることによって、一見、史料的な裏付けが与えられてきたかのように見えるだけで、実際には残された課題は多い。

こうした研究状況を生み出した根本的な原因の一つが、史料の不足にあることは言うまでもない。ただし、一九九〇年代以降、急速な進展を見せた石刻史料の利用が華北地域史研究に新たな可能性を切り開き、拓本や拓影《たくえい》（拓本の写真）に基づく碑文内容の精読と現地調査を組み合わせ、石刻を総体として扱う方法論が確立された。二〇〇〇年代に入ると、現地調査のさらなる進展により、その方法論が本格的に実践されるとともに、現地の研究者や研究機関による悉皆《しっかい》調査が進められていく。これにより、石刻書や地方志に収録されることが稀であった生業や生活など、ミクロなトピックに言及する石刻の存在が明らかとなり、碑陰《ひいん》(石碑の背面)の記載内容までも含む、石刻全体の情報をより高い精度で得ることが可能となった。こうして王朝史の枠組みを超えた通時的な社会史研究を可能とする条件が整えられてきたのである。

宋金元代の華北郷村社会史を考える上で注目すべきは、村《むら》の位置づけである。唐末五代期より始まる自然村としての村の存在感の高まりは、宋代においてさらに明確化する。すでに里《り》や郷《きょう》は王朝による郷村把握の単位としての意味を失い、事実上、村がこれらに代わる郷村の基本単位となった。こうした村の位置づけを決定づけたのが金代の郷村制である。金代には、村の戸口数に応じて編成された郷に徴税督促と農業奨励に当たる里正《りせい》が置かれた。くわえて、三〇〇戸以上の村に四人、二〇〇戸以上に三人、五〇戸以上に二人、五〇戸以下に一人の主首《しゅしゅ》が置かれ、郷の里正を助けて治安維持や戸口調査の任に当たった。

ただし、金の里正・主首の制度に関しては、その淵源が明らかではない。北宋期における郷村制は初期の郷を単位として里正を置く体制から、複数の村を束ねる単位として郷に替えて置かれた、もしくは郷と村との間に置かれた管《かん》を単位とする戸長と耆長《きちょう》がそれぞれ賦税、治安・訴訟を担当する体制へと変化する。さらに衙前《がぜん》(地方官庁への税物・官物の輸送や管理などの雑務を受け持つ)と化した里正が廃止され、王安石の新法実施によって設けられた保甲《ほこう》組織が次第に郷村行政機構化していく(柳田 一九八六:第三篇)。金でも北宋期の保甲法を継承する保伍《ほご》法が実施されてはいるが、同時に郷役《きょうえき》としての里正・主首の制度も採用されており、この制度が北宋末の郷村制を直接に継承するものでないことは明らかである。

この点に関しては、村に置かれた主首が女真《じょしん》の猛安《もうあん》・謀克《ぼうこく》戸の集落である寨《さい》に、五〇戸以上で一人置かれた寨使《さいし》に相当する役割を担い、ともに国家が把握する最末端の基層単位の責任者と位置づけられることから、金の郷村制に女真固有の社会制度の影響を見出す見解も存在する(魯 二〇二一:第五章)。さらに、元代においても郷役としての里正・主首の制が採用されており、その制度的枠組みは南宋滅亡後の江南地域にも適用されていく。

また、元代には社制が施行され、五〇戸ごとに社が編成されたが、これは徴税督促や治安維持を担う郷役としての里正や主首とは別に、農業奨励という特定の目的が設定された社会的結合を国家の側から新たに作り出し、その責任者としての社長を郷村社会の中に定置したことを意味する。そもそも宋金代における社は、村と同様の地縁的な集落の単位であったが、民間祭祀や宗教活動を支える社会組織、あるいは農業や水利など特定の目的のために取り結ばれる社会的結合や互助組織としての意味も失ってはいなかった。これが元代に社制が実施された結果、次第に社は基層社会の基礎単位として固定化され、その後に新たに形成された集落(村)は社の下位に位置づけられていく。こうして、社は元代に至り複数村を束ねる村の上位の単位となり、後に明代華北における里甲制実施の基礎単位となるのである。

これらの点から見ても宋元時代史と言い、宋元明移行論と言いながら、そこに変革期、もしくは移行期とも言うべき金代の状況が欠落していることの問題点は明らかであろう。これまで当該時期の社会史研究のメインテーマとみなされてきた士大夫や地域エリートの問題のみならず、郷村という視点から金代の華北を結節点とし、前後の時代との連続・変容の諸相を捉える試みが求められるのである。

一、石刻資料の量的分析から見る地域社会の変化

郷村社会の検討に入る前に、まずはより広域の地域社会レベルから宋金元代の変化をとらえてみたい。以下、華北の中から山西地域を対象とし、『山右《さんゆう》石刻叢編』(以下、『山右』と略す)を素材として考察を進める。山西地域とは華北の中央部に位置し、北を陰山《いんざん》山脈、東を太行《たいこう》山脈、南と西を黄河に挟まれた空間を指す。当該地域を選択する理由は、主に史料面での優位性にある。光緒二七年(一九〇一)に完成した『山右』は、編纂者の胡《こ》聘之《へいし》が一貫した方針のもと

で山西全域にわたって時代を通じた石刻の採録・整理を行った成果であり、宋金元の各時代に関して相当量の材料を提供する。また、近年、悉皆調査に基づく市区ごとの現存石刻目録『三晋《さんしん》石刻叢目』や県・市単位で石刻を収集し、その碑影《ひえい》（石碑の写真）・拓影とともに録文を収録する『三晋石刻大全』（以下、『三晋』と略す）の出版が進むなど、定点観測のポイントとして絶好の条件を備えることも当該地域を選択する理由の一つである。

まずは、石刻の点数について各時代ごとに整理をしてみると、『山右』に収録される全七二二点のうち、北魏から隋《ずい》までの石刻が五七点（全体に占める割合は八％、以下同じ）、唐一一一点（一五％）、宋一六六点（二三％）、遼三点（一％未満）、金一〇八点（一五％）、元二七七点（三八％）となる。このうち、それぞれの統治年数をもとに、唐・宋・金・元の各時代の一年あたりの石刻の数を算出すると、唐は〇・四点、宋は一点、金は一点、元は二点となる。もちろんこれが悉皆調査の結果ではなく、胡聘之ら『山右』編纂者の選択を経たものであり、かつ時の経過にともなう損壊や盗難の影響を受けた結果であるなど、石刻製作当時の状況をそのままに伝えるものではないことは言うまでもない。ただし、おおよその傾向として、宋金代の一定性と元代における急激な増加を見て取ることはできよう。

さらに、別の観点から宋金元代の石刻に関わる変化を示すのが、立石《りっせき》に関わる人々の顔ぶれである。立石者は石刻の製作および建立の発注主に当たる。これまで立石者の重要性をいち早く指摘した森田憲司などの一部の研究を除いては（森田 二〇〇四：第三部）、碑文内容の検討を通して、典籍資料の欠を補う情報が抽出されたり、碑文の撰述や篆《てん》額《がく》の揮毫《きごう》、書丹《しょたん》（碑石への文章の下書き）を行った著名な文人たちに焦点が当てられることがほとんどであった。しかしながら、石刻の製作に最も強い動機を持ったのは発注者である立石者であり、極端に言えば、撰文者などは自身が撰述した出来事に対して実際にどれほどの情報や知識を持ち、理解していたかすら疑わしいケースも多い。立石者の分析によってはじめて、どのような層の人々が石刻を製作したのかという現場レベルでの状況を明らかにすることができるのである。

そこで、石刻に名前が記される立石者をその肩書きから「民」・「僧道」(僧侶と道士)・「士」(進士や学生など)・「官」(吏を含む)に分類し、これに立石者情報が「不明」(記載なしを含む)なものを加えて、宋金元代それぞれの割合を示すと、宋から金、金から元へといずれも立石者に占める「民」の割合が増加を続けるという傾向が見て取れる(**図1**参照)。特に宋から金への変化にこの特徴が著しい。

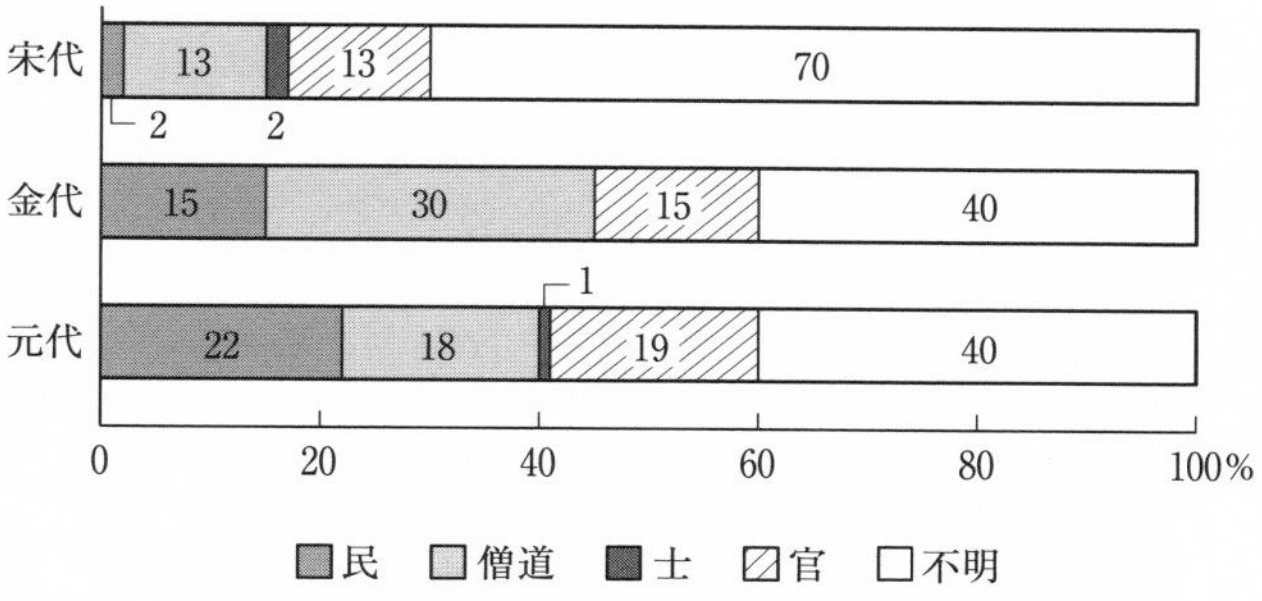

図1　立石者の構成(宋金元代)

もちろん、宋代のグラフの内、七〇%を占める「不明」に「民」が含まれている可能性を排除することはできない。ただし、『山右』の石刻採録の方針が時代によって異なっていたとは考えにくく、宋代の「不明」の高い割合はそのまま当該時期の石刻の多くが立石者に関する情報を欠いていたことを示すものとみなしうる。

さらに、数量データ以外にも宋から金への立石者の変化を示す材料が存在する。それがある特定の家族の歴史を記した先塋碑《せんえいひ》である。先塋碑の建立に関して、金代は大きな転換期であった。金代には「近世の習俗」として、祖父や父が亡くなった際に貴賤を問わず、石碑の建造を行ったとされる。宋金交替の戦乱が各家族の系譜保存の契機となり、一二世紀後半以降の金代後期には平民家族も先祖を顕彰し、自己の系譜を記すようになったという(飯山 二〇一五:一二一頁)。

金代のグラフに見える「民」の割合の増加は、こうした傾向が先塋碑という特定のジャンルにのみ当てはまるものではないことを示している。つまり、立石者の社会的階層に変化が生じたのであり、これは同時に立石の動機や目的自体に変化が生じたことをも物語る。これを間接的に示すのが「不明」の割合の低下である。金元代以降の石刻には、碑陰に立石に関わる官吏や民、僧道の名前が満面に刻まれた題名や題記を有するものが頻見される。これは事業や功績を記念するモニュメントとしての意味合いのみならず、立石者の名に代表される関係者の権利や主張を公開し証明するための一種のメディアとしての石刻の性質が前面に打ち出されてきたことを意味するのであり、さらにはそれを必要とした地域社会の側の変化を示すものと言えよう。

二、人口、開発と環境

それでは地域社会の変化の背景を山西地域の状況に即して見ていこう。まずは、社会を構成する重要な要素の一つである人口に関して、当該時期における推移を確認する。呉松弟によれば、宋代のデータを欠く燕南《えんなん》と代北《だいほく》を除いた華北（河南《かなん》・山東《さんとう》・河北《かほく》・河東《かとう》・関中《かんちゅう》）の宋金元代の状況として、宋の太平興国《たいへいこうこく》五年（九八〇）から元豊《げんぽう》元年（一〇七八）における年平均増加率は八・一‰、その後は崇寧《すうねい》元年（一一〇二）までが一・八‰、金の泰和《たいわ》七年（一二〇七）までが一・二‰となる（**図2参照**）（呉 二〇〇〇：三九四頁）。合計数から見れば、宋初の急激な増加の後も宋金代を通じて増加を続けるが、地域別に見れば金代に増加と減少の傾向が分かれる。さらに、一三世紀中葉以降のモンゴル・元代における人口の急減に関しては、これが二〇年もの長きにおよぶ金・モンゴル交替の戦乱による死亡・逃散《とうさん》の数を反映していることは間違いない。同時に投下戸《とうかこ》や怯憐口（ゲルン・コウン）など、モンゴル諸王や駙馬《ふば》・功臣らの管理下に置かれたり、私属するなどした戸口の把握や統属関係を異にする多様な戸口種別などの問題により、実際の数より低い値が示されていると考えられる。

山西中南部に当たる河東は河北と並んで金代における戸数の増加が著しい地域であり、河北の五・三‰にはおよばないものの三・四‰の増加を示す（呉 二〇〇〇：三九五頁）。このうち、河北は猛安・謀克戸の主たる移住先の一つであ

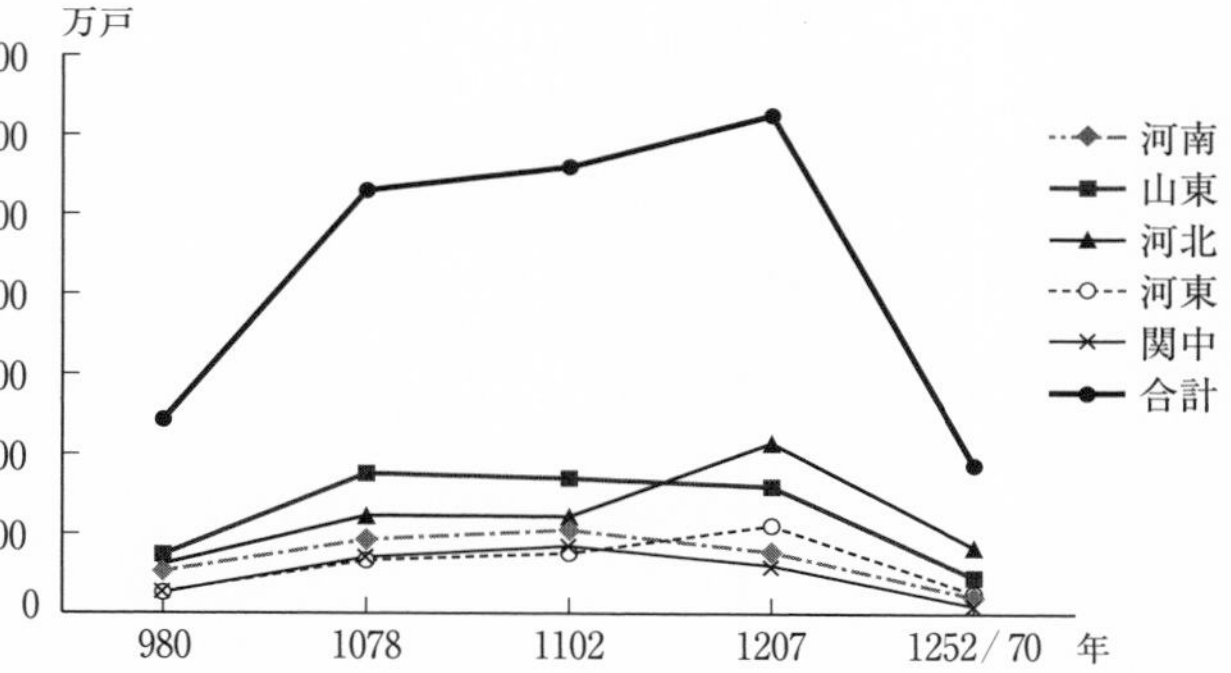

図 2　宋金元代の華北の戸数推移(呉 2000：表 9-1 を基に作成)

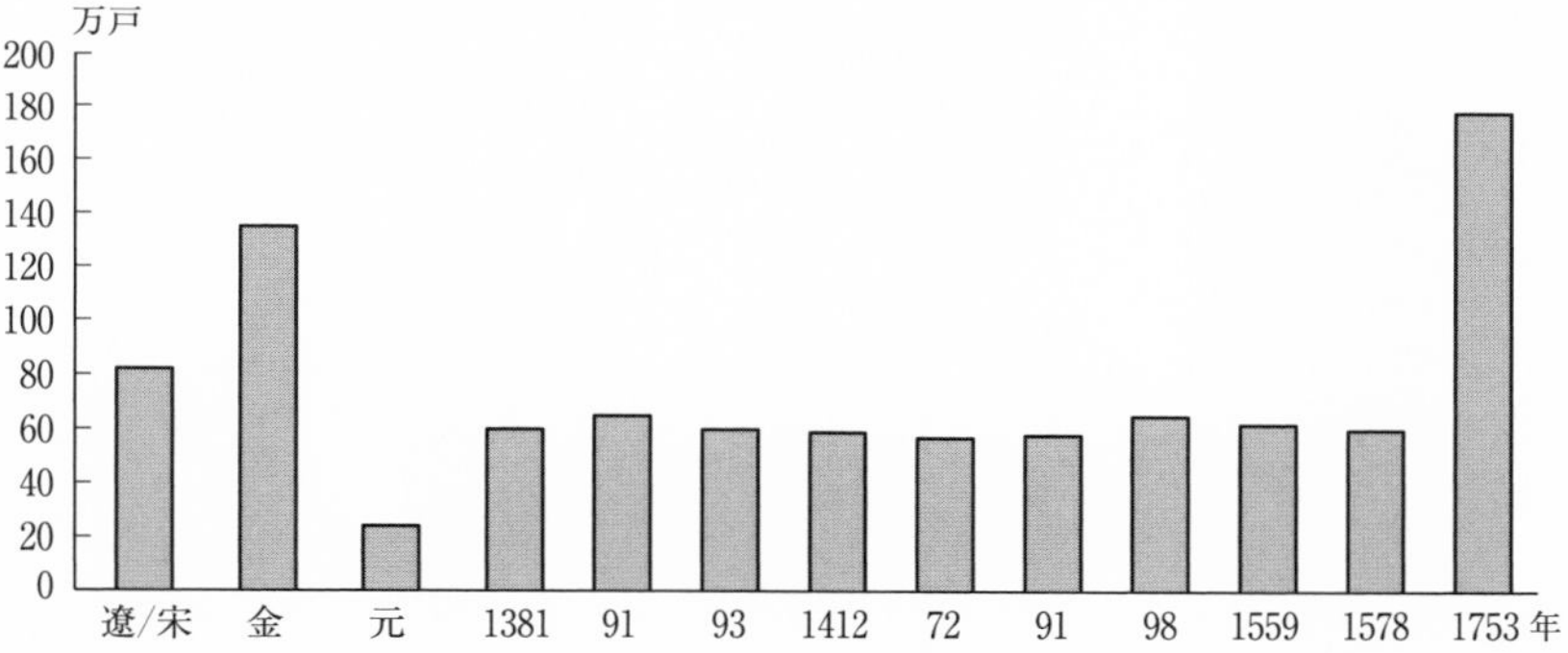

図 3　遼・宋ー清代の山西地域(河東＋代北)の戸数推移(張・趙 1992：表 15・17-20・30 を基に作成)

ることから、これが戸数増加の一因となったことは間違いない。一方、河東に関しては、金代初期には山西南部を中心に女真・契丹《きったん》の軍団が駐屯したものの、猛安・謀克戸の主たる移住先に数えられることはなかった。したがって、宋代以来の人口増加を受けつつ、さらにこれを継承する形で人口増加が継続したこととなる。

　これに山西北部に当たる代北の数値を加えた金代の山西地域全体の一三四万戸という数値は、実に清初に至るまで超えられることのない最大値であり続けた(**図3**参照)。なお、金・モンゴル交替の戦乱の後、逃散した相当数の人口が山西に帰還しており、さらには洪洞《こうどう》県の槐の大木のもとに人々が集い、華北各地に移り住んだという、史上名高い洪洞大槐樹《だいかいじゅ》の伝説が物語るように、明初において一〇〇万人にもおよぶ移民が山西より発出したことをあわせ考えれば（安 一九九九：第六章）、元代の山西地域における人口賦存量の多さは明らかである。少なくとも元末には明初を超える程度にまで人口が回復していたと考えられる（路・滕 二〇〇〇：六一九―六二〇頁）。

金代における戸数増加の影響をより明確に示すのが人口密度の上昇である。他の地域における人口密度が金代にやや低下しているのとは対照的に、河北では崇寧元年の値と比較して一・八倍、河東では一・五倍に上昇している（呉 二〇〇〇：三九五―三九六頁）。特に汾河《ふんが》流域の平陽《へいよう》府、絳《こう》州、解《かい》州、河中《かちゅう》府の金代の人口は二八〇万人を超え、一平方キロメートル当たりの人口は一一二人に達するなど、他に類を見ない高い値を示した（路・滕 二〇〇〇：五五四頁）。

黄土高原地帯に属し、山地と丘陵地の面積が八〇％以上を占める山西地域において、人口密度の上昇が生産活動にもたらす影響は甚大であった。その影響は山地および丘陵地への開発へと人々を駆り立てるとともに、灌漑用水の利用量増加を招く結果となる。

宋代からすでに顕著となっていた山地や丘陵地の開発は、金代においてさらに加速する。建築用資材や燃料材として木材が伐採され、石炭など鉱山資源の開発が進められた。さらに、山地の開発を後押しした一因は、戦乱の際の民の山中への逃散にもあった。戦乱の中で家や畑を棄てて山中に逃れた人々は、寨を築いて自衛に努めるなどして、時に数年間にもおよぶ逃避生活をやむなくされた。ただし、逃散の間においても生産活動が継続されたことは言うまでもなく、それは山地や丘陵地における天水耕地の開発という方法によるものであったと考えられる。

山地や丘陵地の開発とともに進められたのが、河谷平野や扇状地における灌漑水利開発である。面的な広がりから見れば天水耕地が多数を占めるものの、灌漑によって「十年九旱《じゅうねんきゅうかん》」（一〇年のうち九年が干ばつ）と称される干ばつの被害を減少させ生産性を安定させるだけでなく、地域によっては天水耕地と比べて十数倍にもおよぶ収益を上げることが可能となった。一九一七年に知県（県の長官）の孫奐崙《そんかんろん》によって編纂された『洪洞県水利志補』には、灌漑水利の先進地域であった洪洞県の水冊《すいさつ》(利用規程集)がまとめられる。四〇件にのぼる水路の開削年代を見ると、不明の一六件を除き、宋代の八件が最も多く、ついで金代が五件、明代が四件、唐代と元代がそれぞれ三件となるなど、宋金代における灌漑水利開発の進展は明らかである。

ただし、灌漑水利開発は自然環境に大きな負荷を与え、その改変を招来するものでもあった。代表的な状況を汾河流域の文湖《ぶんこ》に見ることができる。古代、汾河中流域には全国屈指の巨大な藪沢《そうたく》の地として知られた昭余祁《しょうよき》が存在し、その消滅後も数多くの水域が点在した。特に風光明媚な文湖の湖畔には隋の煬帝《ようだい》によって汾陽宮《ふんようきゅう》が建造されるなどしたが、宋代熙寧《きねい》年間(一〇六八―七七)にはすでに水域の存廃が危惧される状態となっていた。その原因は人為的な湖面の干拓による耕地化にあった。

河東都転運使《とてんうんし》をつとめた王沿《おうえん》が西夏《せいか》および遼《りょう》に対する防衛線への軍糧確保のため、文湖の干拓を推し進めたことにより、灌漑用水の水源や貯水池、漁撈採集の地としての文湖の意義は低下した。さらに金代には文湖の水源の一つであった文峪河《ぶんよくが》からの流れが途絶したため、文湖周辺の居民たちは汾河から新たな水路を開削し、造成された干拓耕地に灌漑用水を供給した。これにより金の大定《たいてい》年間(一一六一―八九)には文湖の湖面は完全に消滅した(張 二〇二二)。宋代において辺境防衛のために官によって主導された干拓事業は、金代においてその主体を民へと変え、さらに強力に耕地化が推進されると同時に、新たな水資源の需要を満たすため、水路の開削が推し進められたのである。

文湖の耕地化に見られるように、新たな耕地の開発は新たな水源の需要を呼び起こすものであった。水資源の需要を満たすと同時に耕地の肥沃化を進めるため、山地からの流出水を灌漑に活かすという淤田《おでん》法が広められていく。王安石新法(熙豊変法)の農田水利に関する目玉の一つとして知られるその技術は、山西ではすでに仁宗《じんそう》朝(一〇二二―六三)においてその実施例を確認することができる。絳州正平《せいへい》県南董《なんとう》村では、呂梁《りょりょう》山脈の支脈から流れ出す馬《ば》壁谷《へきこく》水を用いた灌漑が行われ、一万八〇〇〇頃《けい》にもおよぶ灌漑地が造成された。これは流出水とともにそこに含まれる客土《きゃくど》を耕作地に供給することで水分と養分をともに取り込み、アルカリ土壌の改良を図るという効果を持つものであった。

宋代の淤田法が流出水および客土の活用によって水資源の利用効率を高めるという目的のもとに行われた施策であるとすれば、金代における区田《おうでん》法は耕地の集約的利用によって生産性の上昇を狙ったものである。耕起する区画を可能な限り限定し、施水および施肥を集中的に行うことで、人口の増加と条件の劣る土地での耕地開発という問題に同時に対処することが求められた。曲沃《きょくよく》県で発見された金代董氏《とうし》家族墓の石柱には、区田法が実施され、通検推排《つうけんすいはい》と呼ばれた三年ごとの資産調査の際にその成果が調査対象となったことが刻まれていた。なお、この農業技術は元代においても社長が奨励すべき項目の一つに挙げられるなど、農書や技術マニュアルの頒布といった方法を通して全国的にその実施が推奨されていく(井黒 二〇一三：第九章)。

宋金代における人口の増加にともなう農地・水利開発の進展が自然環境を改変し、資源をめぐる対立を引き起こしたことは間違いない。資源問題を克服すべく歴代王朝は淤田法や区田法など、新たな農業技術の普及に努めたが、当地の「地狭民稠《ちきょうみんちゅう》」(耕地が少なく人口が多い)という問題の根本的な原因を解決するには至らなかった。民を立石者とする石刻には、こうした矛盾や対立を抱えた人々が村を基礎とする多様な社会的結合を通して結束を強め、問題解決を目ざす姿が描かれる。以下、信仰と水利という観点から、民間における石刻立石の流行という事象を村との関わりに注目して考えてみたい。

三、父老と村寺——宋から金へ

金代の石刻のうち、民の関与を強く示すものに尚書礼部が発給元となり、寺観(仏寺と道観)に名額《めいがく》を賜与した勅《ちょく》牒《ちょう》碑がある。僧尼や道士・女冠に対する度牒《どちょう》(官給の出家得度認定証)と寺観に対する名額の発給は宋制を継承するものであったが、金においては名額の官売という新たな方法が採用された（竺沙 一九八二：第二章、桂華 一九八九、白 二〇〇二、馮 二〇〇九）。世宗の大定二年（一一六二）に始まる寺観への名額の発売は、海陵王《かいりょうおう》による南征のさなかに起こった契丹人の大反乱と海陵王の死後における南宋側の反攻に対処するため、高まる軍事費の捻出を目的に実施された。数年後に一旦は終了するが、後に章宗《しょうそう》や衛紹王《えいしょうおう》、宣宗《せんそう》らによってやはり軍事費の確保を目的として断続的に実施されることとなる。

金代における名額の官売は他に類をみない独特な政策であったが、その特徴は石刻においてより顕著となる。宋代の寺観に宛てた勅牒に関しても、これを石碑に刻入したものが一定数伝わるが、それらと比較して金代の特徴は勅牒本文のみならず、発給の経緯や申請に関わる人々の行為を碑記に記載し、公拠などの他文書とあわせてこれを刻入した点にある。また一部の宋代の賜額勅牒は金代に復元、もしくは再建されることにより現在にまで伝えられる（小林 二〇一三：第六・七章）。

申請の主体となったのは当該の寺観の住持らに加え、名額購入のための資金を調達した者耆老《きろう》や首領、頭目など基層社会の指導層であった。確かに、宋代にも民が申請者となり、賜額を求めた事例は存在する。ただし、それはあくまで例外的なものであり、大半を占めるのは寺観の住持や管轄州県の官員による申請であり、もしくは官員らとともに民が名を連ねる場合であった。金代の状況は宋代からの流れを引き継ぎながらも、民が単独で申請者となり、時に石刻の立石者となることでその活動がより表に出てくるという意味において画期的であった。

これを可能としたのが、金代における制度面での変化であった。それまで賜額の対象となるには寺観の規模に関して一定の基準を満たす必要があった。それが唐代ではおよそ二〇〇間、宋代では三〇間の伽藍《がらん》を有することであったのに対して、金代にはその制限が確認できず、わずか数間の伽藍をもって名額賜与の申請を行うケースも見られる。さらに寺観に所属する僧侶や道士の数、仏像・神像の数についての制限規定が存在しないだけでなく、申請者に関しても名額を求める「諸人」にこれが認められるなど、前代に比して制限は緩和され、広く開かれた制度となっていた。したがって、名額を賜与される主たる条件は、寺や院、庵などの寺格の違いに応じて設定された一〇〇貫から三〇〇貫まで異なる額の銅銭、もしくはこれに相当する穀物を転運司や専門の取り扱い機関たる発売所に納入することだけであった。一人の名義で四〇貫から五〇貫もの寄進を行ったケースや数十人がそれぞれ数貫ずつの寄進を行ったケースも確認できる。

唐代の郷村社会にはすでに小さな廟や堂が散在し、在地社会の祈りの場となっており(穴沢 二〇〇二:六〇頁)、宋代には耆老や老人など主戸《しゅこ》層の指導のもとに村院や村寺と称された村内の宗教施設が整備され、住持の招聘がなされるなど、仏教の土着化が進行していた(金井 一九七六)。山西東南部の沢州においても、金元代に村や社などの地縁的空間が国家の基層管理制度における基本単位となる中、村々に信仰の中心となる村廟が成立したとされる(杜 二〇〇七:第二章)。名額購入の中心となり、一村から数村におよぶ寄進者を集めた父老たちは、州県の僧官からの推薦を得たり、親族や同村出身の出家者、遊行僧らに依頼して住持を委嘱し、名額の賜与とあわせて住持の認可を求め申請を行うなど、まさしく村の信仰の基礎を作り上げた功労者であった。

こうした状況を生み出した背景には、宋金交替の戦乱や女真の王朝である金の統治下に置かれたことによる社会不安などの要素が挙げられよう。ただし、名額の申請や寺観の建設に関して、女真や他の集団との軋轢や対立がうかがえる事例は確認できない。むしろ人口圧の高まりの中で新たな集落が形成されたり、集落間の関係性に新たな状況が生み出されたことが重要となろう。そもそも金代における里正・主首の設置自体が、村の増加を受けた措置である可能性も高い。こうした状況のもと、名額を購入し、その証たる勅牒を石碑に刻入することで、村寺の存在が公的にも承認を経たことを村の内外に示す必要が生じたのである。さらに、これに貢献した父老らが自身の名を石碑に刻み込むことによって、村内の子々孫々にまでその貢献が語り継がれることを願ったのであろう。ここに村における信仰の伝統がその起点を得て、石碑を通して後世に継承される条件が整ったのである。

なお、金代初期における新道教(太一教《たいいつきょう》・真大道教《しんだいどうきょう》・全真教《ぜんしんきょう》)の成立も、村寺や村廟の広がりという新たな社会的環境のもとで発生した事象であったことを見過ごすことはできない。中国史上における「宗教改革」ともみなし得るこれらの展開を、女真王朝治下における社会不安や混乱、さらに飢饉や盗賊の横行による人々の苦しみなど、ある種一般的な状況にのみ、その原因を求めることには無理があろう。太一教や真大道教の開祖が金の熙宗や世宗に召された背景には、郷村社会における村寺や村廟を核とした布教の急速な進展という状況が存在し、その反響がすぐさま宮中におよぶほどの影響力を持ち得たことに注目すべきである。

四、私約と公拠——金から元へ

前述したように『洪洞県水利志補』によれば、宋代の開削に係る水路数の多さは注目すべきものであり、これが当該時期における水利開発の進展を反映していることは間違いない。ただし、四〇条におよぶ各水冊の内容に目を移せば、そこに別の画期を見出すことができる。水冊所載の紀年を有する碑記や序文など、計三八件の記事を時代ごとに整理すると、清代の二四件が最も多く、これに明代の五件が続くが、その他は金代四件、モンゴル・元代三件、民国期二件となり、金代以前については紀年の明確な記録は存在しない。つまり、後世に伝えられた水の利用や管理に関わる具体的根拠は宋代以前には遡らず、そのルーツはいずれも金元代以降に求められるのである。

灌漑用水の利用自体が流域という地理的要因に左右されることから、おのずとその利用および管理に関わるまとまりも村という地縁的結合をもとに形成される。ただし、これに関与し得るのはすべての村民ではなく、あくまで水の利用に関わる権利を持つ者だけに限られた。したがって、水利権保有者と非保有者との弁別は厳格であり、水利用の権利は石碑に刻まれ公開されることによって認知され、その権利が先祖から子孫へと受け継がれるものとの共通認識が培われた。

そもそも灌漑用水の利用にまつわる権利の淵源は歴史的経緯に求められ、そこで根拠となるのは水路開削に対する貢献の度合い、具体的には日時に換算される労働投下量の多寡であった。水路開削工事への労働力の提供、それが不可能な場合は工事の一定量ごとに人夫への食用として麺や米などを供出することが求められた。工事終了後、労働量およびその代替としての食糧の提供量に応じて、各自の耕地への引水量が決定され、いずれの負担も負わなかったものは利用が認められず、盗用したりひそかに無権利者に利用させるなどした場合は罰金が科せられた。

灌漑地の面積について統計的なデータを得ることは困難であるが、宋の熙寧三年(一〇七〇)「聞喜《ぶんき》県青原《せいげん》里坡底《はてい》村水利石碣《せきけつ》記」(『三晋』運城市絳県巻)によれば、涑水河《そくすいが》から引かれた水路によって灌漑がなされた八〇数畝《ほ》(一畝は約五・六アール)の耕地には、一六人の灌漑地保有者が存在し、それぞれの耕地面積は最大で一三畝、最小では一畝二分であり、平均して一人あたり五畝程度となる。また、金の泰和五年(一二〇五)「栗家庄《りっかしょう》村永豊渠《えいほうきょ》記」(『汾陽県金石類編』巻五)によれば、山地からの流出水と泉水の両種の水源を用いて、六〇畝あまりの耕地に灌漑がなされ、その権利者として孝文村と南千安村の二四人の名が刻まれた。個別の灌漑地面積は不明であるが、一人当たりの平均はわずか二畝五分に過ぎない。実際には、これら灌漑地に加えて、天水耕地での耕作が並行して行われたと想定されるが、重要なのは、一、二畝程度の耕地に対する灌漑用水利用の権利に関してすら石刻が製作されていることであり、これは水資源の希少性を反映するとともに、その利用に関わる権利を主張することの重要性を示すものと言える。

貴重な水資源をめぐる矛盾や対立が昂じた場合、村人から州県へと訴えがなされ、その裁定によって旧来の取り決めを追認したり、あるいは新たな取り決めがなされた。その後、裁定結果を記す公拠が発給され、裁定の内容が保証された。また、公拠に対して私約と呼ばれた、水利権保有者らによって取り決められた利用・管理規程は、一村の内で完結する場合もあれば、複数村の間での共同締結の形を取る場合もあった。公拠との関係に関しても、私約が定められた後に官より公拠が発せられることでその正当性が裏付けられたり、あるいは公拠が発給された後に村々の間で私約が取りまとめられる場合もあった。

先に見た「栗家庄村永豊渠記」によれば、当初、取水に関する取り決めがなく、両村の間において水をめぐる争いが頻出したため、所轄の汾州に訴えたところ、官がそれぞれの水量の分配や違反者に対する罰則などを含む規程を制定し、あわせて耕地への導水に際して回付する、官の署名捺印を経た牌を発給した。これを受けて、両村の間で私約が結ばれ、軽微な違反に対する罰則が定められるなど、公拠と私約が相互補完的な作用を果たしたとされる。

なお、調停の後、泰和五年には「水利の家」と称された二四人の水利権保有者の名を記録し、後世に伝えるため碑記が撰述され、各村一人の「収公拠私約人」の名が刻まれた。ただし、当地における水をめぐる争いがこれで収束した訳ではなかった。碑陰に記された石碑再建の経緯によれば、いつの頃からか同碑が倒れて地中に埋まっていたため、元の至元一四年(一二七七)に孝文村の老人と社長の提唱により再建がなされ、碑陰には石碑が置かれた妙真観《みょうしんかん》の所有地の範囲と寄進者一〇人のほか、社長二人、両村の渠長《きょちょう》六人の名が刻まれた。

永豊渠をめぐる金と元の状況を比べると、元代に父老と並んで社長が村を代表する存在として現れることに加え、金代の「収公拠私約人」はすでに姿を消し、かわって両村の渠長六人の名が記されていることが分かる。おそらくは金代における公拠の発給と私約の締結の後に、初めて渠長の選出がなされ、両村の水利秩序の維持に関する責務が委ねられたと考えられる。水利秩序の制度化がここに始まったことを意味するとともに、金代における父老の役割が元代における社長や渠長に継承されていく過程を読み取ることができよう。くわえて、石碑の再建場所となった妙真観の所有地を同一の石碑に刻入することで、同観の権益を保護する意味合いが期待されたと考えられる。石碑を保護し、これを後世に伝えることで、両村の水利秩序を体現する公拠と私約を護持するだけでなく、同時に村の信仰の核としての宗教施設の存続が図られたのである。

このように水利に関して私約と公拠を石碑に刻入し、これを立石することにより、自らの権利を保証するという行為が定着し、それに伴う秩序の制度化が始まったのが金元代であった。これが後世における水利に関する伝統の起点となるのである(井黒 二〇一九)。こうした行為が生み出された背景には、短期的に見れば、宋から金、金からモンゴル、元から明への王朝交替に伴う一種の権力の真空状態をついて、前例を改めようとする人々と、新たな権力に訴えて前例の追認を求める人々との間での対立・衝突が激化したという状況が見てとれる。

ただし、山西地域の事例に即して見れば、そこに女真やモンゴルと漢人社会との対立といった図式を読み取ることは難しい。長期的に見れば、むしろ山地や丘陵地をも含めた耕地開発と灌漑水利開発の進展が水不足を招来し、これが水をめぐる争いを激化させるとともに、人口の増加と環境の悪化がこれをさらに後押ししたと考えられよう。資源をめぐる矛盾と対立がその利用に関する権利を顕在化させる必要性を生み出したのである。その際に人々をまとめる単位となったのが村であり、父老や社長、渠長を中心に村内の水利権保有者らは自己の主張を展開し、その結果を繰り返し石碑に刻み続けていったのである。

おわりに

あくまで山西地域という限られた範囲を対象とする考察の結果ではあるが、そこからうかがえる宋金元代の郷村社会の特徴は、石碑立石という方法を用いて民が地域の歴史の中に明確な足跡を刻み始めたという点にある。その背景には、宋代から続く人口増加の流れを受け、金代においてさらに高まった人口圧が土地および水資源の開発を推し進めると同時に、資源をめぐる争いを激化させるという状況があった。山西地域においては人口増加に伴う環境悪化はすでに明清代以前に顕在化していた可能性が高い。

こうした中、父老など基層社会の指導層は、開かれた制度としての名額官売の制度を利用して、国家によって公認された村寺を建設していく。その功績は石碑に刻まれ語り継がれるとともに、村の信仰の核として村寺の伝統の起点が形成された。一方、水資源をめぐる需要の高まりが生み出した対立や衝突に対して、人々は一村あるいは複数村において私約を締結し社会的結合を強めるともに、その内容を保証するために官から公拠を得るという行為を繰り返した。さらに私約と公拠を石碑に刻入するだけでなく、これに貢献した自らの名を刻み入れることで、後世にまで続く自らの権利を主張したのである。ここに村における信仰と水利の伝統のルーツが形成された。そこには父老や社長、渠長ら指導層の名と並んで、わずか数貫を寄進し、わずか数畝の灌漑地を有した村の「名もなき」人々の名が刻み込まれたのである。

参考文献

穴沢彰子(二〇〇二)「唐・五代における地域秩序の認識――郷望的秩序から父老的秩序への変化を中心として」『唐代史研究』五号。

飯山知保(二〇一一)『金元時代の華北社会と科挙制度――もう一つの「士人層」』早稲田大学出版部。

飯山知保(二〇一五)「金元時期北方社会演変与〝先塋碑〟的出現」『中国史研究』四期。

井黒忍(二〇一三)『分水と支配――金・モンゴル時代華北の水利と農業』早稲田大学出版部。

井黒忍(二〇一九)「彫り直された伝統――前近代山西の基層社会における水利秩序の形成と再編」『歴史学研究』九九〇号。

金井徳幸(一九七六)「宋代の村社と仏教」『仏教史学研究』一八巻二号。

桂華淳祥(一九八九)「金朝の寺観名額発売と郷村社会」『大谷大学史学論究』三号。

小林隆道(二〇一三)『宋代中国の統治と文書』汲古書院。

竺沙雅章(一九八二)『中国仏教社会史研究』同朋舎出版。

森田憲司（二〇〇四）『元代知識人と地域社会』汲古書院。

柳田節子（一九八六）『宋元郷村制の研究』創文社。

柳田節子（一九九九）「宋代の父老——宋朝専制権力の農民支配に関連して」『東洋学報』八一巻三号。


安介生（一九九九）『山西移民史』山西人民出版社。

白文固（二〇〇二）「金代官売寺観名額和僧道官政策探求」『中国史研究』一期。

杜正貞（二〇〇七）『村社伝統与明清士紳——山西沢州郷土社会的制度変遷』上海辞書出版社。

馮大北（二〇〇九）「金代官売寺観名額考」『史学月刊』一〇期。

魯西奇（二〇二一）『中国古代郷里制度研究』北京大学出版社。

路遇・滕沢之（二〇〇〇）『中国人口通史』山東人民出版社。

王洋（二〇二〇）『金元時期山西社会的四個面向——以碑刻史料為中心（一一二七—一三六八）』山西大学二〇二〇届博士学位論文。

呉松弟（二〇〇〇）『中国人口史 第三巻 遼宋金元時期』復旦大学出版社。

張継瑩（二〇一二）「山西湖泊的資源弁証——以文湖為例的討論」『社会史研究』一一輯。

張正明・趙雲旗編（一九九二）『山西歴代人口統計』山西人民出版社。

Wang, Jinping (2018), *In the Wake of the Mongols: The Making of a New Social Order in North China, 1200–1600*, Harvard University Asia Center.

II　江南郷村社会の原型

伊藤正彦

一、視　角

「唐宋変革」以降の江南《こうなん》（長江下流域以南）郷村《きょうそん》（農村）社会の展開をとらえるには、かつて有力であった二つの理解から解放されなければならない。

その第一は、「唐宋変革」以降の社会変革の基調を階層分化の進行——地主佃戸《でんこ》関係にもとづく大土地所有の伸張とする理解である。戦国期から唐代前期に至るまで中国古代の土地制度は、庶民無爵者・百姓《ひゃくせい》に対する一〇〇畝《ぼ》＝一頃《けい》の給田とともに、官僚に対する爵位・官品《かんぴん》の差等にもとづく給田によって構成されており、高級官僚から庶民まで身分の差等に応じて給田する階層的給田制であった。そこでは、官僚に対する給田は最高額が九五頃（漢・二年律令）・一〇〇頃（唐・開元《かいげん》二五年田令）にも及び、しかも課役《かえき》がすべて免除されていた（渡辺 二〇一二）。これに対して宋代官僚の所有地は、職役《しょくえき》（詳しくは後述）の負担を免除されたが、正税たる両税《りょうぜい》の負担は免れなかった。職役の免除についても、免除対象の所有地額が限定されており、その額は北宋末には唐代前期の官僚の給田と同じであったが、南宋中期には半減され、明末には北宋末の一〇分の一ないし五分の一にまで縮減された。しかも、明代は免除対象が雑役《ざつえき》のみに限定されていた。このように、唐代前期までは官僚に課役免除の特権をもつ大土地所有が公認されていたのに対して、宋代以降は官僚の特権的大土地所有が大幅に縮減されていったことが明らかである。

第二は、宋代江南の農業生産力の先進地を浙西《せっせい》デルタ（太湖《たいこ》周辺のデルタ地帯）とする理解である。浙西デルタが国家財政を支える穀倉地帯として期待されていたことはまちがいない。しかし、宋代の浙西デルタは、冠水のために連年耕作できない耕地を大量に含んだ低湿地であり、そこでの水稲作は粗放な技術水準にとどまる開発最前線の地域であった。〝蘇湖《そこ》熟《みの》らば天下足る〟という諺《ことわざ》は、浙西デルタが冠水を免れる気象条件に恵まれた場合には大量の穀物拠出ができることを示したものである。浙西デルタで集約的な水稲作が可能となるのは、胥渓水《しょけいすい》の整理、黄浦江《こうほこう》の造成などの広域的水利が整備され、囲田《いでん》・圩田《うでん》等の水利田の分割・再編が進み乾田《かんでん》(灌排水の管理が可能な水田)化される明代中期以降のことであった。『陳旉《ちんぷ》農書』に見られる宋代の先進的な水稲作技術を実現していたのは、宋代の区分でいえばおよそ江南東路・江南西路・浙東《せっとう》路・福建路北部における扇状地・河谷平野・山間盆地の地域である。そこでは、陂《は》・塘《とう》や堰《えん》・捺《なつ》などの重力灌漑(傾斜を利用した灌漑)施設を利用した水利管理のもとに、牛犂耕《ぎゅうりこう》を基軸として肥培管理・中耕除草を行なう労働集約化の進んだ水稲作が普及し、稲麦二毛作も可能であった。その典型は浙東地方である(大澤 一九九六:二三五—二八二頁、足立 二〇一二:八七—一三七頁)。宋代で米の最も高い畝当たり平均収穫量が確認されるのは浙東の慶元《けいげん》府下であり、その額は二・五石《せき》であった(長井 二〇一二)。

こうした生産力水準の相違に照応して、浙西と浙東における農民の階層構成は異なっていた。浙西デルタではごく少数の大規模な開発地主層と大多数の自小作農層からなる二階層構造であったのに対し、浙東地方では小規模地主層・自作農層・自小作農層がピラミッド状に分布していた(宮澤 一九八五)。宋代の浙西デルタで発達した地主佃戸関係は、先進的な農業生産力にもとづく生産関係ではなく、むしろ開発最前線の低い生産力に規定された生産関係であり、先進的な水稲作技術が普及するにともない克服されてゆくものであった。

宋代の先進的な農業生産力を実現した江東・江西・浙東・福建北部における扇状地・河谷平野・山間盆地は、唐代から急速に開発が進み、父系親族による同族結合の発達が見られ、かつ多くの科挙合格者を輩出していた。南宋期における進士及第者数の上位一〇府・州を順に示せば、福《ふく》州(福建)・瑞安《ずいあん》府(浙東)・慶元府(浙東)・吉《きっ》州(江西)・饒《じょう》州(江東）・泉《せん》州（福建）・眉《び》州（成都《せいと》）・興化《こうか》軍（福建）・建寧《けんねい》府（福建）・処《しょ》州（浙東）であり、眉州以外は福建・浙東・江西・江東内の府・州であった（Chaffee 1985: 196–202）。

時代を大きく下って、明末の徽《き》州府休寧《きゅうねい》県二七都《と》五図《ず》における階層構成に眼をむけてみよう。徽州府下というと、やや奇異に映るかもしれない。徽州は一般に山地とイメージされているからである。しかし、徽州府の歙《しょう》県と休寧県東部は平坦かつ肥沃な土地が広がっており、江南の山間盆地の典型といえる。休寧県の二七都五図は、その西方に位置する陳村《ちんそん》・霞嬴《かえい》と周辺の集落に住む人戸を編成した郷村行政組織である。戦前の地形図（一九三三年測量、一九四〇年製版）で確認すれば、そこでは休寧県を東流する率水《そっすい》（新安江《しんあんこう》）沿いの標高約一三〇メートル付近の緩やかな傾斜地に水田が広がっている。休寧県二七都五図は、明代の同時期に作製された賦役黄冊《ふえきこうさつ》（戸籍兼租税・徭役《ようえき》台帳）と魚鱗図冊《ぎょりんずさつ》（土地台帳）の記載内容のほぼ全容が残る唯一無二の地である（賦役黄冊と魚鱗図冊の記載内容を伝える史料とは、安徽《あんき》博物院蔵『万暦《ばんれき》二七都五図黄冊底籍《ていせき》』四冊と上海図書館蔵『明万暦九年休寧県二七都五図得字丈量保簿《とくじじょうりょうほぼ》』一冊である。かつて筆者は、後者について本来の八四％の分量を残すと推測した（伊藤 二〇一六）が、清・順治《じゅんち》年間に作製された同図の魚鱗図冊――休寧県檔案《とうあん》館蔵『清順治一五年二七都五図良字登業草冊《りょうじとうぎょうそうさつ》』五冊の冊首の記載によれば、本来の九九％の分量を残していた。ここに訂正する）。

表1に示すのは、賦役黄冊の記載内容をもとに万暦三〇年（一六〇二）と万暦四〇年（一六一二）の休寧県二七都五図の所属人戸が自ら所有する土地（田《でん》＝水田と地《ち》＝畑）で再生産可能であったか否か、同時代・同地域の数値をもとにシミュレーションして検討した結果である。中国の平均的な家族と観念される五人家族（夫妻二人と子ども三人）で米の畝当たり収穫量二石（明量は宋量の約一・五倍であり、宋量で示せば約三石）を想定した場合、六・六畝《ほ》の田と二・二畝の地＝計八・八畝の田・地を所有すれば、再生産が可能であった。これらの値を基準に判別すると、自ら所有する土地（田・地）で再生産可能な人戸は五三・三％（万暦三〇年）、五二・三％（万暦四〇年）と半数を超えていた（任官者・読書人輩出人戸、出租《しゅっそ》

表1　明末休寧県27都5図所属人戸の階層構成

	万暦30年(1602)		万暦40年(1612)	
任官者・読書人輩出人戸	6戸	4.0%	6戸	3.9%
出租人戸(地主)	54戸	35.5%	50戸	32.7%
自作農人戸	21戸	13.8%	24戸	15.7%
自小作農人戸	58戸	38.1%	63戸	41.2%
無産人戸	13戸	8.6%	10戸	6.5%
計	152戸	100%	153戸	100%

人戸、自作農人戸を合計した数値)。自らの所有地で再生産できなくとも土地を所有する人戸＝自小作農も三八・一%(万暦三〇年)、四一・二%(万暦四〇年)を占め、まったく土地を所有しない無産人戸の比率は八・六%(万暦三〇年)、六・五%(万暦四〇年)と極めて低かった(伊藤 二〇一二、同 二〇一五)。この階層構成の基軸は、一〇畝弱の土地を所有する自作農である。徽州府下では、広東や福建と同様に、家産分割後も独立した戸名を立てることなく、冊籍上の名義戸(総戸《そうこ》)のもとに複数の戸(子戸《しこ》)が含まれる慣行——〈総戸—子戸〉制が存在しており、多くの土地を所有する人戸であっても、その実態は複数の子戸に分かれていた。二七都五図の場合、〈総戸—子戸〉制を行なう富裕な人戸の子戸の土地所有額は自作農人戸と同じ一〇畝前後であった(欒 一九九八：三七六—四〇四頁)。

休寧県二七都五図では現在も牛犂耕を基軸とした自家消費目的の水稲作がつづいており、ここで見た階層構成は宋代の稲麦二毛作も可能とする先進的な水稲作技術が普及・定着し成熟した結果である。一つの事例にすぎないが、江南郷村社会の展開は、扇状地・河谷平野・山間盆地においては九割を超える人戸が土地を所有し、所有地で再生産可能な人戸が五割を超える階層構成が形成される場合があることを視野に入れて考える必要がある。

二、郷村社会の危機と秩序形成の動き

華《か》北《ほく》・江南を問わず中国の人びとが生活する集落は、そのままでは自らを再生産することができない。人びとがとり結ぶ社会的結合の特質ゆえに自律的団体(村落共同体)が形成されず、農民の個別経営の生産・再生産を越える一般

的生産諸条件(郷村レヴェルでは、道路・橋梁・水利・通信・防禦・集落そのもの)を安定して永続的に整備し得ないからである。一般的生産諸条件は、国家による郷村行政組織の編成と運営をまって整備された。

宋朝国家は、人戸の所有地に対して両税を賦課し、両税を負担する土地所有人戸を主戸《しゅこ》、両税を負担しない無所有人戸を客戸《きゃっこ》に区分し(主戸客戸制)、さらに両税負担額の多寡に応じて主戸を一等戸から五等戸に区分し(五等戸制)、これを基準に職役を賦課した(島居 一九九三：三三―一〇七頁、二二九―三〇一頁、高橋 二〇〇二：三一―三八頁、四一三―四二五頁)。職役は、地方官府(州・県)の末端業務に労務提供させる衙役《がえき》と、郷村行政に労務提供させる郷役《きょうえき》の二つに大別されるが、北宋中期以降、衙役が専業化(胥吏《しょり》化)するにしたがって郷役が主要な職役となる。中国専制国家は、一律の戸数原則によって郷村行政組織を編成し、郷役を賦課して運営させた。郷村行政組織は国家の統一的人民編成ともいえる。たとえば、洪武《こうぶ》一四年(一三八一)正月に全国で施行された明朝の郷村行政組織である里甲《りこう》制は、一〇里長《りちょう》戸と一〇〇甲首《こうしゅ》戸の総計一一〇戸(+αの畸零《きれい》戸(高齢者・障害者・小児・女性のみの人戸など、就役に堪えられない人戸))という戸数原則で一里を編成し、甲首戸は一〇ずつ甲に編成され、一里長戸と一甲(一〇甲首戸)の計一一戸が一年交替で順に「里甲正役《せいえき》」とよばれる里長・甲首の役《えき》を負担して里を運営した(一〇年で一周する)。先に見た休寧県二七都五図の「図」は里の別称である。

さて、宋初の郷村行政組織は、本来は一〇〇戸＝一里、五里(五〇〇戸)＝一郷《きょう》という原則で編成されていた唐代以来の郷であった。そこでは、郷を単位に催税《さいぜい》(地方官府が作製した各人戸宛ての納税通知票を受領して所属人戸に配布し、全人戸が納入するよう促す業務)をはじめとする税役関係業務を担う里正《りせい》とそれを補佐する郷書手《きょうしょしゅ》がおかれ、郷のもとの管《かん》を単位に催税を担う戸長《こちょう》、治安維持を担う耆長《きちょう》がおかれた。五等戸制が整備されると、里正は一等戸、郷書手は三・四等戸、戸長は二等戸、耆長は一・二等戸に対して賦課された。里正には就役後も州の職役である里正衙前《がぜん》に就くことが求められた。こうした郷を単位とする宋初の里正体制は、有力人戸の勢力に依存したものであった。しかし、これは州の里正衙前が過酷な役であったために破綻する。里正衙前は所定倉庫へ税物を運搬する本来の重い任務にくわえ、官府の必要物品の調達などの非正規負担も課された結果、就役人戸が破産し、農民人戸は就役を忌避する事態が頻発した。租税徴収とともに一般的生産諸条件の整備を担う郷役に就いた有力人戸が没落し、農民人戸が就役を忌避するという事態は、郷村の社会秩序と社会的再生産が大きな危機に瀕したことを意味する。

これをうけて、宋朝国家は至和《しわ》五年(一〇五五)四月に里正衙前と里正を廃止し、熙寧《きねい》四年(一〇七一)一〇月には「熙《き》豊変法《ほうへんぽう》」の一環として募役《ぼえき》法を実施し、就役者を雇募する体制となる。また熙寧六年(一〇七三)七月には、首都開封《かいほう》府で始めた保甲《ほこう》法を全国に実施した。保甲法は同年一一月に改正され、五戸(小保《しょうほ》)—二五戸(大保《だいほ》)—二五〇戸(都)という戸数原則によって都保《とほ》制を編成し、保正《ほせい》・副《ふく》と大保長《だいほちょう》に都内の治安維持を担わせた。保正・副と大保長は、三等戸以上で成丁《せいてい》が二名以上いる人戸に対して賦課される。その後、郷役は新法《しんぽう》と旧法《きゅうほう》の揺り戻しにともなって変更を重ねるが、紹聖《しょうせい》二年(一〇九五)二月の「紹聖常平免役勅令《じょうへいめんえきちょくれい》」の体制が定着してゆく。これは、保正・副と大保長を雇募し、保正・副が耆長を兼務して官府との連絡と治安維持を担い、大保長が戸長を兼務して催税を担い(就役原則は後述)、保正・副と大保長が耆長・戸長の兼務を希望しない場合には耆長・戸長を併置するものであった。こうして南宋期には保正・副と大保長が一般的な郷役となる。

しかし、保正・副と大保長の役は安定したものではなかった。支給されるはずであった雇銭は財政難のために紹興《しょうこう》一〇年(一一四〇)頃から支給されず、さらに租税の塡納《てんのう》(肩代わり)や官府の必要物品の調達などの非正規負担も課され、保正・副と大保長は就役人戸を破産に追い込む重役と化した。宋初の里正体制の場合と同様の事態が生じ、糾論《きゅうろん》・糾決《きゅうけつ》という郷役賦課の不当性を訴える訴訟(賦課されるべき人戸を指名して提訴する)が増え、農民人戸は郷役賦課の実権を握る胥吏・郷書手への贈賄、詭名挟戸《きめいきょうこ》・女戸《じょこ》・寄産《きさん》(偽って人戸を分割したり、女性のみの人戸としたり、所有地を他人名義とする)などの不正手段を講じて就役を忌避し、その結果、三等戸以上の就役対象人戸が減少し、ついには消滅するという事態まで惹き起こした。

農民人戸が就役を忌避する様相は〝民の役を畏《おそ》るること、死を畏るるより甚だし。百年の治生、一年の充役に壊《やぶ》るればなり〟（胡太初《こたいしょ》『昼簾緒論《ちゅうれんしょろん》』「差役《さえき》篇第一〇」）と伝えられる。郷役賦課をめぐる矛盾は、健訟《けんしょう》・妄告《もうこく》の風潮の蔓延と並ぶ南宋期の重要な地方行政課題・社会問題であり、郷役賦課に関する訴訟は〝今、天下の訴訟、其の大にして決し難き者、差役より甚だしきは無し〟（葉適《しょうせき》『水心別集』巻一三「役法《えきほう》」）といわれた。なお、両税・職役の負担システムは、封建制・領主制社会における「村請制《むらうけせい》」――村落共同体が支配権力と契約を結び、村落を単位に公課を負担するシステムとは異なる。ここで見た就役人戸のみの破産、個々の人戸の就役忌避、郷役賦課の不当性を訴える訴訟という現象は、「村請制」のもとでは起こり得ない。両税と職役は国家――地方官府が個々の人戸に対して賦課し、個々の人戸が国家から直接負担するものであったがゆえに生起する現象である。郷役は国家業務の代執行を個別に負担するものであり、村落共同体の代表としての「村役人」ではない（伊藤 二〇一〇：四一―四六頁）。

以上のように、北宋中期以降、宋朝国家が役法の試行錯誤を重ねたのと並行して、郷村社会の秩序形成にかかわる二つの新しい動きが生じていた。その一つは、北宋を代表する思想家・政治家によって同族結合の新たなモデルが示されたことである。欧陽脩《おうようしゅう》・蘇洵《そじゅん》による族譜《ぞくふ》の編纂、程頤《ていい》による祠堂《しどう》祭祀の提唱、范仲淹《はんちゅうえん》による義荘《ぎそう》の設置は、宗族《そうぞく》結合の模範となるものであった。もう一つは、宋代における科挙制度の整備と学校の普及の結果、挙人《きょじん》や生員《せいいん》を中核とする官僚身分をもたない在野の読書人層――士人《しじん》層が形成されたことである。士人の本質的要件は儒教的教養の修得と道徳的実践にあり、官僚（士大夫《したいふ》）・庶民と区別される彼らの存在は役法・刑法上の法的身分としても確立した（高橋 二〇〇一：一八三―二二二頁）。

江南の扇状地・河谷平野・山間盆地は、同族結合が発達した地域であった。ここでは同族結合の動向を確認しよう。江南東路・江南西路から浙東路にかけての鄱陽湖《はようこ》・銭塘江《せんとうこう》水系一帯は、北宋前期に累世同居《るいせいどうきょ》――家産分割することなく同居共財《どうきょきょうざい》(収入・支出・財産の共同関係)をつづける大家族が多く形成されるとともに、南宋から元代に宗族形成が活発に進んだ地域である。なかでも、累世同居が最も多く見られたのは江南東路であり、徽州(北宋までは歙州《しょう》)婺源《ぶげん》県の武口《ぶこう》王氏は累世同居とその後の宗族結合の典型である。先にあげた明末の休寧県二七都五図で第一甲・第四甲・第七甲・第九甲の里長を務める人戸を構成した人びとも、武口王氏の末裔であり、彼らは藤渓《とうけい》王氏とよばれた。藤渓は二七都五図の主要な基盤となった集落の一つ——陳村の古称である。藤渓からは南宋期に九名の進士を輩出し、その八名が陳氏であり、元代には著名な朱子学者である陳櫟《ちんれき》を生んだ地でもあるがゆえに陳村とよばれるようになった。

武口王氏の履歴を見よう。

武口王氏の遠祖《えんそ》は江南西道観察使を務めた王仲舒《おうちゅうじょ》とされ、始遷祖《しせんそ》は黄巣《こうそう》の乱を避けて宣《せん》州から歙県の黄墩《こうとん》に移り、広明《こうめい》元年(八八〇)に武口に移り住んだ仲舒の孫の王希翔《おうきしょう》とされる。唐の官僚の子孫が黄巣の乱を避け、黄墩を経て徽州各地に移住したという伝承は、徽州の多くの宗族に共有される伝承であり、武口王氏もその例にもれない。王氏が定住した武口は、婺源県を縦断する婺水《ぶすい》と支流の武渓《ぶけい》が合流する交通・軍事の要衝であった。累世同居を始めたのは、王希翔の一子王延釗《おうえんしょう》の息子たちである。延釗の男子一〇名が同居共財をつづけて累世同居の大家族を形成し、始遷祖の玄孫にあたる王徳聡《おうとくそう》の代に絶頂に達する。その規模は最大で家族員約五〇〇名、所有地一〇〇頃にのぼり、徳聡は郷里から〝長者〟と称えられ、天聖《てんせい》元年(一〇二三)には旌表《せいひょう》を受け〝孝友信義の家〟の扁額が賜与された。これは国家の人民教化の模範となる「義門《ぎもん》」として認証されたことを意味する。

しかし、直後の天聖二年(一〇二四)、武口王氏は累世同居を解消して三三戸に分かれることを選択する。その後、皇祐《こうゆう》五年(一〇五三)に武口王氏から初めての進士及第者が生まれる。徳聡の孫の王汝舟《おうじょしゅう》である。彼は族譜の編纂に努め、嘉祐《かゆう》三年(一〇五八)に「九族図《きゅうぞくず》」を編纂し、元符《げんぷ》三年(一一〇〇)にはそれを重修した。南宋期に入ると、開禧《かいき》二年(一二〇六)に王大中《おうだいちゅう》が「続九族図」を編纂し、嘉定《かてい》四年(一二一一)に王炎《おうえん》が「九族図」と「続九族図」をまとめて「王氏世系録《せいけいろく》」を編纂した。王炎は乾道《けんどう》五年(一一六九)の進士であり、朱熹《しゅき》とも親交が厚く南宋の徽州を代表する道学者《どうがくしゃ》であった。武口王氏は、王汝舟から王炎に至るまでに進士八名、特奏名《とくそうめい》進士三名、太学生《たいがくせい》二一名を輩出し、婺源県屈指の名族となる。累世同居を解消して以降、王氏の族人は武口とその周辺に同姓集落を形成するとともに、徽州各県さらには長江中・下流域の各地に移住していった(中島 二〇〇六)。

こうした武口王氏の履歴のなかで注目すべきは、累世同居を解消した時期である。それは、里正衙前・里正が重役と化した時期と一致する。累世同居を回避したのは、武口王氏のみではない。累世同居の存在を多く確認できるのは北宋前期までであり、それ以降、累世同居は大きく減少する(王 二〇〇〇：一二二―一三一頁)。地域開発と人口増加が進み、生活資源の競争が激化すると、大家族構成員の欲求を抑制することが困難になるのは確かであるが、累世同居が回避された要因はこれだけでない。職役の重役化とそれにともなう就役忌避こそ、大きな要因であろう。職役は土地所有額と成丁数の多い人戸から賦課されるものであり、累世同居の人戸は職役を賦課される可能性が高いからである。累世同居は、定住・開発初期に選択されても、職役が重役と化した状況にあっては、免役特権をもつ官僚以外には回避される形態の同族結合であった。

もう一つ着目すべきは、累世同居解消後、族人が婺源県内外に分散してゆく過程で族譜編纂の中心となったのは王汝舟・王炎という進士及第者であったことである。族譜は族人が広く分散するなかで宗族の結集を図るものであり、それは同族から社会的上昇者が生まれた場合にその人物の個人的尽力によって提供された。

北宋中期に族譜・祠堂・族産の構想が示されたとはいえ、宋・元期にこれら三点を備える宗族はごく少数であり、族譜・祠堂・族産を完備した宗族が普及してゆくのは明末以降のことである。宋・元期には始遷祖など遠祖の墓所(墳庵《ふんあん》・墳院《ふんいん》・墓祠《ぼし》)に石刻した族譜を置いて遠祖祭祀を行なう宗族が一般的であった(中島 二〇〇五)。武口王氏の場合も同様である。休寧県の藤渓王氏の始遷祖は、建炎《けんえん》四年(一一三〇)に武口から藤渓に移住した王渓《おうけい》とされる。藤渓王氏は、始遷祖の孫・曽孫の代から任官者を生み、南宋の最末期には族譜の編纂を始め、元の大徳《だいとく》四年(一三〇〇)には藤渓で陳氏とならぶ繁栄した一族であると陳櫟が書き残している(上海図書館蔵・王銑《おうせん》等纂『武口王氏統宗世譜《とうそうせいふ》』巻一、陳櫟「休寧藤渓王氏族譜序」)。藤渓王氏は明末の段階でも始遷祖王渓の墳墓を共同で所有しつづけていたことが魚鱗図冊上から確認でき、その記載情報と墓図を族譜のなかに収めており、武口王氏の末裔の場合も遠祖の墓所が宗族結集の場であったことが垣間見れる。

三、都保制の定着と変質——南宋の経界法

南宋の経界法《けいかいほう》実施後、都保制が広く定着するとともに二五〇戸＝一都の原則から大きく乖離した都の存在が常態化してゆくことは、つとに明らかにされている。しかし、都保制が定着するとともに本来の戸数編成原理を失うのはなぜか、その論理が示されることはなかった。経界法の内容を確認して、都保制が戸数編成原理を喪失する理由を考えてみよう。

経界法の目的は、構想した両浙転運《りょうせつてんうん》副使の李椿年《りちんねん》が〝要は均平にし、民の為《ため》に害を除くに在り、更に税額を増添せず〟(『宋会要輯稿《そうかいようしゅうこう》』食貨《しょっか》六、経界、紹興一二年一二月二日条)と述べるように、増税ではない。彼がいう〝均平〟とは、税役(両税と職役)が人戸の土地所有額に照応して的確に負担されることであり、経界法の目的は税役の賦課・負担をめぐる不正や訴訟が蔓延する根源を絶つべく〝民に定産有り、産に定税有り、税に定籍有〟(同書、食貨六、経界、紹興一二年一一月五日条)る状態を創出することにあった。そのための施策は、〝打量《だりょう》して図を画《か》〟くこと、〝砧基簿《ちんきぼ》を造〟ることの二つである。それぞれの具体的内容は次の通り(同書、食貨六、経界、紹興一二年一二月二日条。李心伝《りしんでん》『建炎以来繋《けい》年《ねん》要録』巻一四八、紹興一三年四月壬寅条)。

打量画図　都の保正・副と大保長が所有者(田主《でんしゅ》)と小作人(佃客《でんきゃく》)を集め、一筆の所有地(坵《きゅう》)ごとに面積を測量して図を作製し、過誤があった場合は罪を受ける誓約書とともに図を措置《そち》経界所《けいかいしょ》(実施本部)に提出させ、措置経界所から官を派遣して図の記載に誤りがないか調査する。隠匿・過誤があった場合には所有地を国家が没収する。図は〝図《ず》帳《ちょう》〟や〝打量図帳〟とよばれ、保(大保)を単位に作製された。

造砧基簿　各人戸が所有するすべての土地について、一筆の所有地ごとの形状・面積・四至・入手経緯(購入か相続か)を記した砧基簿を作製し、県に提出して官印を受ける。県が砧基簿を措置経界所に送り、図の記載と対照したうえで人戸に給付して証拠とさせる。砧基簿を提出しない場合は所有地を国家が没収する。土地売買の際は取引する両人戸の砧基簿と契約書を県に提出して照合する。これを行なわない場合は取引として認めない。なお、県は郷ごとの砧基簿を作製し、三年ごとに更新する。

従来、図帳と砧基簿は同一視される嫌いがあったが、両者は別物である。砧基簿は人戸側が作製し、官印を受けて各人戸が所持する証書であり、一戸の所有地の情報をまとめる点からすると後代の帰戸冊《きこさつ》(魚鱗図冊が記載する所有地の情報を一戸分ずつまとめた簿冊)に相当する。一方、図帳は測量した一筆の所有地ごとの情報を記載する土地台帳であり、後代の魚鱗図冊に相当する(欒 二〇二〇)。

こうした経界法は、紹興一二年(一一四二)一一月に平江府《へいこうふ》から着手され、順次全国に拡大する計画であり、李椿年の忌服の間に別の方法(結甲自陳《けっこうじちん》)に変更される時期があったが、李椿年が復帰すると、図帳と砧基簿を作製する方法へ回帰し、同二〇年(一一五〇)前後までに京西《けいせい》南路・淮南《わいなん》東路・淮南西路・荊湖《けいこ》北路の四路、福建路の漳《しょう》州・汀《てい》州・泉《せん》州、広南《こうなん》西路の海南《かいなん》島、四川《しせん》の潼川《どうせん》府路を除く南宋のほぼ全域で実施された。

さて、経界法の実施後、各人戸の所有地は〝第四十八都第一保承字二百八十七・二百八十八号・二百八十九共《あわ》せて三号の地〟(『名公書判清明集《めいこうしょはんせいめいしゅう》』巻五、戸婚《ここん》門、争業《そうぎょう》下「揩改《かいかい》文字」)というように、保ごとに付された千字文の字号によって一筆ずつ把握されるようになった（〝承〟が千字文、二百八十七以下が地番の号）。所有地の字号は所在地を示すものであり、所有地が保ごとの字号によって把握されるということは、保が領域性を具えた区域であったことを意味する。本来、二五戸の戸数原則で編成される保は、測量と図帳作製によって把握した各人戸の所有地を集積する領域へと変質した。これは保のみではない。朱熹が紹興年間の経界法の施策を解説するなかで〝図帳の法、一保より始む〟……〝其れ十保合わせて一都と為〟し……〝其れ諸都合わせて一県と為〟す（朱熹『晦庵《かいあん》先生朱文公文集』巻一九「条奏経界状」）と述べるように、都も戸数原則を離れて一〇の保を併せる領域となった（さらには都の領域を併せて県の領域が形成される）。かくして都保制は行政組織にくわえて行政区域の性格をもつに至る。都保制は経界法を経て領域性をもつに至った結果、本来の戸数原則を大幅に超える五〇〇戸、さらには一〇〇〇戸以上の都が生まれてくる。これが経界法後に都保制が定着するとともに戸数編成原理を喪失してゆく論理である。

　郷村行政組織を構成する人戸数が増加すれば、その運営を担う保正・副と大保長の業務は増大せざるを得ない。数量化が可能な催税業務について確認しよう。保正・副と大保長の就役と催税の本来の原則は、都＝二五〇戸から税産額順に選出した上位一〇戸のうち、二戸が保正・副に就役し、他の八戸が大保長に就き、大保長は年二回（夏と秋）の両税の催税機会ごとに二戸が都内を催税し、二年で一周して任務を終える（二年間で計四回の催税機会を二戸ずつ担当するため、任期は二年であっても、実際に催税するのは一回）というものである。この原則に都内の両税負担人戸が二五〇戸であったと仮定して、大保長一戸の催税負担を算出すれば、大保長は一二五戸分の催税を担っていた（二五〇戸×年一回÷大保長二名＝一二五戸分）。経界法後に生じた五〇〇戸や一〇〇〇戸以上の都の場合について同じく算出すると、大保長は二五〇戸分や五〇〇戸分以上の催税を担うことになる。経界法によって都保制が郷村行政区域となるにともない、大保長の催税業務は倍増から四倍増以上となる場合が生じた。元代の江南には、南宋期と同じく都内の催税を担う郷役――主首《しゅしゅ》が最も軽い就役のパターンを想定した場合（二戸が半年任期で就役する場合）でも一八〇〇戸分を超える催税業務を負担したと考えられる地域までである(松江府《しょうこうふ》)。郷役が就役人戸を破産に追い込む重役でありつづけた理由は、雇銭の支給停止や非正規負担の賦課だけでなく、都保制の郷村行政区域化が正規業務自体を増大させることにもあった。

郷役賦課・負担をめぐる弊害の解消に有効であったのは、義役《ぎえき》という社会組織を結成することであった。義役は都ごとに人戸が結集し、内部で役次《えきじ》(就役人戸・期間)を決定するものであり、多くの場合、穀物・金銭を共同出資し、あるいは共同の役田《えきでん》を設置し、その収益で就役人戸の役費《えきひ》を援助していた。義役の本質的要件は独自に役次を決定することであり、複数人戸の共同就役や就役期間の短縮によって負担を軽減化する動きも見られた。独自の役次決定とは、北宋中期以降に専業化(胥吏化)して税役業務全般を掌握していた郷書手の役法上の業務を郷村社会側が代替することを意味した。

義役は、郷官《きょうかん》・寄居《ききょ》官・士人——在野の読書人の率先的活動や地方官の関与に人びとが賛同する形で結成され、組織が運営・維持されてゆくには自己意識——自発的な使命感にもとづき献身的に活動する管理統率者が不可欠であり、その多くは在野の読書人層に属していた。宗族結合の場合と同様に核となる存在に依存して結集する形態の社会的結合であり、結集の核となる存在が失われると、弊害を生み解体にむかう。それゆえ、義役は二〇年・一〇年の運営・維持が称賛に値するほど一般に脆弱・短命で、元末に至るまで各地で結成と解体を重ねてゆく(伊藤 二〇一〇：七三—一六四頁)。ともあれ、義役に見られるように、広範に形成されてきた在野の読書人層は、宗族結合の範囲を越えて社倉運営・救荒・水利・人民教化など地域の課題解決のための社会事業で指導者的役割を果たし、さらには地方行政の諮問役を果たすようにもなる(伊藤 二〇一〇：二〇五—二四〇頁)。

四、明代里甲制体制の歴史的特質

明朝の里甲制は、里長・甲首のほかに軽微な紛争の処理と人民教化を任務とする老人の役が設けられ(洪武二七年〔一三九四〕四月)、紛争解決・教化・儀礼・相互扶助・勧農にまでわたる中国史上最も総合的な郷村行政組織となる。また江南では、里の上級の都(浙西デルタの場合は都をもとにした区)に税糧徴収と運搬を主要任務とする糧長《りょうちょう》の役が設けられた(洪武一八年〔一三八五〕七月)。

こうした里甲制体制は、前代の郷村行政組織にはない特質を具えていた。第一に、糧長や老人の役を全《まっと》うした人物が読書人の資質をもっていたことが示すように、在野の読書人・有徳者《ゆうとくしゃ》を郷村行政に従事させたことである。第二に、里甲正役の一つとして一〇年に一度賦役黄冊の作製が義務づけられ、郷村レヴェルで戸籍兼租税・徭役台帳を作製して里長・甲首を選任したことである。第三に、里甲正役は一年交替で一里長戸と一〇甲首戸の計一一戸が就役するものであり、編成人戸数の縮減と複数人戸の共同就役によって業務負担を軽減したことである。里長・甲首の就役人戸一戸の催税業務は二〇戸分であり(一一〇戸×年二回÷里長・甲首一一戸=二〇戸分)、先に見た宋代の大保長の催税業務に比べ、著しく負担を軽減したことが明白である。これらの特質は、宋・元代における在野の読書人——とくに士人層の広範な形成と社会的活動、義役の機能とそこでの方策をうけて創出されたものである。

さらに里甲制体制は重要な画期性を具えていた。里長・甲首の役は「正役」とよばれたことが示すように、土地所有=税糧負担人戸の普遍的義務とされた(官僚身分保持者であっても免除されない)ことである。宋・元代まで両税と職役の双方を負担したのは一定の階層以上の人戸のみであり、宋代の就役対象人戸(三等戸以上)は多い場合であっても全人戸の二〇%ほどにすぎない。したがって、里甲制体制は、両税法施行後はじめて土地所有人戸全般が租税と徭役を負担するものであり、秦・漢期、隋・唐期以来、中国史上三度目の「正役」体制であった。これを可能にした要因は、業務負担の軽減化のほか、就役に堪え得る農民人戸の成長にあった。南宋初期の農民人戸は、里長・甲首と同程度の催税負担でも就役に堪えられないケースがあった(催税甲頭《さいぜいこうとう》制)からである。明初には土地所有の主体となり就役に堪え得る農民人戸が広範に形成されてきたのであろう。自作農の創出をめざした明初の験丁授田《けんていじゅでん》政策の授田額が蘇州府下で一丁当たり一六畝であったことからすれば、明初には浙西デルタでも単婚小家族が再生産可能な所有地の規模は二〇畝弱まで縮小したと考えられる(伊藤 二〇一〇:二四一―二九〇頁)。

なお、洪武年間には丈量《じょうりょう》(土地測量)が実施され魚鱗図冊を作製したが、その単位は南宋経界法以来の保であった。その結果、明代の都のもとには行政組織の里と行政区域の保とが併存しつづけることになる(欒 一九九八:二五四―二六四頁)。里が行政区域の性格をもつに至るのは、里が丈量と魚鱗図冊作製の単位となる明末張居正《ちょうきょせい》の丈量(一五八〇年代初頭)以降のことである。

最後に、もう一度、明末の休寧県二七都五図へ眼をむけよう。任官者・在野の読書人輩出人戸を頂点として、九割を超える人戸が土地を所有し、所有地で再生産可能な人戸が五割を超えて存在する階層構成は、里甲制体制を可能とした動き――在野の読書人層の広範な形成と土地所有の主体となる小経営農民の広範な形成がさらに進行した結果である。二七都五図の里長戸クラスは、概ね読書人を輩出した経験のある人戸であったと推測される。また、富裕な人戸の多くは、藤渓王氏のように宗族結合をとり結び祠堂も設置するに至っていた。

休寧県二七都五図は、静態的な世界であったわけではない。二七都五図を舞台とする租佃《そでん》(小作)関係の圧倒的多数は生計を補完するために少額の土地を租佃するものであったが、〈総戸―子戸〉制を行なう富裕な人戸の子戸が多くの土地を租佃する場合や、主家に隷属する佃僕《でんぼく》が主家以外の人戸から租佃する場合、再生産可能な額の土地を所有する人戸が出租し租佃する場合もあった。そこでは、誰もが各々の経済状況の必要に応じて自由に選択して租佃関係をとり結んでいた(伊藤 二〇一七a)。また二七都五図の所属人戸は、三〇年間——およそ一世代の間に平均二九・九件もの土地売買を行なっていた。一年間に約一件の頻度である。富裕な人戸を除く一般的な人戸であっても、三〇年間に平均一五・一件——二年間に約一件の土地売買を行ない、五人家族が再生産可能な規模に近似する所有地(一〇畝弱)を増減させていた。それは各人戸が自らの利益・利便を追求した結果であり、社会的流動性の高い世界であった(伊藤 二〇一七b)。生活資源の競争が激しい環境のなかで人びとが自由に利益・利便を追求したとしても、それは必ずしも階層分化に結果するとは限らないことを我われは認識しなければならない。

頻繁に土地を売買した二七都五図所属人戸の所有地は、県内一七の都・隅《ぐう》(県城内の行政区域)に分布していたが、その約九一%は二七都内にあった。二七都以外に多くの所有地が存在したのは、河川を利用して往来が容易な隣接する都であった。いうまでもなく所有地は自耕《じこう》(自戸の耕作)や収租《しゅうそ》(小作料の徴収)など日々の経済活動を営む場であり、所属する都と周辺が二七都五図所属人戸の日常的な生活範囲であったといえる(伊藤 二〇一六)。

各人戸が自由に利益・利便を追求した結果に形成されたのは、任官者・読書人輩出人戸を頂点とし、自作農の存在を基軸としながら、土地所有人戸が九割以上存在し、南宋経界法以来定着した都の周辺を日常的な生活範囲とする世界であった。これは、宋・元期以来の動きが重積した郷村の姿であり、商業的農業(販売のための農業)とは無縁であった。その意味で江南郷村社会の原型といってよい。乾田化をうけて明末には深耕多肥の水稲作を行ない農業生産力の先進地帯となる浙西デルタでは、商業的農業が展開して清代には寄生的な地主制が形成される(足立 二〇一二:一三九―一七六頁、二四九―二七八頁)。しかし、そうした地域でも清末民国期には中堅的な経営規模(一〇―一五畝)の農民(中《ちゅう》農《のう》)が主流を占めるようになってゆく(足立 二〇一二:二七九―三一一頁)。「唐宋変革」以降の江南郷村社会の基調は、階層分化ではない。あえて表現すれば「均小化」というべきであろう。

参考文献

足立啓二（二〇一二）『明清中国の経済構造』汲古書院。

伊藤正彦（二〇一〇）『宋元郷村社会史論——明初里甲制体制の形成過程』汲古書院。

伊藤正彦（二〇一二）「明代里甲制体制下の階層構成——徽州府休寧県里仁東郷二七都五図の事例」伊藤正彦編『万暦休寧県二七都五図黄冊底籍』の世界』二〇〇九—二〇一一年度科学研究費補助金基盤研究（C）研究成果報告書。

伊藤正彦（二〇一五）『明代里甲制体制下の階層構成』訂誤——任官者・読書人輩出人戸をめぐって」『唐宋変革研究通訊』六輯。

伊藤正彦（二〇一六）「『丈量保簿』と『帰戸親供冊』から——万暦年間、徽州府休寧県二七都五図の事産所有状況」『東洋史研究』七五巻三号。

伊藤正彦（二〇一七a）「地主佃戸関係の具体像のために——万暦九年休寧県二十七都五図における租佃関係」三木聰編『宋—清代の政治と社会』汲古書院。

伊藤正彦（二〇一七b）「事産売買の頻度と所有事産の変動——万暦年間、徽州府休寧県二七都五図所属人戸の事例」『中国史学』二七巻。

大澤正昭（一九九六）『唐宋変革期農業社会史研究』汲古書院。

島居一康（一九九三）『宋代税政史研究』汲古書院。

高橋芳郎（二〇〇一）『宋—清身分法の研究』北海道大学図書刊行会。

高橋芳郎（二〇〇二）『宋代中国の法制と社会』汲古書院。

長井千秋（二〇一二）「南宋時代の小農民経営再考」伊藤正彦編『万暦休寧県二七都五図黄冊底籍』の世界』二〇〇九—二〇一一年度科学研究費補助金基盤研究（C）研究成果報告書。

中島楽章（二〇〇五）「元朝統治と宗族形成——東南山間部の墳墓問題をめぐって」井上徹・遠藤隆俊編『宋—明宗族の研究』汲古書院。

中島楽章（二〇〇六）「累世同居から宗族形成へ——宋代徽州の地域開発と同族結合」平田茂樹・遠藤隆俊・岡元司編『宋代社会の空間とコミュニケーション』汲古書院。

宮澤知之（一九八五）「宋代先進地帯の階層構成」『鷹陵史学』一〇号。

渡辺信一郎（二〇一一）「古代中国の身分制的土地所有――唐開元二十五年田令からの試み」『唐宋変革研究通訊』二輯。

王善軍（二〇〇〇）『宋代宗族与宗族制度研究』河北教育出版社。

欒成顕（一九九八）『明代黄冊研究』中国社会科学出版社、増訂本、二〇〇七年。

欒成顕（二〇二〇）「魚鱗図冊起源考辨」『中国史研究』二〇二〇年二期。

Chaffee, John W. (1985), *The Thorny Gates of Learning in Sung China*, Cambridge University Press.

問題群｜*Inquiry*

士大夫文化と庶民文化、その日本への伝播

金　文京

はじめに――士大夫《したいふ》と庶民の間

中国の歴史が世界史の中でもつ独自性は数々あるが、中でも最も顕著かつ重要な特徴は、きわめて早い時期に中央集権的官僚体制が形成され、かつそれが長期にわたって維持されたことであろう。世界の他の地域では軍事的有力者による武力統治が常態であった古代において、中国ではすでに文人官僚による支配が、少なくとも理念的には確立していた。その理念の根拠は、「心を労する者は人を治め、力を労する者は人に治めらる」という『孟子』(「滕文公《とうぶんこう》上」)の言葉に象徴される儒教の文治・徳治思想であり、これを制度化したものが儒教的教養と文化的能力によって官僚を選抜する科挙制度にほかならない。

本巻が扱う八世紀中葉から一四世紀までは、朱子学に代表される新たな儒教が形成され、科挙制度が唐代後期に定着、宋代に確立し、元代前期にはいったん廃止されるものの、後期には新儒教である朱子学と結びついて復活し、次の明清代に継承された時期に当たる。すなわち今日から見ての前近代中国国家体制と諸制度が整備され、確立した時代であると言ってよいであろう。

儒教的教養を身につけ、科挙に合格して官僚となり、またはそれを目指す人々は士大夫、士人《しじん》とよばれ(この両者の使い分けは明確ではないが、一般的には官職に就いた者を士大夫、そうでない者を士人とする。本章でもそれに従い、両者を併称する場合は士と称する)、士農工商のいわゆる四民(『管子《かんし》』「小匡《しょうきょう》」)の頂点に立ち、皇帝権力のもと統治の中核を担った。したがって士は統治階層であって、統治を受ける民ではない。士はたとえ科挙に合格せず、あるいは科挙を受けず、官僚にならなくとも、儒教の教義により、天下国家のために「心を労し」、民衆に安定と平和をあたえるべき道義的責務を負っていると考えられ、法的にも農工商の庶民とは異なる優遇処置が採られた(高橋 一九八六)。

したがってこの時代の文化の主体は当然ながら士であった。文学では李白、杜甫を頂点とする唐詩、韓愈、柳宗元による古文運動、宋代に流行した長短句形式の詞、哲学では朱子に代表される新儒教の形成など、すべて士の文化であり、この時代の文化についての従来の研究も士大夫、士人の文化に重点が置かれていた。

ただし士の身分は安定的なものではない。科挙は基本的に万民に開かれた能力本位の制度であり、農工商の中でも能力ある者は科挙によって士となり、官僚となることができ、逆に士の階層も、その能力を失えば地位を子孫に伝えることはできない。唐代前期まではなお存在した前代の世襲貴族は、この時代にはほぼ消滅した。一方、社会、経済の発展、技術の進歩、都市の発達が著しいこの時代には、農工商の庶民の地位も向上し、そこから士の階級に参入する者が出現すると同時に、士の文化とは異なる庶民文化も誕生した。文学では敦煌から発見された唐五代の変文《へんぶん》とよばれる民間通俗文学や、宋代の通俗的詞、また都会の瓦市《がし》(盛り場)で行われた講釈、語り物などさまざまな芸能、これらは次の元代には雑劇という中国史上初めての本格的演劇へと結実し、さらに次の明代になると『三国志演義』、『水滸伝』、『西遊記』、『金瓶梅』の四大奇書をはじめとする多くの白話《はくわ》(口語体)小説を生み、古典詩文を圧倒する勢いを示すようになる。

こうしてこの時代には士大夫、士人の文化と庶民文化が共存することになるが、しかし後者は正当な文化として認知されたわけでは決してない。二〇世紀初めに敦煌の石窟が開かれてはじめて存在が明るみに出た変文は例外として、庶民文化に関する多くの文献は、価値のないもの、あるいは時に有害なものと見なされて散佚《さんいつ》し、また演劇や白話小説などは、いわゆる「大雅の堂に登らざる」もので、正当な評価を得ることはなかった。伝統的書籍分類である経部(儒教経典)、史部(史書)、子部(諸子百家に由来する儒教以外のさまざまな思想、技術、宗教書)、集部(文言文の詩文)の四部分類は、いわば文化体系の見取り図であるが、『三国志演義』や『水滸伝』は収録対象になっていない。それらは儒教的正統文化観、文学観では文化、文学とは見なされていなかったからである。

しかしこのような状況は、一九世紀以来の西洋文明の影響によって一変する。文学については、二〇世紀初頭、胡《こ》適《てき》(一八九一―一九六二年)らによる文学革命が、古典文言文(いわゆる漢文)による士大夫文学と白話文による庶民文学の従来の地位を逆転させ、白話小説こそは真の国民文学であると主張するに至る。それは明治期の日本と同じく、近代的国民国家への脱皮には必須の手続きであったろう(ただし白話文は言文一致の口語文ではない。広い国土に多くの方言をもつ中国では、言文一致は文化的分裂を意味する)。さらに一九四九年、共産党政権の樹立以後は毛沢東の「文芸講話」(一九四二年)による人民文学観が権威化され、この主張はさらに強められた。古典文学にもむろん相応の地位はあたえられたが、問題は古典文学と民間通俗文学あるいは人民文学が並立し、さらに分離してしまった点にある。現在、中国、日本などの大学では、古典詩文専攻と白話小説、戯曲、その他語り物など民間文学の専攻は、早い段階で分けられ、研究の細分化傾向とも相まって、両者の交流は十分ではない。

もっとも問題なのは、民間文学、人民文学ひいては庶民文化と言った場合、民間、人民あるいは庶民とはいったい誰を指すのかが不明確な点である。いわゆる非文字文化を除き、文学、芸能などの創作者は当然、識字層であるが、旧中国の識字率は低く、庶民の多くは識字層ではなかった。では白話小説、戯曲や語り物の台本を書いたのは誰か。むろん士人、より正確に言えば、科挙とはほとんど無縁の下層士人であった。本巻であつかう唐代中期から元代までは、この下層士人が増加し活躍した時期に当たる。その背景には、社会の多様化にともない士農工商の階層間の変動が活発となり、特に従来大きな懸隔のあった士と農工商の間がちぢまった結果、士農工商の枠には収まりきれない、さまざまな中間階層が生まれた事実がある。

その一例は吏人階級である。科挙に合格して官となった士大夫が、儒教的教養と使命感をもった統治者であったのに対し、吏(胥吏《しょり》)はおもに現地で採用された実際の行政事務の担当者である。科挙の試験科目には実際の行政処理に必要な法律などは含まれておらず、それらはもっぱら胥吏の業務であったが、彼らは士人階層とは見なされず、その地位は低かった。唐代では官と吏の区別はなお不明瞭であったが、宋代以降、科挙制の確立により両者は峻別されるようになる一方、行政の多様化、肥大化によって吏の重要性は増し、地位も向上した。元代前期に科挙が廃止されたのは、吏人階層から官を選抜する方法が採られたためで、モンゴル人が中国文化に無理解であったためでは必ずしもない。胥吏は官と農工商の庶民の間の媒介者として、賄賂を取るなど不正の温床と見なされ、吏弊《りへい》という言葉もあるほどだが、それは官(士大夫)からの観点で、必ずしも全部がそうであったわけではないだろう。官と民をつなぐ吏の社会的役割は大きく、彼らはまたいわゆる庶民文化の重要な担い手かつ受容者であった。行政文書の文体である吏文は文言文ではあるが、古典文言文とは異なる文体であり、白話小説などにはその影響が色濃く見られる。

また教育、知識の拡大によって士人層が増加し、士人内部がさらに階層化した点も重要である。この時期の士人の最大の関心事は科挙であるが、科挙は常に大量の不合格者を生み出す。宋代の中央試(省試)の受験者は約一万人、地方試は十数万人に達したが、最終的合格者は数百人程度にすぎなかった(愛宕 一九六九)。大量に生み出された科挙不合格の士人、あるいは科挙を受けなかった士人は、士人層の底辺をなしたが、その数の増大とともにやはり一種の中間階層的存在となり、官と民の間でさまざまな社会的、文化的活動を繰り広げることになる。南宋期に淵源をもち、元代に戯曲化され、明代に長編小説として完成した『水滸伝』は庶民文学の白眉であるが、その百八人の盗賊の頭目、宋江が胥吏出身、軍師格の呉用はもと村塾の教師で、字《あざな》は学究（元来は唐宋代科挙のもっとも簡単な科目名であったが、後に下層士人の代名詞もしくは蔑称となる）であったのは象徴的であろう。

もうひとつ、士農工商に入らない重要な階層は軍人、兵士である。唐代前期の府兵制崩壊後、軍事は職業軍人によって担われた。唐代後期、中央集権制は名目のみで、実態は各地の半独立的軍閥藩鎮《はんちん》政権の割拠状態、次の五代はその延長で、宋代には軍事の文官統制が確立したとはいえ、遼《りょう》、西夏《せいか》、金との長期にわたる軍事的対立のため、軍隊の存在は重要で、軍事が政治を動かしたことは否定できない。遼、金、元の異民族王朝が軍事政権であったことは言うまでもないであろう。文人統治とは名ばかりで、実際には軍事政権であったと言ってもあながち過言ではない。そういう意味では、この時代の後半に高麗で武臣《ぶしん》政権が生まれ（一一七〇―一二七〇年）、日本でも武士による鎌倉幕府が開かれた（一一八五年）ことは興味深い。

戦争などの軍事的事実や軍制、軍隊組織の沿革については詳しい研究が従来からあるが、実際の戦闘の矢面に立った軍人、兵士の価値観や文化活動に注意が向けられることはほとんどなかった。軍人、兵士は文化とは無縁の存在であると見なされたからである。しかし国家予算の大半を握る軍隊の平時の活動に文化的側面がないはずはない。たとえば都市の盛り場での芸能は、軍人を主な顧客としたものであった。士人、士大夫と妓女の交流は、唐詩、宋詞研究の重要なテーマであるが（斎藤 二〇〇〇）、文人と関係のあったのは一握りの上層妓女で、より多くは軍隊に所属した営妓《えいぎ》であった。さまざまな芸能の創出、伝播には軍中の妓女の活動が関係していたと考えられる（金 一九八九）。また白話小説の形成にも軍人の存在は欠かせない。再び『水滸伝』を例にとると、百八人の盗賊には魯達、林冲をはじめ多くのもと職業軍人がおり、彼らの処世観、価値観が強く反映している。軍事文化という観点からの庶民文化の再検討が必要であろう。

現在の中国での人民は労農兵から成るとされる。労は士農工商の工に相当し、改革開放以後は商も仲間入りしたはずであるから、結局、士が抜けて兵が入ったことになる。為政者は人民の代表である以上、旧来の士大夫がなくなり、士人が消滅したのは当然で、要は兵が人民に加わった点に意義がある。解放軍芸術学院出身の莫言（一九五五―）がノーベル文学賞を受賞したのも故なしとしない。その他、仏教の僧侶、道教の道士は、世俗を離れた出家人であるが、この時期には新興仏教の禅宗、新興道教の全真教など、みな積極的に世俗に関与しており、彼らの文化活動も看過することはできない。

以上、この時代の文化にかかわったさまざまな階層について述べたが、それらすべてについて、ここで述べることはできない。以下、もっとも重要と考えられる士人層の分化について、隠遁のあり方の変遷という視点から考察することにする。さらにこの時代の士大夫文化、庶民文化は、中国と頻繁な交流をもった日本、朝鮮半島にも伝播し、大きな影響をあたえた。特に中国の庶民文化は、自国の固有文化と融合して、独自の文化を生み出した。それについても最後に触れることにしたい。

一、隠遁の形態と意味の変化

士と隠遁

隠遁は古くから士にとってのもうひとつの重要な存在形態であった。権力者を忌避し、山中で超俗的な生活を送った許由、巣父《そうほ》は伝説的隠者として尊ばれ、殷周革命時に周の武王の殷討伐に反対して首陽山で餓死した伯夷《はくい》、叔斉《しゅくせい》など、時の権力への反抗もしくは脱政治を志向する隠者が多数見られる一方、漢の高祖劉邦が寵愛する戚夫人の子、趙王如意を太子に立てようとするのを阻《はば》んだ四皓《しこう》（商山の四人の隠者）のように、隠者は時に最高権力者に直接諫言《かんげん》し、超法規的に政治に関与することもあった。反政治的存在も結局は政治的存在の一形式にほかならない。

『論語』での孔子と隠者との対話に見られるように、儒家は隠遁のあり方を否定してはいない。『論語』にしばしば見える「邦《くに》に道有れば則《すなわ》ち智、邦に道無ければ則ち愚」(「公冶長篇《こうやちょう》」)、「邦に道有れば則ち仕え、邦に道無ければ則ち巻きて之《これ》を懐《ふところ》にす可《べ》し」(「衛霊公篇」)などの孔子の言葉は、状況に応じた処身の選択を認めたもので、「邦に道無ければ」の場合は隠遁を指向するものと読める。ただし「邦に道無ければ」とは、客観的乱世でもあり、主観的に自己の政治思想と相容れない状況でもある。孔子自身も結局はそのような生き方を選んだ、あるいはそのような境遇に追い込まれたと言えよう。

道家の老荘思想では、『荘子』に孔子が隠者と対話してやりこめられる場面が多く見られるように、隠遁はより優位に置かれている。漢代以降、それはまた不老長寿を目指す方術、ついで道教と結びつき、世俗を離れて山中で仙術の修行に励むというイメージが、脱政治的隠逸態度と結びつき、後漢《ごかん》から魏晋南北朝にかけ、隠逸思想は大いに広まる。よく知られる竹林七賢などはその代表であろう。『後漢書』に「逸民伝」(民といっても実際には士である)が登場し、『晋書』以後の正史に「隠逸伝」が設けられたのは、このような動向を反映したものであろう。しかしその内実は時代とともに変化する。

山林と朝市、大隠、小隠から中隠へ

漢の武帝に諧謔《かいぎゃく》をもって仕えた東方朔《とうぼうさく》(前一五四―前九三年)は、自らを「世を朝廷の間に避くる者」(『史記』巻一二六「滑稽列伝」)と評し、『漢書』の伝賛(巻六五)は、「首陽を拙と為し、柱下《ちゅうか》を工《たくみ》と為す」、その応劭《おうしょう》(?―二〇四年)の注は、「伯夷、叔斉は周の粟《ぞく》を食《は》まず、首陽山に餓死するを拙と為す。老子は周の柱下史と為り朝隠す、故に終身患《わざわ》い無し、是れを工と為すなり」と述べる。道家の祖である老子が、朝廷に仕えながら隠遁の姿勢を保持したことを賢明と評したもので、ここに山林での隠遁ではなく、権力の中枢である朝廷での隠遁を高く評価する朝隠という考えが出現する。

また長安の市中で薬を売った韓康（『後漢書』巻一一三「逸民伝」）のような市隠的人物も現れた。

ついで隠遁思想の盛んであった西晋時代の王康琚《おうこうきょ》は、山林での隠遁を批判した「反招隠詩」で、「小隠は陵藪《りょうそう》（山林）に隠れ、大隠は朝市に隠れる」（『文選』巻二二）と、陵藪の隠者を小隠とし、朝隠、市隠を大隠とランク付けする。つぎの東晋時代、田園詩人として有名な陶淵明（三六五―四二七年）は、「廬《いおり》を結びて人境に在り、而《しか》して車馬の喧《かまびす》しき無し。君に問う何ぞ能く爾《しか》るやと、心遠ければ地自ずから偏《かたよ》れり」（「飲酒」第五）と歌い、人里での隠遁を実践し、「古今隠逸詩人の宗」（鍾嶸《しょうこう》『詩品』巻二）と称された。

さらに唐代の白居易（七七二―八四六年）は、「中隠」詩で、「大隠は朝市に住み、小隠は丘樊《きゅうはん》に入る。丘樊は太《はなは》だ冷落、朝市は太だ囂諠《ごうけん》。中隠と作《な》りて、隠れて留司官に在るに如かず」と述べ、政治の中心である長安の朝廷の喧騒を離れ、副都、洛陽での閑職である留司官に隠遁する中隠という考えを新たに提唱した。中隠とともに白居易が愛用した吏隠の語は、もと初唐の李嶠《りきょう》「和同府李祭酒休沐田居」詩（『全唐詩』巻五七）に、「若《も》し人《ひと》吏隠を兼ねれば、性に率《したが》い栄辱を夷《たい》らにせん」とあるように、吏と隠は対立的意味であったが、両者を兼ねるのであれば吏の身分に隠遁することにほかならない。白居易は左遷地の役所に題した「江州司馬庁記」で、「苟《いや》しくも吏隠に志《こころざし》有る者は、此の官を捨てて何をか求めん」と、その意味に使っている（この場合の吏は下級官人のことで、官と区別される胥吏のことではない）。

朝隠になるのはよほどの達人でなければ難しい。それにくらべ中隠、吏隠は容易であろう。これによって本来、反権力、脱政治、超世俗的存在であったはずの隠遁は、権力、政治、世俗と融和的になり、批判的視点を次第に失うとともに、士人の変種としての少数のアウトサイダー的存在から、大多数の士大夫、士人にとっての日常的心性へと変貌した。

新たな小隠

晩唐の詩人、韓偓《かんあく》（八四四—九二三年）の「小隠」詩に、「清晨《あさ》に市に向かえば烟《けむり》は郭を含み、寒夜邨《むら》に帰れば月は渓を照らす」とある。この小隠とは、王康琚「反招隠詩」の陵藪に隠れる小隠ではなく、城郭のある都会の外村に住み、城郭内の市との間を往来しながらささやかな隠遁生活を営むといったほどの意味である。宋代を代表する詩人、蘇軾《そしょく》（一〇三七—一一〇一年）は、王安石の新法に反対し、自ら願い出て都を離れ、杭州の通判（副知事に相当）の職にあった時、「六月二十七日望湖楼酔書」詩（五首其の五）で、「未だ小隠に成れず聊《いささ》か中隠」と述べている。洛陽の閑職にあって中隠を称した白居易のつもりは、おそらく大隠にはなれないので中隠になるということであったろう。山林に隠遁する小隠は、彼にとってすでに問題外であった。それに対して蘇軾は、小隠にはなれないので中隠になると言っているのである。ここに隠遁をめぐる再度の価値の転換があった。

この時代、小隠を自称した代表的な人物として林逋《りんぽ》と邵雍《しょうよう》を挙げたい。両者とも生涯科挙を受けず、官に就かず、しかも都会での隠遁生活を送った。林逋（九六七—一〇二八年）は杭州西湖畔の孤山に隠棲し、梅を妻、鶴を子として、范仲淹《はんちゅうえん》（九八九—一〇五三年）をはじめ多くの士大夫と交際、死後は時の皇帝、仁宗《じんそう》より和靖と追諡《おくりな》された。その詩集『林和靖集』には、「湖山小隠」、「小隠自題」など多くの小隠詩がみえる。蘇軾が杭州の望湖楼で「未だ小隠に成れず」と言ったのは、林逋を念頭に置いたものであろう。

邵雍（一〇一一—七七年）は後の朱子などにも大きな影響をあたえ、新儒学の形成に貢献した特異な思想家であるが、生涯のほとんどを洛陽の町中で暮らした。その住宅、庭園は、富弼《ふひつ》や司馬光など朝廷の大官が彼のために費用を出して購入したものである。その庭園を詠んだ「小園逢春」詩に、「小隠の園中に百本の花」と言い、「愁恨吟」には、「城裏なれど煙霞《えんか》に住む、天津の小隠の家」とある。天津は洛陽の橋の名である。両者とも無位無官ながら、高官、士大夫と対等に交際し、その名声は皇帝にまでとどいた。彼らが反権力的な批判性と無縁であったことは言うまでもない。

都会に住む小隠は南宋になるとさらに増加する。科挙不合格者の多くは、実際にはこのような小隠的生活を送ったと言ってもよい。この時期に流行《はや》った江湖詩派の小詩人は、『江湖詩集』を編纂、出版した杭州の書商、陳宅経籍鋪《けいせきほ》の主人、陳起をはじめ、ほとんどが小隠的人物であった。このような小隠的人物が士の中の多数を占め、官途に就いた士大夫を凌駕するようになれば、彼らの新たな社会的、文化的活動の影響力が増大するのも当然であろう。

隠遁と宋代の社会、文化

宋代は士大夫、士人の時代であると言われるが、それは宋代社会を俯瞰的に眺めてのことで、裏側からのぞいて見れば、実は隠遁の時代であったとも言える。まず皇帝自身と朝廷が唐代以上に在野の隠遁の士を重視した。林逋が和靖の諡号《しごう》を得たのは死後のことだが、生前に「処士」、「先生」の封号を勅賜された隠者はきわめて多い（『宋史』「隠逸伝」）。南宋の孝宗《こうそう》にいたっては、都に来る隠者を接待するため、特に高士寮を建てたほどである（葉紹翁『四朝聞見録』巻三）。さらに道教寺院である道観の名目だけの管理職、提挙宮観（祠禄官《しろくかん》）によって、任務のない官人や退職者に俸給をあたえる独特の制度もあった。これによって多くの官人は在位のまま、また退職後、隠遁的生活を送ることができたのである。まるで隠遁を勧めているようなものである。

また宋代の官府には、吏隠亭（魏野「題陝府同判衙吏隠亭」）、吏隠堂（呉曽『能改斎漫録』巻一一「吏隠堂植竹詩」）など、吏隠の名のつく建物が多くあった。これは別に命令されたわけではなく、官僚が自主的に建てたものである。官僚たちは吏隠的気分の中で働いていたわけである。実際、科挙に受かり進士となって官職に就いた人物にも、連庶（「隠逸伝」）のように隠遁者と見なされた人物は少なくない。あえて世俗的隠遁という一見矛盾した名辞を用いるならば、本来対立するはずの出仕と隠遁は表裏一体、相互補完的な関係になったと言える。しかもその外延にはさらに多くの小隠的士人がいたのである。

このような世俗的隠遁の雰囲気が士の階層に蔓延した社会が生み出した新たな文化について、その一端を述べるならば、隠遁の本来の場所である山林の大自然を、縮小して都会に持ち込んだ点を挙げることができるであろう。邵雍はその小隠としての生活を「城裏(都会)なれど煙霞(山林)に住む」と言ったが、具体的には山林の自然を縮小して都会に移した庭園がそれであろう。人工を排し自然を模した庭園文化の誕生である。また林逋の「小隠自題」詩に、「嘗《つね》に憐む古図画の、多半は樵漁《しょうぎょ》を写すを」とあるが、これは隠者としての漁人《りょうし》、樵者《きこり》を描いた山水画、水墨画を指す。中国絵画の真髄とされる水墨山水画の誕生である。さらに山中の大木を縮めた盆栽(盆景)や、小さな石によって雄大な山塊を想見する奇石の愛好、小さな印章の中に思いを託す篆刻、あるいは短詩型である七言絶句の小詩を特徴とする南宋の江湖詩派など、すべて世俗的隠遁、小隠の産物である。これらは士の隠遁と密接な関係にある新たな仏教、禅宗の中で特に発達し、日本にも大きな影響を及ぼしたことは周知のとおりである。

朱子学と隠遁

朱子学は元代後期に科挙に採用されて以来、明清代を通じての国定学問として、中国だけでなく朝鮮、江戸時代の日本にも絶大な影響を及ぼし、官学のイメージが強い。しかしその成立初期の経緯には隠遁が密接にかかわっている。朱子すなわち朱熹《しゅき》(一一三〇―一二〇〇年)の父、朱松が臨終の遺言で年若い息子の指導をゆだねた三人の友人、胡憲、劉勉之、劉子翬《りゅうしき》のうち、前二者は『宋史』「隠逸伝」中の人物であり、劉子翬の生涯も似たようなものであった。また胡憲の弟子で朱子の友人、魏掞之《ぎえんし》の名も「隠逸伝」にある。さらに朱松の師である羅従彦《らじゅうげん》、その弟子でのち朱子に感化をあたえた李侗《りとう》は、ともに『宋史』「道学伝」に立伝されているが、やはり山中で長年の隠遁生活を送った。青年朱子の周囲は隠遁の雰囲気に満ちていたと言えよう。

朱子自身も七〇年の生涯のうち、一九歳で科挙に合格した後、実際に官職に就いたのはわずか一〇年ほどで、その他は故郷の福建北部山間地である建州で、もっぱら思索と弟子の養成に日々を送り、またしばしば朝廷に祠禄官の申請をもしている。当時の常識から言えば、朱子も隠遁的人物であったろう。このように在野の学問であった朱子学が、慶元偽学の禁の弾圧を乗り越え国家指定の教学になるには、さまざまな要因があるが、宋代以降の士人に隠遁思想が深く浸透し日常化していたことも、その一因であろう。

二、山人の活躍

山人の登場——隠遁者の生業

北宋の太宗《たいそう》、雍熙《ようき》三年(九八六)に完成した六朝の梁から唐五代までの一大詩文総集である『文苑英華』は、「詩」の部分の「隠逸」の項(巻二二〇―二三二)を、「徴君」、「居士」、「処士」、「山人」、「隠士」の五類に分ける。うち「山人」には五三首が収められるが、冒頭の王維「鄭霍《ていかく》二山人に寄す」詩の「薬を売るに価を二とせず、著書は万言に盈《み》つ」をはじめ、岑参《しんじん》「華陰山人李岡に寄す」詩の「華陰の道士は薬を売りて還る」など、売薬に言及する詩が多い。「売薬不二価」(薬を定価で売る)は、後漢の市隠的人物、韓康の故事である。韓康は山中の薬草を長安の市で売っていた。

従来、隠遁に関する研究のほとんどはその思想、宗教的側面、または文学への影響に関するものであった。しかし隠遁者も食べていかねばならない。隠遁の修行には辟穀《へきこく》(穀物を断つ)というのもあるが、それで生命を維持できたとは思えない。隠遁者はどのようにして生活の糧を得ていたのであろう。隠遁者というと孤高のイメージがあるが、王建「鄭山人の帰去を送る」詩(『全唐詩』巻三〇一)に、「一家総べて嵩山《すうざん》に去る」とあるように、家族連れまたは仲間と隠遁することもあった。中唐期の宰相、王播《おうは》(七五九―八三〇年)の孫、王亀は、長安の邸宅の庭園に半隠亭を建て、また中条山中に草堂を営み、山人、道士と交際し、月に二回家に帰ったという（『旧唐書』巻一六四「王播」）。宰相の孫ならそれもできようが、相手の山人にはなにがしかの生業があったはずである。一つは王亀のような富貴の士大夫からの援助を乞うことであったろうが、それだけではない。

隠遁者の山中での修行には薬草が欠かせない。それを売ることができれば一挙両得であろう。高適「還山を賦し得て吟じて沈四《しんし》山人を送る」詩（『高常侍集』巻六）は、「売薬の嚢中《のうちゅう》にはまさに銭《ぜに》有るべし」と言っている。さらに売薬と関係する医術、卜術、幻術や隠遁につきものの琴の演奏なども生業となりえたであろう。総じて山中でのさまざまな技術を生業とする隠遁者を、唐代には山人と称した。『太平広記』（巻七二「道術」二「張山人」）では、山人を「技術の士」とよんでいる。この場合の技術は主に占術を指す。

山人とは、もと文字通り仙人（後漢鏡銘）、または山林の管理官（『左伝』昭公四年）、山中に住む者（『管子』「軽重己」）などの意味であった。それが南斉の孔稚珪《こうちけい》（四四七―五〇一年）が「北山移文」（『文選』巻四三）の中で、当時の名士、周顒《しゅうぎょう》が南京に草堂を構え隠遁しながら、かえって功名を捨てきれないのを、「山人去りて暁の猨《さる》も驚く」と皮肉って以来、偽隠遁者を諷刺する呼称となる。しかし唐代になって、山林の隠遁を小隠、朝市の隠遁を大隠とする価値の逆転が定着すると、諷刺的意味合いは薄れ、官途に就くことのできない多くの不遇士人が、山中での隠遁のポーズをとりながら、世俗の中で活動するようになり、彼らは自ら山人と称し、人もまた山人とよんだのである（金 一九九四）。

唐代山人の諸形態

唐代には隠遁者として名声を博した士人や道士が皇帝に呼ばれ、官僚体系を飛び越えて朝廷に出仕する場合がしばしばあり、これを長安南方の隠遁の代表的聖地、終南山によって「終南の捷径《しょうけい》（早道）」と言った。これによって出世した山人の代表は、安史の乱に際し粛宗の参謀として、乱の平定に多大の功績のあった李泌《りひつ》（七二二―七八九年）であろう。李泌は隠遁した嵩山から玄宗に時務について献策し、翰林待制《かんりんたいせい》となり、乱の発生を聞くと霊武で即位した粛宗のもとに駆けつけ、その絶大な信任を得た。人々は皇帝の輿輦《よれん》に陪乗した李泌を見て、「黄を著る者は聖人(皇帝)、白を著る者は山人」と言った(『新唐書』巻一三九「李泌伝」)。のち徳宗《とくそう》の時に、中書侍郎《ちゅうしょじろう》、同平章事《へいしょうじ》つまり宰相格となり、鄴侯《ぎょうこう》と称された。山人中の出世頭であろう。

しかしこれは稀な例であって、多くの山人は「終南の捷径」を目指しつつ、さまざまな活動、生業に従事することになる。売薬についてはすでに述べたので、それ以外の主なものについて、以下簡単に述べてみよう。

①干謁《かんえつ》――朝廷の大官や各地の地方官に詩文などを献上し、援助を得ることを、当時干謁と言った。「干」はもとめる、「謁」はお目通りすることで、要するに無心である。唐代を代表する詩人、李白(七〇一―七六二年)は、その詩文の二カ所で自ら山人と称している。一つは「寿山に代わり孟少府の移文に答える書」で、自分を「山人李白」とよんでいる。この文章は孔稚珪「北山移文」を念頭に置いたもので、李白が山人の原義をよく理解していたことを示す。もう一つは「友人の烏紗帽《うさぼう》を贈るに答う」詩で、「烏紗帽を領し得たるに、全く白接䍦《はくせつり》に勝る。山人は鏡を照らさず、稚子は相宜《よろ》しと道《い》う」、烏紗帽は官人の、白接䍦は隠者のかぶり物である。烏紗帽をかぶった李白は鏡を見ないが、子供はよく似あうと言った、というのである。

李白は生涯各地を転々と放浪したが、その多くは干謁のためであったと考えられる。たとえば長安北方の邠州《ひんしゅう》(新平)で地方官の李粲《りさん》に送った「豳歌行《ひんかこう》、新平の長史《ちょうし》の兄の粲に上《たてまつ》る」詩の最後の句、「何ぞ余光の棣華《たいか》に及ぶを惜しまん」は、同姓なだけの李粲を兄と呼んで(棣華は兄弟の喩え)、そのおこぼれにあずかりたいという哀願である。李白の詩の少なからぬ部分はこの種のもので、後に李白の詩集を編纂した王屋山人こと魏万をはじめ、同じ境遇の山人に送った詩も多い。李白はのちに玄宗に召されて翰林待詔《たいしょう》となるも追放され、晩年は永王の乱に参加して謀反人の罪に問われ、失意のうちに没した。李泌のようになろうとしてなれなかったと言ってもよいであろう。李白の文学は山人的環境と密接な関係にあった(金　二〇一二)。

②医術――杜甫が成都で出会った長安時代の旧知に送った「司馬山人に寄す十二韻」詩に、「家々に薊子《けいし》を迎え、処々に壺公《ここう》を識る」とある。薊子は会稽の市で薬を売った後漢の薊子訓、「壺公」は壺を懸けて医術を行った費長房のことで、司馬山人は売薬を兼ねた医者であろう(金　二〇一二)。五代後唐の荘宗の皇后劉氏の父は医者であったが、荘宗は彼を劉山人とよんでいる(『新五代史』巻三七)。

③音楽――常建「張山人弾琴」詩(『全唐詩』巻一四〇)、岑参「秋夕に羅山人の三峡流泉を弾くを聴く」詩(同巻一九八)、戎昱《じゅういく》「杜山人の胡笳《こか》を弾くを聴く」詩(同巻二七〇)、白居易「郡中の夜李山人の三楽を弾くを聴く」詩(『白氏長慶集』巻二四)、梁粛「石山人の弾琴を観るの序」(『全唐文』巻五一八)など、おそらく半職業的な楽師であろう。

④書画――杜甫「張十二山人に寄す」詩に、「先生の芸は絶倫、草書は何ぞ太《はなは》だ古なる。(中略)一字を売るも貧に堪う」、さらに「肘後《ちゅうご》の符は験に応じ、嚢中の薬は未だ陳《の》べず」とあり、医術、売薬も兼ねていたらしい。李白「崔山人に百丈崖瀑布図を求む」に「聞く君が写真の図」とあり、写生を得意とする専門の絵師であろう。顧況《こきょう》「范山人画山水歌」(『全唐詩』巻二六五)、方干「盧卓山人画水」(同巻六五一)などは初期の山水画である。段成式『酉陽雑俎《ゆうようざっそ》』巻六「芸絶」の范陽《はんよう》山人は水の上に絵を描いたという。

⑤占術――『酉陽雑俎』の范陽山人は、また吉凶を占い、推歩(天文暦数による占い)、禁咒《きんじゅ》(呪い)をよくした。同書巻一一「広知」の王山人は、灯に映った人影で吉凶を占った。

⑥法術――『酉陽雑俎』巻二「壺史」の盧山人は、山中の橈朴《とうぼく》(木材の曲げ物か)と石灰を白湫南の草市(常設でない市)で売っていたが、隠身の術を使った。同書巻五「詭習」の山人王固は、襄州刺史《じょうしゅうしし》の于頔《うてき》の家で、蠅虎子(蠅取蜘蛛《ハエトリグモ》)を鼓声に合わせて対陣戦闘させる術を見せた。『酉陽雑俎』には情報提供者としての山人が多く見え、著者の段成式

が山人と親しかったことが知れる。

⑦飲茶――茶道の祖とされ、『茶経』の著者である陸羽(七三三―八〇四年)は、皇甫曽《こうほそう》「陸鴻漸山人の採茶を送る」詩(『二皇甫集』巻八、鴻漸は陸羽の字)、耿湋《こうい》と陸羽の「連句暇多く陸三山人に贈る」(『全唐詩』巻七八九)のように、やはり山人とよばれている。

⑧外国人――賈島《かとう》「褚山人《ちょさんじん》の日本に帰るを送る」詩(『全唐詩』巻五七三)の褚山人がどういう人物か不明だが、あるいは外国人を異人視して山人とよんだのかもしれない。明代の例であるが、イエズス会宣教師として有名なマテオ・リッチ(利瑪竇、一五五二―一六一〇年)は、利山人とよばれた(『方輿勝略』呉中明序)。

以上、山人と明記されたものに限ってのほんの一部にすぎないが、唐代社会における山人の活動の一端をほぼ知ることができよう。山人的な人物を含めればさらに多くの例を示すことができる。特に唐代文化の精華である唐詩は、李白、杜甫の例からも知られるように、山人と密接な関係があった。補足として白居易について述べれば、彼の作品でもっとも有名な「長恨歌」は、元和元年(八〇六)、彼が盩厔尉《ちゅうちつい》の任にあった時、当地で知り合った王質夫の勧めによって書いたものであり、さらに陳鴻が「長恨歌伝」を書いた。白居易は、この二人を「贈王山人」(巻五)、「早朝に雪を賀し陳山人に贈る」(巻九)と、どちらも山人とよんでいる。また「呉七郎中山人の待制班中に偶またま絶句を贈る」詩の呉七郎中山人とは、彼と同年の進士で、駕部郎中《がぶろうちゅう》の任にあった呉丹のことである。つまり進士合格者で現に官職に在る者を山人と称している。中隠を推奨した白居易の文学も、山人と浅からぬ縁があると言えよう(金 二〇一七)。

前記八例のうち、最後の外国人を除き、干謁による詩文の献呈も一種の技芸と見なせば、山人の生業はすべて技術的なものであると言える。山人はまさに「技術の士」であるが、しかし「技術の士」という名辞は本来、矛盾したものであった。韓愈の有名な「師説」が、「巫医、楽師、百工の人は相師するを恥じず、士大夫の族は曰く師、曰く弟子と云う者は則ち群聚してこれを笑う」と述べ、古くは『礼記』「王制」に、「技を執り以て上に事える者、祝、史、射、御、医、卜、百工」とあるように、技術に携わる者は士ではなかったからである。それが「技術の士」と言われるようになったのは、士の階層の拡大と変質を物語るものであろう。この傾向は次の宋元代以降さらに進むことになる。

最後に山人と仏教との関係についても簡単に触れておきたい。中唐期の四川に広まった禅宗の一派の保唐宗《ほとうしゅう》の書『歴代法宝記』(敦煌文書、『大正新修大蔵経』二〇七五、七七四年成立)巻一に、道士数十人、山人数十人が僧侶と論争する記事がある。この山人は儒者であり、これは儒仏道の三教論争であるが、仏僧特に禅僧には、士人出身の山人的人物が多くおり、中には寺院に起居する者もいたらしい。

敦煌文書「左街僧録の円鑒大師雲弁、十慈悲を進むるの偈」(スタイン文書四四七二)は、人々に慈悲を施すべき十の身分を挙げる。それは「君王」、「為官」(朝廷の官)、「公案」(胥吏)、「師僧」(仏僧)、「道流」(道士)、「山人」、「豪家」(富豪)、「当官」(地方官)、「軍行」(軍人)、「関令」(商人)であった。この山人は医者である。慈悲を施すべき身分とは、仏教側から言えば布施を期待できる存在に他ならない。当時の仏教から見た俗世のさまざまな身分の中で、医者としての山人が、商人、胥吏、軍人とともに重要視されていたことが注目される。この「十慈悲偈」につづく左街僧録雲弁「与縁人遺書」には、「長白山人の李琬《りえん》、沙州大徳の請を蒙りて抄記す」の奥書がある。長白山人の李琬は寺院と密接な関係のある人物であろう。

宋元代の山人

宋元代に山人の数はさらに増大し、その範囲も拡大、もはや枚挙に暇のないほどになる。宋の都、開封の都会繁盛記である孟元老『東京夢華録』巻五「京瓦伎芸」の張山人は「説渾話《せっこんわ》」(滑稽話)を専門とする芸人である(戴 一九五八)。また南宋の代表的詩人、陸游《りくゆう》(一一二五―一二一〇年)の「新たに道帽を裁し帽工に示す」詩(『剣南詩稿』巻三九)は、「山人の手段は及び難しと雖《いえど》も、老子〔おいぼれ、自分のこと〕の頭囲は未だ量《はか》り易《やす》からず」と、帽子職人を山人とよんでいる。芸人や職人までが山人を自称し、山人とよばれているのである。彼らは自らの技芸で身を立てる職業人であり、儒教的教養とはほぼ無縁で、士とはいえない。山人は技芸者の職称であると言ってよい。

唐代の山人がなお士の末端に連なり、科挙予備軍的な性格をもっていたのに対し、宋代の山人はそこから逸脱している。商業都市が発達した宋代には、官途に就く以外にも、都会の中で知識や技術によって生活するさまざまな可能性が開けたのである。

南宋の洪邁《こうまい》(一一二三―一二〇二年)が、自ら見聞した当時のさまざまな奇談を集録した『夷堅志《いけんし》』に、福建の風水地理師、頼先知山人の話が見える(三志壬巻第一「頼山人水城」)。彼は臨川の羅元章の家に寄食していたが、その妻が死んだ時、墓地を定め、子孫が榜眼《ぼうがん》(科挙殿試の第二位合格者)となることを予言、はたして羅元章の孫が後年、榜眼となった。当時の科挙は途方もない難関で、すでに正常な競争の意味を失い、運試しとなっていた観がある。この頼山人は、自らは科挙とは無縁で、科挙を受ける士人を顧客としていた。宋代の山人には、唐代では少数であった占師、風水師が激増し、かつ士人と対等に交際している。宋人の詩集をひもとけば、占師、風水師に贈った多くの詩を見いだすことができるであろう。後に見る元曲に登場する山人は、ほぼすべて占師である。

一方、唐代の山人の主流であった売薬、医術、特に医者は、この時代山人とはよばれなくなる。宋代は朝廷が医書を熱心に刊行したことも一因となり、医学知識が普及し、医者の社会的地位が向上した時代である。金元代には新たな医学の発展があり、この傾向をさらに推し進めた。北宋の名宰相、范仲淹は若い頃、将来宰相もしくは良医になりたいと神に祈ったという(『能改斎漫録』巻一三「文正公願為良医」)。また江西詩派の祖で書家としても有名な黄庭堅(山《さん》谷《こく》、一〇四五―一一〇五年)は、家が貧しく薬屋になるはずが、幸い科挙に合格したので官僚になったと晩年回想している(「薬の説を書して族弟の友諒に遺《おく》る」、『山谷集』巻二五)。当時の士人にとって医薬の知識は隠遁思想同様に日常的なものであった。朱子は江西南康の知事在任中(一一七九年)、帯同した甥の治療に当たった道士で医者の崔嘉彦《さいかげん》と親しく交際し、後その死を知って、わざわざ弔詩を送っている(『朱熹年譜長編』淳熙《じゅんき》十六年)。崔嘉彦の再伝の弟子、厳用和も、南宋末期の宰相、江万里(一一九八―一二七五年)と対等に交際した(金 二〇一八)。

このように上下ともに山人の階層範囲が拡大し、小隠的士人とともに一種の中間的階層が形成されたのが当時の社会の現実であった。南宋の江湖詩派の詩人で高官でもあった劉克荘《りゅうこくそう》(一一八七―一二六九年)が、その「邮居書事」詩(『後村先生大全集』巻九)で、薬、僧、卜、医を、「十老」詩(同巻二〇)で、儒、僧、道、農、医、巫、吏を並列させて歌うのは、士人階層の多様化の反映であろう。

それは南宋だけではなく、同時期の金朝においてもほぼ同様であった。金末元初の大詩人、元好問《げんこうもん》(一一九〇―一二五七年)の「市隠斎記」(『遺山集』巻三三)は、古来の隠遁の歴史を回顧しつつ、都で本屋を営み市隠と号した婁公《ろうこう》という人物の商業行為を肯定したものである。なお士大夫、士人の雅号は隠遁思想の一種の表白であるが、宋代の士人は六一居士《りくいっこじ》(欧陽脩《おうようしゅう》)、東坡居士(蘇軾)のように居士号を称することが多かった。ところが元好問は遺山山人と山人号を称する(「雪後招隣舎王賛子襄飲」詩、『遺山集』巻三)。以後、元明代には文人、士人の山人号が多くなる。これも山人の地位向上によるものであろう。従来、山人については、文人の山人号があって、それが下層に及んだとする説もあったが(鈴木 一九六二)、おそらくはそうでないであろう。

雅俗の中間文学としての元曲

前記の中間階層が生み出した文学の代表は、中国文学史上、最初の本格的演劇として成立した元代の雑劇、元曲であろう。雑劇は今日の京劇がそうであるように歌劇であり、歌と台詞からなる。うち歌辞の部分は口語を交えるとはいえ、基本的には文言であり、それ以前の宋詞の形式を継承したものであるのに対し、台詞は後の白話小説につながる口語で書かれている。そこで四部分類による清代の『四庫全書』などでは、雑劇自体は口語俗文学として排斥されるが、その歌辞だけは文学の部である集部の詞曲類南北曲の属にかろうじて著録された。すなわち元曲は士大夫文化の雅と庶民文化の俗の中間的存在であると言える。

元曲の作者については、鍾嗣成《しょうしせい》（一二七七?—一三四五年?）の『録鬼簿』および『録鬼簿続編』によって、生涯のあらましと作品名を知ることができる。以下、元曲四大家と称される関漢卿《かんかんけい》、白仁甫《はくじんぽ》、馬致遠《ばちえん》、鄭徳輝《ていとくき》のうち前三者と、『録鬼簿続編』に名のある羅貫中について簡単に述べてみたい。

関漢卿は大都（北京）の人で、太医院戸（「戸」を「尹」とするテキストもあるが「戸」が正しい）、すなわち元代の職業による戸籍分類である民戸、軍戸、儒戸、匠戸、医戸（これ自体、前代の職業多様化の産物であろう）などのうちの医戸であったと思われる。本人が医業に従事したかどうかは不明だが、彼の作品にはいわゆる金元四大家（金の劉完素、張従正、李杲《りこう》と元の朱震亨《しゅしんこう》）による新医学の知識が反映されている（金 一九九六）。『四庫提要』「医家類」に「儒の門戸は宋に分かれ、医の門戸は金元に分かる」と述べるように、金元時代は新たな医学の発展期であった。また彼は生涯、妓楼での遊楽的生活を送ったようで、これは医者の身分向上による経済的裕福さのおかげであったろう。『録鬼簿』には彼の他にも医者で雑劇を作った者の名が見えている。

関漢卿とほぼ同年輩の白仁甫（一二二六—一三〇六年以後）は、金朝滅亡後の混乱期に、金の官僚であった父の友人、元好問に養育され、のち河北の真定にいた漢人有力世侯の一人、史天沢の庇護を受けたが、元朝には出仕せず、官僚とも交遊しながら晩年は南京に隠棲した。彼が元の官職に就かなかったのは、金朝の遺民として節をつらぬいたためではなく、国家の存在自体に不信感をもっていたからではないかと思える。その代表作である「梧桐雨」は玄宗と楊貴妃のロマンスを描いたものだが、重点は愛する人も国家もすべてを失った玄宗の孤独を描くことにあった（金 一九七六）。なお元の中書左丞《ちゅうしょさじょう》であった杜思敬が、張元素、李杲などの医書を編集した叢書『済生抜粋』（静嘉堂文庫所蔵）には、至正六年（一三四六）真定の白楡《はくゆ》の序があり、かつ白楡は南京から福建に任官して本書を刊行したとある。この白楡はおそらく白仁甫の子孫であろう。とすれば白仁甫も医学の知識をもっていた可能性がある。

馬致遠（?―一三二一年以後）は、江浙行省の務官または務提挙、すなわち杭州の税課提挙司で商税を徴収する税務官であった。税務官は官とはいえ、一般の官僚とは異なる専門職で、彼はおそらく胥吏から身を起こしたのであろう。馬致遠が税務官であったのは、クビライの色目人《しきもくじん》の宰相、桑哥《センゲ》が重税政策を採った時期に相当するが、彼は濃厚な隠遁思想をもっており、また新興の道教である全真教の影響をも受け、作品に反映させている。

羅貫中（?―一三六四年以後）は元末明初の人で、湖海散人と号した以外、経歴は不明であるが、各地を放浪する生活を送ったらしい。もし小説『三国志演義』の作者として知られる羅貫中と同一人物であれば、戯曲と白話小説の関係を示すものであろう。

これらの作者は山人とは称していないが、実質上は山人的人物であり、総じて元曲は世俗隠遁的な下層士人の文学であった。なお元曲の歌辞の押韻は古典詩とは異なり、当時の北方の口語に拠っており、そのため『中原音韻』という韻書も編まれた。その背景には、当時の口語が、特に中国語とは系統を異にする言語を話す異民族の支配を長らく受けた北方において、大きく変化した事実がある。加えて知識人、読書人層の大幅な拡大によって、古典文言文の理解が相対的に困難な人々が増加したことも重要である。元の許衡《きょこう》（一二〇九―八一年）の『大学直解』、『中庸直解』など、儒教の経典を口語訳したもの、また盧以緯《ろいい》『助語辞』のように文言の助辞を口語で解説した書物がこの時期に出現したのはそのためであった。それが次の時代の白話小説隆盛につながるのである。

明代の山人

本巻の範囲ではないが、最後に明代の山人について一瞥しておこう。山人がもっとも活躍したのは明代後期である。万暦《ばんれき》年間(一五七三―一六二〇)には、銭希言《せんきげん》『戯瑕《ぎか》』巻三「山人高士」が、「詞客も山人と称し、文士も山人と称し、徴君、通儒も山人と称し、喜遊子弟も山人と称し、説客、弁卿、謀臣、策士も亦た山人と称し、地形、日者、医、相、訟師も亦た山人と称す」と述べるように、社会に山人が溢れかえる状況であった。そこから政争に山人が関与した妖書案のような事件も頻発する。山人がついに政治の舞台にまで登場したのである(金 二〇〇二)。一般にこれら山人の政治活動は山人の弊と言われることが多いが、それだけ中間層が増大したことの現れであろう。明は外では北虜南倭《ほくりょなんわ》の擾乱、内では激しい党争と農民反乱によって滅んだとされるが、社会の変化に体制が対応できなかったことも滅亡の一因であろう。

明代の士大夫には山人号を称した者が多い。陽明学の祖、王守仁(一四七二―一五二九年)は、故郷の余《よ》姚《よう》から紹興に転居した弘治一〇年(一四九七)に陽明山人と称し、後には弟子とともに山中を跋渉しながら指導を行った。また若いころは武術に熱中し、後年、寧王の乱を平定するなど目覚ましい軍事的才能を発揮した実務家である。朱子とは対照的であろう。明代の士人は一般に軍事に関心が強かったが、その背景には元明代を通じて世襲であった多くの軍戸の存在がある。軍戸もむろん科挙に応じることができた。世襲が顕著なもう一つの職業は医者である。医者には代々職を受け継ぐ者が多く、『証治大還』の著者、清の陳治が「五世医を業とす」(『四庫提要』「医家類存目」)など世々医を業とした者は多い。僧侶の例であるが、浙江省蕭山の竹林寺の婦人科は、南宋から清末まで九七代を数えたという(『蕭山竹林寺婦科秘方考』)。実力本位で世襲が難しい士人に対し、医者や軍人など世襲によって伝わった文化があることも注意すべきであろう。

三、士人と文人

この時代の文化を考えるうえで、もう一つ欠かせない概念は文人である。文人は士人と表裏一体の存在形態、または士人のプライベートな営為に即しての呼称と言われるが、そこにも山人など中間層知識人の影響がある。ここでは多岐にわたる文人概念のすべてに言及することはできないので、代表的な文化である文人画の定義について述べたい。

文人画の概念が確立したのは元代である。明初の洪武二〇年(一三八七)の序をもつ曹昭『格古要論』巻上「士夫画」に、元代の文人的士大夫として著名な趙孟頫《ちょうもうふ》(一二五四―一三二二年、字は子昂)とその同郷の友人で画家、銭選(字は舜挙)に、おそらくは仮託した次のような問答が見える。

> 趙子昂、銭舜挙に問いて曰く、「如何なれば是れ士夫の画か」と。舜挙答えて曰く、「隷家《れいか》の画なり」と。子昂曰く、「然れども余、唐の王維、宋の李成、郭熙《かくき》、李伯時を観るに、皆高尚の士夫の画くところ、物とともに神を伝え、其の妙を尽くすなり。近世の士夫の画を作る者は謬《あやま》つこと甚し」と。

銭選が士夫の画として答えた「隷家」は、また「戻家《れいか》」とも書き、素人を意味する俗語である(啓功 一九六三)。語源は明らかでない。南宋の都、杭州の都市繁盛記である『夢粱録』巻一九「四司六局筵会假賃」は、宴会に必要な一切の道具類を請け負う業者について、それらの仕事は「戻家に宜しからず」(素人には出来ない)、また『西湖繁勝録』に「戻家相撲」(素人相撲)とある。その反対は「行家」(玄人)である。趙孟頫が挙げた王維、李成、郭熙、李伯時(公麟)のうち、山水画の祖とされる王維、宋初の李成は別格として、郭熙は北宋朝廷画院の専業画家、李伯時は人物画など写実の名手で、「物とともに神を伝え」とは、画家の精神性である伝神とともに写実を重んじる「行家」の立場である。それに対し、銭選の「隷家の画」(素人画)は、技巧よりも画家の精神性、超俗的態度を優先させる。これにはまた趙孟頫は宋の皇族出身でありながら元に出仕し、かつ金銭欲が強かったと言われたのに対し、銭選は元に仕えず、金銭のために絵を描かず、後世「文人画の宗師」との評価を得た（陳 二〇〇四）という背景がある。

文人画の大成者とされる明の董其昌《とうきしょう》（一五五五－一六三六年）は、この問答を引用しつつ、「臥游冊題詞」（『容台集』巻三）で、次のように述べる。

> 趙文敏（趙孟頫）画道を銭舜挙に問う、「何を以て士気と称すや」と。銭曰く、「隷体のみ。画史能くこれを弁ずれば、即ち翼《つばさ》無くして飛ぶべし。爾《しか》らずんば便ち邪道に落ち、愈《いよ》いよ工みにして愈いよ遠し。然れども又た関棙《かんれい》有り、要は世に求むる無く、賛毀を以て懐を撓《たわ》ましまざるを得ん」と。

隷体は隷家の体、つまり素人の絵で、世間的名誉を求めず、毀誉褒貶によって自分の心をまげないことが要諦だという主張には、素人の優位、絵画の技巧よりも作者の精神性を重んじる脱世俗、超世俗的な態度がはっきりと表れているであろう。技巧を重んじ、金銭を得るために仕事をするプロの画家を卑しみ、自分の内的動機によって制作し、技術よりも内心の発露を重んじる趣味的な文人画家という概念がここに確立する。

しかしそのために「隷家」という宋元の俗語を使っているところに、山人的な商業主義がすでに定着した社会において、あえてアンチテーゼとしてのアマチュアリズム、ディレッタンティズムを主張した理由が透けてみえる。アマチュアリズム、ディレッタンティズムは商業社会における職業的作家に対する反発から生まれるものであった。隷家（素人作家）の文人対行家（職業作家）の山人という対立も、宋代以降の商業社会における中間層の勃興から生まれたものであろう（金 二〇一一）。

四、日本への伝播

中国の隠遁思想は早い時期に日本に伝わった。最初の漢詩集『懐風藻』の藤原宇合《うまかい》(六九四―七三七年)「遊吉野川」には「朝隠」の語が、また「秋日於左僕射《さぼくや》長王宅宴」詩には「大隠」の語が用いられている。しかし当時の日本では朝隠に対応する市隠者や山林の隠遁者は知られていない。この両詩は、『懐風藻』の中では例外的に初唐に成立した近体詩の格律を比較的よく守っており、当時最新の大陸文化の用語を学んだものである。当時の日本には朝隠はともかく、隠遁的環境を必要する社会の多様性はまだなかったであろう。下って賀陽豊年《かやのとよとし》(七五一―八一五年)「和石上卿小山賦」(『経国集』巻一)に、「吏隠の際に高臥す」とあるのは、なお吏と隠の意味であるが、「北山の隠淪《いんりん》を恨む」は孔稚珪「北山移文」を踏まえたものであり、日本の漢詩人が隠遁思想に敏感であったことを示す。さらに嵯峨天皇の「惟山人春道の晩聴山磬に和す」(『経国集』巻一〇)、「早鶯を聴き惟山人春道に示す」(同巻一三)は、白居易の詩をいち早く取り入れたとされる惟良春道《これよしのはるみち》に贈ったもので、れっきとした官人である惟良春道をなぜ山人と称したのかは不明だが、いずれにせよこれも大陸文化の模倣の域を出ないであろう。日本で市隠的、山人的人物と隠遁文学が登場するのは、『方丈記』の鴨長明(一一五五―一二一六年)や『徒然草』の吉田兼好(一二八三?―一三五二年以後)の時代を待たねばならない。

鎌倉、室町期には、周知のごとく多くの五山の禅僧によって宋元の最新文化、特にその小隠的、山人的あるいは文人的な文化、たとえば水墨山水画、庭園や書院造りなどの建築、飲茶や生け花、さらには蘇軾や黄庭堅などの宋詩、南宋の周弼《しゅうひつ》編で宋代好みの晩唐の短詩形をもっぱら選んだ『三体詩』など、新たな文学や、朱子学などがもたらされた。この時代には中国からの渡来僧も多く、人的交流は遣唐使の時代をはるかに凌駕し、その影響はきわめて大きい。禅宗は単に仏教だけではなく、儒学や文学など文化全体を輸入し受容、咀嚼する文化機関としての役割をはたしたのである。一見、中国とは無関係のような能楽なども、その起源とされる古代中国の散楽だけでなく、文献的証拠はないが、宋元時代の仮面劇(儺戯《なぎ》)が何らかの形で伝来した可能性も否定できない。今日の日本を知るためには、応仁の乱以後の歴史を知ればよいという内藤湖南の言葉（「応仁の乱について」）が、文化面においても正しいとすれば、宋元代の小隠的、山人的サブカルチャーから生まれた山水画や茶道、華道などが日本に伝来して、文化の主流になったと言ってもよい。

五山の禅宗寺院では蘇軾や黄庭堅（山谷）の詩、『三体詩』などさまざまな書物の講義が行われ、それには禅僧だけではなく好学の町人も参席した。その講義録である抄物《しょうもの》は、今日でも膨大な量が残されている。中でも入元僧、龍山徳見（一二八四―一三五八年）に随行して杭州から来日し、林和靖の子孫と称して饅頭の製法を伝えた林浄因の孫、林宗二（一四九八―一五八一年）は、京都で饅頭屋を営むかたわら、月舟寿桂、江西龍派などの禅僧だけでなく、三条西実隆、牡丹花肖柏、清原宣賢など当時著名な学者からも和漢の学問を学び、『山谷幻雲抄』、『東坡詩抄』、『江湖風月詩抄』、『源氏物語』の注釈『林逸抄』など多くの抄物を残した。また出版にも従事し、彼が刊行した『節用集』は饅頭屋本とよばれる。林和靖子孫の真偽はともかく、まさに小隠的、山人的な人物の日本版であろう。林氏一族は京都五山の一つである建仁寺の両足院と関係が深く、両足院初期の住持の多くは林氏出身で、第六代住持の梅仙東逋は林宗二の子であった（伊藤　一九五七）。その建仁寺で若いころに修行した林羅山は羅浮山人と称し、その師の藤原惺窩《せいか》は北肉山人と号した。林羅山「惺窩先生行状」（『羅山文集』巻四〇）は、「天下万世の山人なり、斯《こ》れ其《そ》れ孔孟の山人なり」と師を讃えている。

また宋元代の医学と文学との関係も間接的に日本に影響した。金元代の新医学、特に南方で行われた李杲、朱震亨系統の医学は、室町時代の遣明使に随行して杭州で医学を学んだ田代三喜《たしろさんき》（一四六五―一五四四年）によって日本にもたらされ、足利学校で田代に師事した曲直瀬道三《まなせどうさん》（一五〇七―九四年）、その養子の玄朔《げんさく》（二代目道三、一五四九―一六三二年）によって京都をはじめ全国に広まった。この二人は正親町天皇、織田信長、豊臣秀吉、徳川秀忠などの侍医をつとめた近世初期の名医である。その曲直瀬玄朔の弟子の富山道冶《とみやまどうや》が、師の玄朔をモデルにしてパロディー化した仮名草子『竹斎《ちくさい》』は、藪医者の竹斎を主人公とする物語で、近世初期の代表的小説として多くの後続作品を生んだ(福田 二〇一六)。仮名草子、浮世草子、黄表紙などは、当時の評価はともかく、今日から見れば、江戸文学の花であろう。

江戸時代は中国宋元代と似通った多様な階層が活躍し、中間層が出現した時代であった。この時代に山人を自称した人物は、徂徠《そらい》山人こと荻生徂徠など数多いが、山人らしい山人と言えば、何と言っても風来山人、平賀源内(一七二八—八〇年)に指を屈せねばならない。風来山人とは、風来山が存在しない以上、風来の山人である。風来とはおそらく「甚風吹得你来」(どういう風の吹き回し)という中国近世戯曲、小説に頻見する言い方から採られたものと思える。俳人、博物学者、戯作者から鉱山開発まで、多岐にわたる平賀源内の活動は山人に相応《ふさわ》しいであろう。彼の大坂時代の師であった医者、戸田旭山(一六九六—一七六九年)は、『近世畸人伝』中の人物で、奇行をもって知られたが、「ホイチン」なる唐服まがいの服装をしていたという(福田 二〇一三)。この「ホイチン」とは、おそらく「鶴氅」(ホチャン、hèchǎng)がなまったものであろう。「鶴氅」は鶴の羽根で作ったとされる隠者の服で、明代山人の服装であった。当時、明代山人の風が広まっていたことを示すものである。

その風来山人に第一作『寝惚先生文集』の序文を書いてもらったのが、蜀山人こと大田南畝《なんぽ》(一七四九—一八二三年)である。蜀山人は幕府の小役人で、いわば吏隠の境遇であった。しかしその狂歌は一世を風靡《ふうび》し、経済的にも裕福で、遊郭と劇場の出入りにほとんど虚日なく、ついに吉原の遊女を身請けして妾にした。なお彼の周囲には南条山人(川名林助)、東蒙山人(平秩東作《へづつ》)、半可山人(植木玉厓《ぎょくがい》)など山人を称した者が多く、その後も東里山人、鼻山人(細川浪次郎)など戯作者、文人の多くが山人を自称した。その影響は明治以降にも及び、紅葉山人(尾崎紅葉)、漱石山人(夏目漱石)、金阜山人(永井荷風)、変わり種では青畝山人(伊藤博文)、迷陽山人(青木正児)などがいる。最後は死後なおコマーシャルに登場した北大路魯山人(一八八三—一九五九年)であろう。

なお朝鮮にも山人文化は伝わり、高麗末の清平山人、李資玄(『高麗史節要』巻九「仁宗恭孝大王一」乙巳三年〔一一二五〇)をはじめ多くの山人が出現した。日本でも有名な朝鮮朱子学の大儒、李滉《りこう》(退渓、一五〇一―七一年)も霊芝山人と称している(李賢輔『聾巖先生文集』巻一「題霊芝精舎次韻幷敍」)。そして朝鮮時代後期には、中国、日本とは異なり世襲的階級であるが、天文、医学、陰陽風水、律学、算学、図画、音楽、訳学など技術系の官僚である中人階層が台頭し、新たな文化活動を繰り広げる(鄭 一九九〇)。

中国、日本、朝鮮を含む東アジアの近世には、社会階層の多様化が進み、特に中国の士大夫、士人、日本の武士、朝鮮の両班などの統治階級と民衆の間に、中間的な知識階級が勃興し、さまざまな文化を生み出した点で、一種の並行現象が見られる。従来、中央集権文治体制で科挙のある中国、朝鮮と、武士による封建体制で科挙のない日本を対比的にとらえる見方が一般的であったが、それは多分に見かけだけのことで、近世の中間階層の活動に着目すれば、体制の相違を超えた共通点を見出すことができるであろう。

参考文献

伊藤東慎(一九五七)『黄龍遺韻』建仁寺両足院。

愛宕松男(一九六九)「アジアの征服王朝」『世界の歴史』第一一巻、河出書房新社。

金文京(一九七六)「白仁甫の文学」『中国文学報』二六、京都大学文学部中国語学中国文学研究室。

金文京(一九八九)「戯考――中国における芸能と軍隊」『未名』八号。

金文京(一九九四)「晩明山人之活動及其來源」『中国典籍与文化』第一期。

金文京(一九九六)「関漢卿の出自をめぐって――元代における演劇隆盛の背景」『宋元時代史の基本問題』汲古書院。

金文京(二〇〇二)「明代萬暦年間の山人の活動」『東洋史研究』六一―二。

金文京(二〇一二)「山人としての杜甫」『中国文学報』八三冊。

金文京(二〇一二)『李白――漂泊の詩人その夢と現実』岩波書店。

金文京（二〇一七）「白居易の酒と茶の詩――山人文学の視点から」『白居易研究年報』第一八号、勉誠出版。

金文京（二〇一八）「宮内庁書陵部蔵南宋刊『嚴氏濟生方』から見た士人と医士の交流――兼ねて『全宋文』の誤りを正す」『図書寮漢籍叢考』汲古書院。

金文京（二〇二一）「東アジア前近代における〈作者〉の語義とその特徴――近世の戲曲、絵画を例として」ハルオ・シラネ等編『〈作者〉とは何か』岩波書店。

斎藤茂（二〇〇〇）『妓女と中国文人』東方書店。

鈴木正（一九六二）「明代山人考」『清水博士追悼記念明代史論叢』大安書店。

高橋芳郎（一九八六）「宋代の士人身分について」『史林』六九。

福田安典（二〇一三）『平賀源内の研究――大坂篇』ぺりかん社。

福田安典（二〇一六）『医学書のなかの「文学」――江戸の医学と文学が作り上げた世界』笠間書院。

啓功（一九六三）「戻家考――談絵画史上的一個問題」『文物』第四期。

戴望舒（一九五八）「張山人小考」『小説戲曲論集』北京、作家出版社。

鄭後洙（一九九〇）『朝鮮後期中人文学研究』ソウル、깊은샘。

陳高華（二〇〇四）『元代画家資料匯編』杭州出版社。

コラム｜*Column*

『吾妻鏡』に記された女真文字

——交流史の一齣《ひとこま》

山崎覚士

『吾妻鏡《あづまかがみ》』の貞応《じょうおう》三年（一二二四）二月二九日の記事によると、昨年（一二二三）の冬、高麗人の乗った船が越後国寺泊《てらどまり》（現在の新潟県長岡市寺泊）に漂着したという。当時、北陸諸国の守護も務めた北条朝時《ともとき》は、漂着船の品々を若君三寅《みとら》（九条頼経《くじょうよりつね》）の閲覧に付した。それは、異国のものに似た短めの弓二張、靫《うつぼ》一つ、細めの太刀一振り、刀一振り、細いひもで組んだ帯一筋であり、その帯には、縦七寸（約二一センチ）・横三寸（約九センチ）の銀簡が付いており、そこには四文字が記されていた。このほかに、銀の匙一つ、鋸《のこ》（ナイフ？）一つ、動物の骨でできた箸一そろい、革袋に入った櫛もあった。このうちの銀簡に記された文字について、文士数名に読ませたが解読できた者はいなかった。『吾妻鏡』には、その四文字が書き残されている。

江戸時代の初期、儒学者の林羅山《はやしらざん》は、来日した朝鮮通信使の文弘績《ぶんこうせき》にこの四文字の解読を依頼したところ、「王国貴族」と読んだようだ（『羅山先生文集』巻六〇、「与朝鮮進士文弘績筆語」）。林羅山はそれで得心したのかもしれないが、明治期になって、白鳥庫吉《しらとりくらきち》がそれを女真文字と判じた。その後、ロシア沿海地方のシャイギン古城をはじめとする発掘の成果によって、それが女真文字であったことが確定した。『吾妻鏡』の高麗人とは、女真人であったと見られる。

では、その四文字とは何かというと、一文字目は、金朝初代皇帝である完顔《ワンヤン》阿骨打《アクダ》の手による「主」という字の花押であり（愛新覚羅烏拉熙春『愛新覚羅烏拉熙春女真契丹学研究』松香堂書店、二〇〇九）、以下は「国之誠（あるいは信）」と記されていた。『吾妻鏡』に残された四文字を記した、同様の金牌・銀牌も見つかっている。

そしてこの金銀牌（木牌もある）は、金朝では、万戸や猛《もう》安《あん》・謀克《ぼうこく》、手柄を挙げた功臣、国家使節などに賜与された国信牌であった。たとえば、淳熙《じゅんき》三年（一一七六）に、南宋から金朝に派遣された使節に同行した周煇《しゅうき》は、接待する金朝の使節がそれぞれ銀牌を帯びていて、そこには「主」の字に似た花押が書かれていたことを目撃している（周煇『北轅録《ほくえんろく》』）。

ところがこうした金銀牌は、金朝末期では乱発されていた。興定年間（一二一七—一二二二）に徐州行枢密院参議官《じょしゅうこうすうみついんさんぎかん》であった仝《どう》周《しゅう》によると、金銀牌には、太祖（完顔阿骨打）の御筆があって、かつては身に着けることがとても難しかったが、いまや乱発されて、民間の道々で金銀牌を見かけるようになり、威厳のないものとなっていた（『金史』巻一一一、「仝周伝」）。漂着した女真船はこうした信牌を帯びた人物を乗せた出航だったと考えられる。また漂着品を見るに、兵器に加えて調度品もあったようで、単なる戦船ではなかった可能性がある。

　女真船が漂着した一二二三年に時計を巻き戻すと、金朝は第八代皇帝宣宗《せんそう》の最末年に当たり(この年に死去)、モンゴルのチンギス・カンの猛攻を受けるさなかにあった。金朝の北部はモンゴルに奪われ、都を開封《かいほう》へと南遷していた。そんな中での出航であったので、何か政治的使命を帯びての出航であったのかもしれないし、あるいは、戦争状態にもかかわらず、商魂たくましい海商が国家の許可を得ていると見なされるように、安易に入手した信牌を帯びて出した貿易船だったのかもしれない。さて、この船はどこに向かったのだろうか。

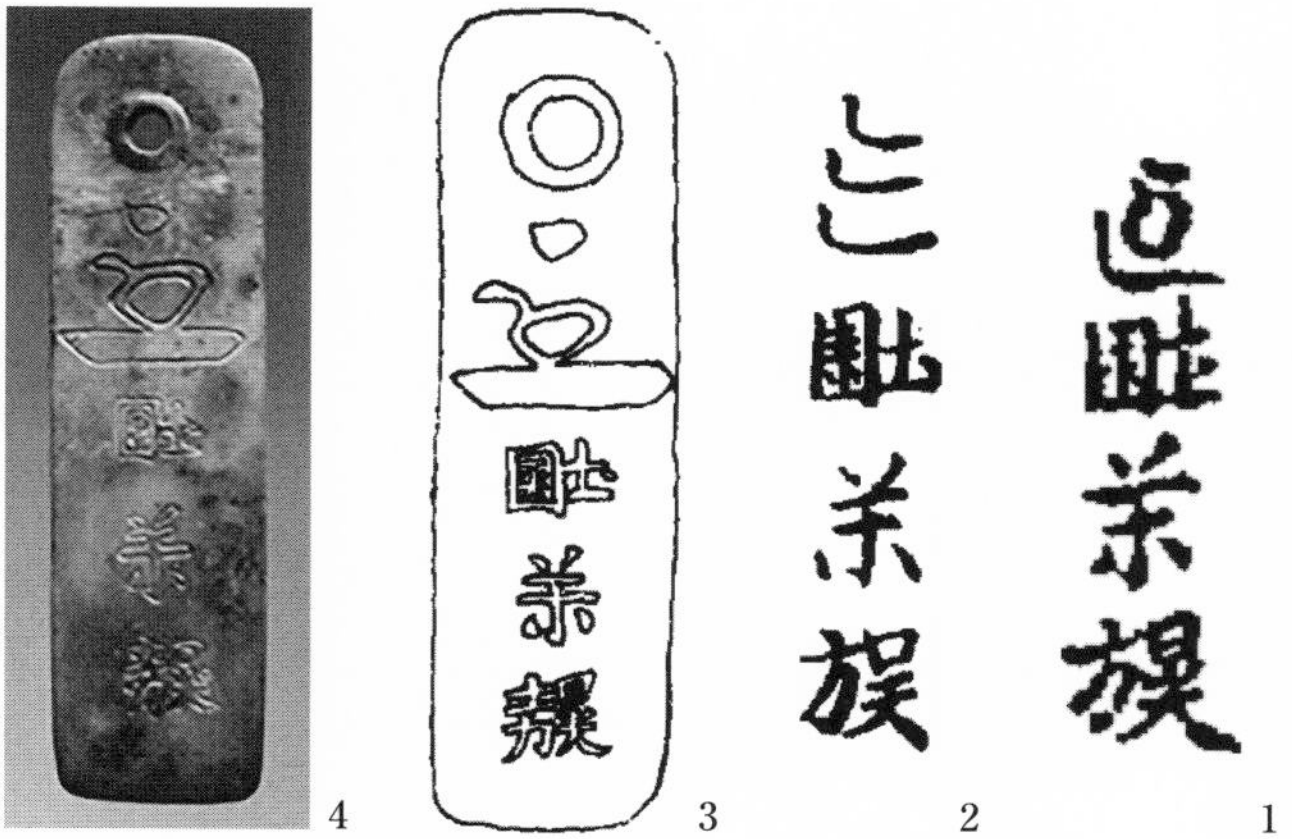

1 吉川本《きっかわ》『吾妻鏡』　2 北条本『吾妻鏡』より　3 シャイギン古城発見の銀牌．劉寧「対几面金代牌子的認識」『遼海文物学刊』1995 年 1 期より　4 同様の金牌．裴元博・陳伝江著『契丹文珍稀符牌考釈図説』安徽美術出版社，2011 年より

　日本列島を眺めると、東北では奥州藤原氏の支配から津軽安藤氏への統治に切り替わる時期に当たる。これらの勢力は、日本列島東北から北海道、樺太《からふと》、沿海地方に及ぶ、北ルートの環日本海交易をおこなっていた。またのちの時代には、同地域にアイヌによる交易や三丹《さんたん》交易も現れるように、国境を越えた人々の交易・交流は長く盛んであった。よって、さきの女真船も、北ルートの環日本海交易に携わる貿易船であった可能性も視野に入れておく必要がある。当時の鎌倉幕府内では、漂着した女真船を珍しがっているので、幕府の知らないところでの環日本海交流を想定してもよさそうである。

　『吾妻鏡』に残された四文字から、当時の交流の一齣も見えてくる。

焦　点 | *Focus*

集点｜*Focus*

「五代十国」という時代

山崎覚士

一、「五代」と「五代十国《じっこく》」という時代

天祐《てんゆう》四年(九〇七)に唐王朝が滅んで以後は、一般的には「五代」あるいは「五代十国」時代と称される。華北に五つの王朝が交替し、また華南ではいくつかの地方国家が並立した時代であり、宋王朝の成立(九六〇年)、もしくは宋王朝が北漢を滅ぼし、いちおうの天下統一を果たしたとき(九七九年)までを指すとされる。この五〇―七〇年の天下分裂時代は、中国史上最後の大分裂時代でもあり、欧陽脩《おうようしゅう》や王夫之《おうふうし》など、のちの史家たちが多くを語る時代でもあった。まずはこの時代規定から確認していこう。

「五代」という時代

五代とは、ふつう後梁《こうりょう》が興って後周《こうしゅう》が滅びるまでを指す。ではこの時代を「五代」と呼ぶのはいつからであろうか。

後周の『世宗実録《せいそうじつろく》』の編纂に携わった司空の王溥《おうふ》は、宋になってすぐ、建隆《けんりゅう》二年(九六一。あるいは『続資治通鑑長《ぞくしじつがんちょう》編《へん》』によると乾徳《けんとく》元年(九六三)七月)に『五代会要《ごだいかいよう》』三〇巻を上進した。後梁・後唐《こうとう》・後晋《こうしん》・後漢《こうかん》・後周、五代の法制・

典章を編纂したものである。またその後、開宝《かいほう》六年(九七三)四月に、宋太祖《そうたいそ》は宰相の薛居正《せっきょせい》に命じて、『梁後唐晋漢周五代史』を監修させた。薛居正は范質《はんしつ》の『五代通録』を稿本として採用し、翌年の開宝七年(九七四)閏《うるう》一〇月に、『新修五代史』一五〇巻を完成させた。これがいわゆる『旧五代史』である。

このように、唐滅亡後から宋が興るまでの期間を「五代」と認識するのは、宋初からすでに見られた。後に見るように、実際には後晋が滅んで後漢が興る間に、契丹《きったん》が中原《ちゅうげん》に侵入して開封城《かいほう》を占拠し、華北の支配を宣言しており、またそのことは当時の節度使や、華南の地方国家にも承認されていた(もちろん、反発する節度使もいた)。よって事実上は、契丹(遼)も含めれば「六代」であるはずである。しかしながら、華北で中華帝国に融解し、それを継承した沙《さ》陀突厥《だとっけつ》の興した後唐などの王朝をも加えて、正統な王朝と認める一方で、遊牧民固有の文化・風習や統治体制を保持した契丹を、ア・プリオリに「夷狄《いてき》」と見なし、その支配を認めない後漢・後周の華北王朝や宋では、華北王朝としての契丹の事実を消して、「五代」として、この時代を規定した。よって「五代」という時代は宋王朝が興る九六〇年までである。

また、この『新修五代史』が完成した時には、まだいわゆる「十国」が存続していた。荊南《けいなん》(南平)や楚《そ》、後蜀《こうしょく》・南《なん》漢《かん》は宋に併呑されていたが、南唐《なんとう》・呉越《ごえつ》・北漢《ほっかん》は余命を保っていた。よって、『新修五代史』にはそもそも「十国」の規定がなく、世襲列伝と僭偽《せんぎ》列伝に「十国」の地方国家や、その他の勢力がまとめられている。なお、『新修五代史』編纂時には、まだ存立していた呉越国の国王銭弘俶《せんこうしゅく》については、「其の後の事、「皇朝(あるいは皇家)日暦」に具す」と記されている(南唐李煜《りいく》・南漢劉鋹《りゅうちょう》・北漢劉承鈞《りゅうしょうきん》・後蜀孟昶《もうえい》(ただし編纂時にはすでに死亡)・夏州李光叡《りこうえい》も同様)。

よって、宋初では「五代」の規定が見られたものの、「十国」の規定は存在しなかった。「十国」が定められるのは、それから一〇〇年後の欧陽脩《おうようしゅう》の時代からである。

表1 「五代」関連史籍年表

年　月	史　書	出来事
建隆元年(960)正月		趙匡胤《ちょうきょういん》，即位
建隆二年(961) または乾徳元年(963)	王溥『五代会要』を成し，『唐会要』とともに上進す	
乾徳元年(963)二月		荊南節度使高継沖《こうけいちゅう》，帰朝
三月		湖南(楚)周保権《しゅうほけん》，降る
乾徳三年(965)正月		後蜀孟昶，降る
開宝四年(971)二月		南漢劉鋹，降る
開宝六年(973)四月	薛居正に『梁後唐晋漢周五代史』監修を詔す(范質『五代通録』を稿本とす)	
開宝七年(974)閏十月	『新修五代史』完成	
開宝八年(975)十一月		南唐李煜，降る
太平興国三年(978)四月		泉州陳洪進《ちんこうしん》，降る
五月		呉越銭弘俶，降る
太平興国四年(979)五月		北漢劉継元《りゅうけいげん》，降る
皇祐五年(1053)	欧陽脩『五代史記』を成す	

「五代十国」という時代

唐宋間を「五代」と認識するのは、宋初より以後、歴代王朝でも踏襲されつづけ、当然ながら宋王朝が興って一〇〇年後の、仁宗《じんそう》の御世でも継承された。このとき、私撰《しせん》で五代の歴史をまとめたものが、欧陽脩『五代史記』(いわゆる『新五代史』)である。欧陽脩は、華北王朝である「中国」以外の地方国家を「外属」と規定して、それぞれを「世家《せいか》」として立て、呉・南唐・前蜀《ぜんしょく》・後蜀・南漢・楚・呉越・閩《びん》・南平(荊南)・東漢《とうかん》の十国を数え上げた。よって、「五代十国」は東漢(北漢)の滅亡する九七九年までとなる。

ただし、五と十という整数を用いた時代設定は極めて恣意的なものであった。事実として南平は、世襲はしていたものの、華北王朝の一節度使であり(その意味では夏州《かしゅう》節度使の西平王李氏と同様)、また東漢は、華北王朝の後漢の後裔《こうえい》であるので、他の地方国家とは性格が異なる。

よって欧陽脩の「十国」設定は、彼の史観に基づくものであり、とくに荊南・北漢は宋王朝自ら平定したことをもって十国に数え上げたと考えられる。つまりは歴史的事実としての「五代十国」時代を反映していない。ところが『五代史記』は、金朝より正式の正史として認められ、現在にいたるまで、その五代十国史観は人口に膾炙《かいしゃ》している。

よって以下では、それら宋人以来の史観から離れて、歴史的事実としての「五代十国」時代を見ていきたい。

二、華北王朝――「五代」

天祐四年(九〇七)四月一八日、唐王朝より受禅した朱全忠《しゅぜんちゅう》は、開封城金祥殿《きんしょうでん》にて即位し、後梁朝(九〇七―九二三年)を建てた。その後、朱全忠は宰相をはじめとする中央官僚、また各地の節度使を任命し、唐の封爵《ほうしゃく》を持つ節度使に対して、それを継承しつつ上乗せして封爵を進めた(『五代会要』巻一〇、封建)。たとえば、開平元年(九〇七)四月に即位した朱全忠は、右腕であった敬翔《けいしょう》を知崇政院《ちすうせいいん》、唐王朝宰臣の張文蔚《ちょうぶんい》・楊渉《ようしょう》を門下侍郎《じろう》・平章事《へいしょうじ》、御史大夫薛貽矩《せついく》を中《ちゅう》書《しょ》侍郎・平章事にし、また武安節度使馬殷《ばいん》を楚王、河南尹《かなんいん》・兼河陽節度使の張全義《ちょうぜんぎ》を魏王、両浙《りょうせつ》節度使の銭鏐《せんりゅう》を呉越王に進封した(『旧五代史』巻三、太祖紀)。こうして後梁朝は中国大陸に君臨したが、こうした措置は、以後の華北王朝でも踏襲された。

同光元年(九二三)一〇月に開封城に入った後唐(九二三―九三六年)の荘宗《そうそう》も、すぐさま宰相・中央官僚・節度使を任命し、また封爵を承認・進上した。「洛京《らくけい》留守《るす》・判六軍諸衛事・守太尉・兼中書令・河南尹・魏王張全義を以《もっ》て検校太師・守中書令と為し、余は故《もと》の如し。荊南節度使・検校太師・守中書令・渤海《ぼっかい》王高季興《こうきこう》を以て前に依り検校太師・守中書令と為し、余は故の如し」(『旧五代史』巻三〇、荘宗紀、同光元年十一月己未条)などとあるとおりである。

後晋(九三六―九四六年)の石敬瑭《せきけいとう》の場合も同様であった。少しだけ例を挙げると、清泰《せいたい》三年(九三六)一一月に崇元殿《すうげんでん》に御した石敬瑭は、年号を天福に改めて大赦し、翌閏一一月には、翰林《かんりん》学士承旨・知河東軍府・戸部侍郎・知制誥《ちせいこう》の趙瑩《ちょうえい》を門下侍郎・同中書門下平章事・監修国史に、翰林学士・権知枢密事・礼部侍郎・知制誥の桑維翰《そういかん》を中書侍郎・同中書門下平章事・集賢殿大学士・依前知枢密院事に任命した。その後も、司空の馮道《ひょうどう》を守本官兼門下侍郎・平章事・弘文館大学士に任じ、歩軍都指揮使符彦饒《ふげんじょう》を滑州《かつしゅう》節度使に、河陽節度使萇従簡《ちょうじゅうかん》を許州節度使、澤州刺史《しし》劉凝《りゅうぎょう》を華州節度使、皇子重乂《じゅうがい》を河南尹とした。加えて湖南節度使・楚王馬希範《ばきはん》や呉越国王銭元瓘《せんげんかん》に食邑実封を加え、功臣名号を賜った(『旧五代史』巻七六、晋高祖紀)。こうした事例は以後も続いた。

開運四年(九四七)正月に、開封城に入った契丹第二代皇帝太宗《たいそう》は、ただちに後晋の節度使に対して詔書を出して、自らが華北王朝の皇帝として君臨することを伝達したが、それら節度使たちは挙《こぞ》って上表して臣下を称した。翌二月に崇元殿にて正式に中原皇帝として即位し、国号を大遼国とし、年号も改めて天下に大赦した(主に『資治通鑑《しじつがん》』巻二八六)。ここに大遼皇帝と中原皇帝が合一した新皇帝が誕生する。天下大赦の制書は華南諸国にももたらされた。呉越国では、契丹の正朔《せいさく》を使用したことも確認できる。当時において、華北王朝としての遼朝は確かに存在した。ただし、中原支配に失敗した太宗は三月には北へと帰り、翌四月には病死した。

華北の混乱を収めた後漢(九四七―九五〇年)の劉知遠《りゅうちえん》は、その年の六月一一日に開封城崇元殿にて天下大赦を行った後、中央官僚や各地の節度使の任命、また封爵の進上などを施行した。天福一二年(九四七)七月には、武安軍節度副使・水陸諸軍副都指揮使・判内外諸司・江南西道観察等使・検校太尉の馬希広《ばきこう》に検校太師・兼中書令・行潭州《たんしゅう》大都督・天策上将軍を加えて、武安軍節度・湖南管内観察使・江南諸道都統とし、楚王に封じた。また鄴都《ぎょうと》留守・天雄軍節度使・検校太師・守太傅・兼中書令・衛国公の杜《と》重威《じゅうい》をはじめとする節度使の任命も引き続き行われた(『旧五代史』巻一〇〇、後漢高祖紀)。

その後の後周(九五一―九六〇年)を興した郭威《かくい》も同様の措置をとっている。詳細は省略するが、一例として広順元年

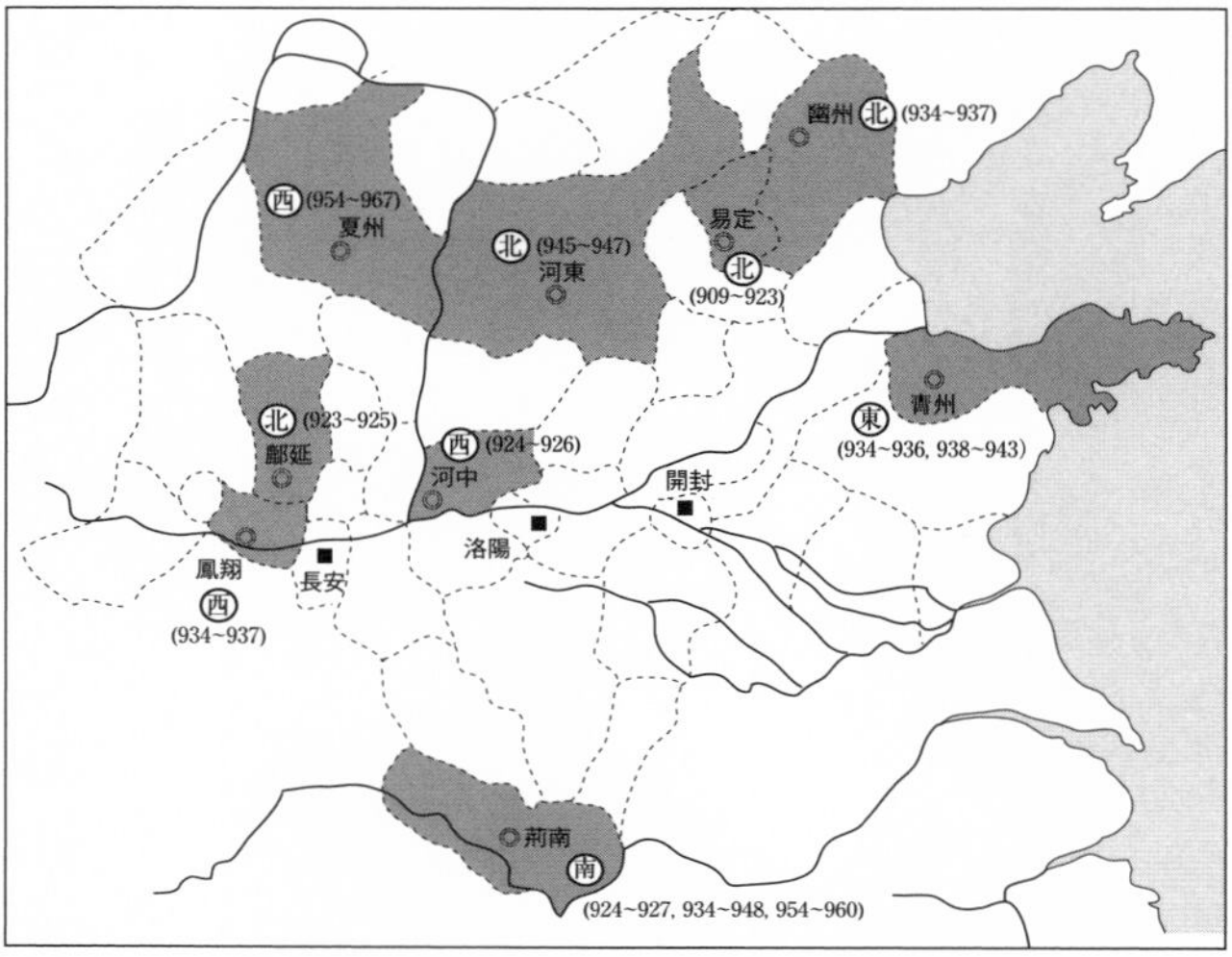

図1 「中国」及び四平王配置図

（九五一）正月には鄆州《うんしゅう》節度使・守太師・兼中書令・斉王の高行《こうこう》周《しゅう》の位を進めて尚書令とし、襄州《じょうしゅう》節度使・検校太師・守太傅・兼中書令・斉国公の安審琦《あんしんき》を南陽王に進封し、青州節度使・検校太師・守太保・兼中書令・魏国公の符《ふ》彦卿《げんけい》を淮陽《わいよう》王に進封する（『旧五代史』巻一一〇）、などである。

このように華北王朝の皇帝は、とりわけ前代の封爵を踏襲しつつ進上することによって、天下に君臨した。後晋と後漢の間の遼も志向したかもしれないが、その時間はなかったと考えられる。いずれにしても、唐王朝より踏襲された封爵を各代ごとに継承・進上することが天下の支配に肝要であったといえよう。

「中国」

華北王朝の直接支配する領域はまた、「中国」と呼ばれた。「中国」領域内では、地方行政単位として唐後半期以来の道制が敷かれていた。華北王朝の直接支配する領域内に、およそ四〇あまりの道を置き、道内に州—県を所属させた。道はおよそ二—四州で構成され（大藩になると九州に及ぶ。また属州を持たず、直接中央政府に属する直属州もある）、節度使観察使をその長官として、節度使府の置かれる州下に属州が所属する。中央政府からの命令は、道を介して州—県へと伝達され、道は属州に対して指揮を行った。州県からの上申も道に対して行われ、道から中央政府へと伝達された。また地方財政においても、属州は中央政府への上供分（租税の上納分(州の地方財政分)に加えて、節度使府に対して送使分(節度使府においては留使分)を計上した。

道を地方行政単位として行政・財政・軍事・裁判等が処理されていたが、属州刺史をはじめとする属州県の上級官員(県令等)の任命に関しては、中央政府によって行われていた(中下級官員は節度使の任命による)。よって南平王・荊南節度使の高季興が天成二年(九二七)二月に新たに獲得した属州において、その属州刺史に自分の子弟を充てることを求めたが許可されなかった(『資治通鑑』巻二七五)のも、その地が「中国」内であり、道制が施行される場所であって、属州刺史任命権が中央政府に帰属していたことを表している。荊南(南平)は、属州刺史の任命権を有していた呉越国などとは同列に扱うことはできない。荊南は「十国」に数えるべきでない。

道制(道州県制)の施行された「中国」領域の四方の際限には、その方角に応じた平王号の封爵が与えられていた。時代によって移動するが、北平王が置かれたのは易定《えきてい》節度使(後梁)・鄜延《ふえん》節度使・幽州節度使(後唐)・河東《かとう》節度使(後晋)である。また東平王が置かれたのは青州節度使(後唐―後晋)であった。西平王は、河中節度使・鳳翔《ほうしょう》節度使(後唐)・夏州節度使(後周)に置かれ、南平王は当初は広州節度使(後梁)、のちに荊南節度使(後唐―後周)に付与された[**図1**]。これら四平王に取り囲まれる領域が「中国」であり、そこでは道制が施行されていた。やはり南平王は「中国」内の一つの道なのであった。

三、華南諸国――「十国」

唐末混乱期の群雄割拠の中で、華南のそれぞれの地域で勢力を根付かせ、独自政権を築き上げたのは、呉・呉越・閩・楚・蜀・漢(南漢)であった。

呉(九〇二―九三七年)を興したのは、盧《ろ》州《しゅう》合肥《がっぴ》の農家出身の楊行密《ようこうみつ》である。揚州を首都として淮南・江西を支配した。

やがて家臣であった徐温《じょおん》の養子徐知誥《じょちこう》が政権を乗っ取り、首都を江寧《こうねい》(現在の南京)に遷し、唐(南唐。九三七―九七五年)を建てた。四川では、許州舞陽《ぶよう》出身で黄巣《こうそう》の乱にも加わった無頼・塩賊(塩の密売集団)の王建《おうけん》が益都《えきと》に蜀(前蜀。九〇七―九二五年)を樹立した。前蜀は後唐荘宗によって滅ぼされたが、戦後の四川の統治を任された後唐の孟知祥《もうちしょう》が独立して、再び蜀(後蜀。九三四―九六五年)を建国した。南の広州では、河南上蔡《じょうさい》出身で、南海交易を行う商人の出である劉隠《りゅういん》が独立して、漢(南漢。九〇九―九七一年)を建てた。

これら三地域の国々は、皇帝を称して華北王朝と対抗した。よってここでは「敵国」(対等国の意)と呼んでおく。これら敵国が中原皇帝と対峙する際、自らを皇帝と称して国書を送ると、中原皇帝に受諾されないが、国主を称した場合受け入れられた。「大呉国主上大唐皇帝」(『資治通鑑』巻二七二、後唐荘宗同光元年十月)、また、「大蜀国主致書上大唐皇帝」(『旧五代史』巻一三六、王衍伝、同光元年十月)、「大漢国主致書上大唐皇帝」(『旧五代史』巻一三五、劉陟伝、同光三年二月)等の国書がそれを物語っている(ただし言葉遣いが非礼の場合は不受理)。よって、華北王朝の皇帝から見て、皇帝を称さず国主を称する場合には、その国の存在は認められたものであった。

残りの呉越・楚・閩は華北王朝に対して比較的恭順であった。杭州を首都として浙西と浙東を支配した呉越(九〇七―九七八年)は、杭州臨安《りんあん》の塩賊出身の銭鏐が樹立した。当時の華南諸国の中で最も長く存立した呉越は、華北王朝に最も恭順であり、その待遇も破格であった。湖南長沙の地に楚(九〇七―九五一年)を建てたのは、許州鄢陵《えんりょう》の木工出身の馬殷である。先に見たように、彼は華北王朝よりいち早く楚王に封ぜられていた。王審知《おうしんち》は光州固始《こし》の農家の出で、福州へと移住して閩(九〇九―九四五年)を築いた。後唐末の混乱時に皇帝を称したが、その後は臣下を称した。

この三国は、華北王朝よりそれぞれが呉越国王・楚国王・閩国王の封爵を授けられていた。これらを「封爵国」と呼んでおく。

これら六国の建国者は、いずれも出自が決して高い階層ではない民間人であり、義兄弟や仮父子などの擬制的親族関係を構築して（あるいは真の親族関係に基づいて）在地社会に根付いて勢力を築き上げた。彼らは独立した政府組織を編成して政権を建て、それぞれの人戸支配に基づいて租税徴収や軍事編成を行い、地方統治を担った。よって、華北王朝の道制に見られたような、州刺史や各節度使の任命権を中原の中央政府が所有するようなことはなく、各国が独自に任命していた（封爵国の場合は、任命後に華北王朝に報告）。

これら敵国・封爵国は、それぞれの状況に応じて、華北王朝に対して「貢献」「進奉」を行った［図2］。貢献とは、未加工の原材料物を送るもので、唐代以来の土貢の性格を有し、元日の元会《げんかい》儀礼に合わせて、華北王朝にもたらされた。これは華北王朝に対する政治的従属関係を作り出すものである。一方の進奉は、加工された奢侈・贅沢品を送るもので、中原皇帝の聖誕節や謝恩に際して皇帝個人へ私的に贈与する行為であって、二者間の個人的恩寵関係を作り出す政治行為である。

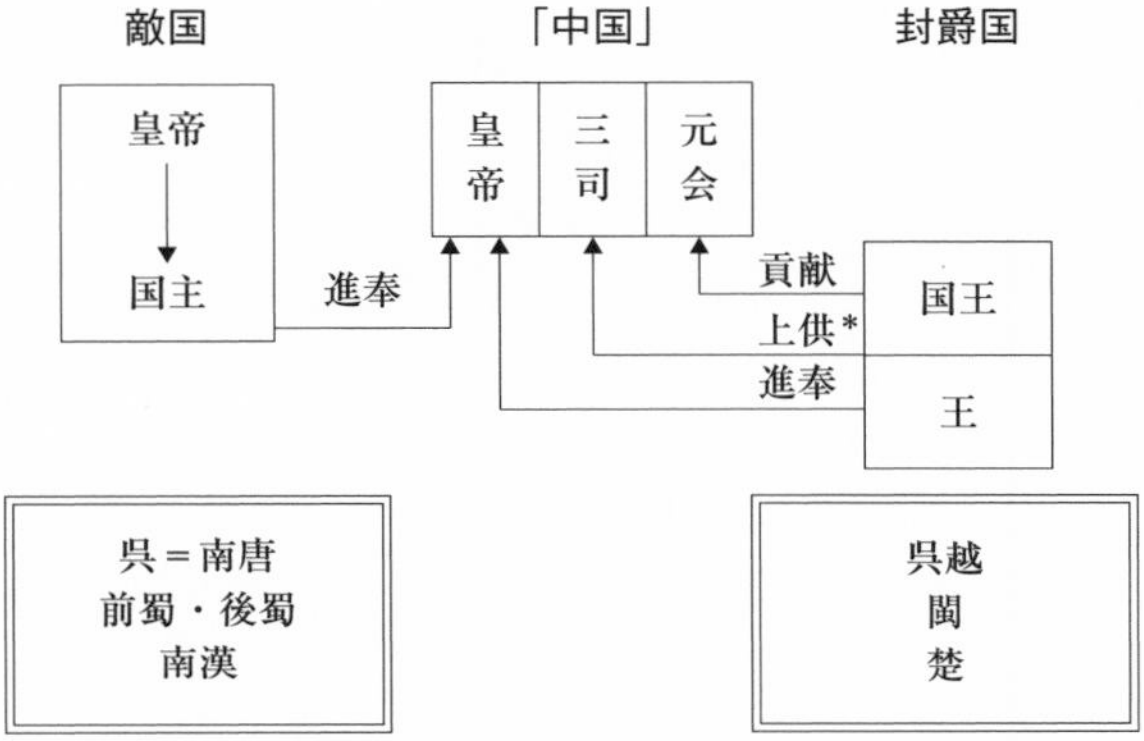

＊この場合の上供とは，係省銭物におけるものとする．

図2　中国ー敵国・封爵国関係図

敵国が華北王朝に対して貢献を行ったことは多くなく、その意味では両者が直接的に支配従属関係にあったわけではない。ただ南漢や呉・南唐は時々の政治情勢により進奉・貢献を行い、中原皇帝の機嫌を取ることがあった。

南漢は、後梁の朱全忠が即位すると、奇宝や名薬、龍形通犀腰帯《りゅうけいつうさいようたい》・金《きん》杔裏《たくり》含稜玳瑁器《がんりょうたいまいき》などを進奉し、また犀玉《さいぎょく》・船上薔薇水《しょうびすい》・金銀などを貢献した（『冊府《さっぷ》元亀《げんき》』巻一九七）。ただし、末帝の貞明三年（九一七）に劉巌《りゅうげん》が皇帝を称すると、以後、進奉・貢献は行わなくなった。

呉は当初、後梁朝を認めなかったので、進奉・貢献を行わなかったが、後唐朝になると、同光元年(九二三)一一月には、金器・銀器・羅錦《らきん》・龍脳香《りゅうのうこう》・龍鳳絲鞋《りゅうほうしかい》・細茶・白檀《びゃくだん》・丁香《ていこう》薬物などを貢献した。後唐明宗の天成二年(九二七)ごろまでは、進奉・貢献ともに行っていたが、その年の一一月に呉国王楊溥《ようふ》が皇帝を称し、進奉・貢献を止めた。ただし、南唐が興って、華北に後周が建つと、進奉を再開し、世宗の顕徳五年(九五八)四月には、金酒器・御衣《ぎょい》・戯衣《ぎい》魚犀帯《ぎょさいたい》・金器・銀器・銀龍・銀鳳・錦綺《きんき》・細馬・金銀鞍轡《あんぴ》・玉鞭《ぎょくべん》玳瑁鞭等を進奉した(『冊府元亀』巻二三二)。なお翌月には、南唐は皇帝号を止め、国主を称した。以後、宋によって滅ぼされるまで、進奉・貢献ともに行い続けた。

前後蜀については、史料上、進奉・貢献の事例が確認できない。

封爵国は、進奉とともに貢献を行い(一部の係省銭物《けいしょうせんぶつ》の上供も行い)、華北王朝に対する政治的従属関係を示した。呉越国の例を見ると、同光二年(九二四)九月に貢献として「銀器・越綾・呉綾・越絹・龍鳳衣・絲鞋・屐子《けいし》」を貢し、同時に荘宗万寿節のために進奉として「金器盤・龍鳳錦・織成紅羅縠《しょくせいこうらこく》・袍襖衫段《ほうおうさんか》・五色長連衣段《ごしょくちょうれんいか》・綾絹・金稜秘色瓷《きんりょうひしょくし》器《き》・銀装花櫚木厨子《ぎんそうかろぼくずし》・金排方盤《きんはいほうばん》・龍帯御衣・白龍瑙《はくりゅうのう》・紅地龍鳳錦被《こうちりゅうほうきんぴ》・紅藤龍鳳箱《こうとうりゅうほうしょう》等」を進めている(『冊府元亀』巻一六九、帝王部納貢献)。呉越国の進奉・貢献は、後梁の初期から、宋に領土を献上するときまで、定期的に継続して行われた。

楚では、後唐荘宗期より、貢献と進奉が本格的に行われるようになり、万寿節には銀龍鳳陥花漆浴斛《ぎんりゅうほうかんかしつよくこく》・龍御衣・龍《りゅう》鳳氍金塌腰《ほうしゅくきんかよう》・龍鳳装箭箙《せんぷく》・龍鳳朱背弓《しゅはいきゅう》・紅絲弦《こうしげん》・金鍍頭箭《きんととうせん》・銀一〇〇〇両を進奉した。また羅浮柑子《らふかんし》や諸色の香薬・蠟面含膏茶《ろうめんがんこうちゃ》・吉貝《きつばい》・白蠟《はくろう》・朱砂《しゅしゃ》などを貢献している(『冊府元亀』巻一六九)。楚の進奉・貢献は、滅亡するときまで行われ続けた。

閩は、後梁の初め、開平二年(九〇八)九月に玳瑁・琉璃《るり》・犀象器・珍玩・香薬・奇品・海味等を貢献し、供御《きょうぎょ》金花銀食器などを進奉した(『冊府元亀』巻一九七)。後唐期以降も、進奉・貢献を行い、それは開運二年(九四五)に滅亡するまで続いた。

これら六国のうち、華北王朝より特別待遇を受けたのは呉越国王である。呉越国王は、華北王朝の授与するどの封爵よりも上位に位置し、その位階は「真王」と称されていた。そして求められたのは、春秋の覇者のごとく、諸国に対する領導・征伐であった。この理念的位階を実際の官職に落とし込んだものが呉越国王に与えられる「天下兵馬都元帥」であり、天下に対する軍事統帥権の付与であった。

後梁の貞明四年（九一八）四月に、南漢の劉巌が大漢皇帝を僭称すると、末帝は九月に天下兵馬都元帥であった銭鏐に対して、天下の兵師を総統して南漢の地に征伐に向かうよう、詔書を出している（『呉越備史《ごえつびし》』巻一）。また呉越国王三代目銭弘佐《せんこうさ》のとき、閩国で大乱が起こると、銭弘佐は「天下兵馬都元帥である私は隣国を救わねばならない」と述べており、天下兵馬都元帥が諸国の政難を救済する役目を担っていたことをうかがわせる（『呉越備史』巻三）。このように、真王＝天下兵馬都元帥であった呉越国王は、諸国に対する領導・征伐の任を負ったが、それは当時の天下秩序を維持するためであった。

四、五代天下秩序

前近代中国において国家に相当する観念は「天下」であった。天下とは、具体的には中国大陸＝九州を指し、その人民を支配するのが天子である。ただし天子には直接支配下にない外国（化外）に対する徳治も求められ、それは天下外の世界に対する秩序化をともなった。よって天下およびその外延世界に対する世界秩序化を「天下秩序」と呼ぶ。

この伝統的天下・天下秩序を構成する政治制度は、人民を直接支配する州県制と、封建制・貢献制とされる（渡辺二〇一七）。州県制は、化内の人民に対して、州県で作成された戸籍と地図を通じて、直接支配する制度である。よっ

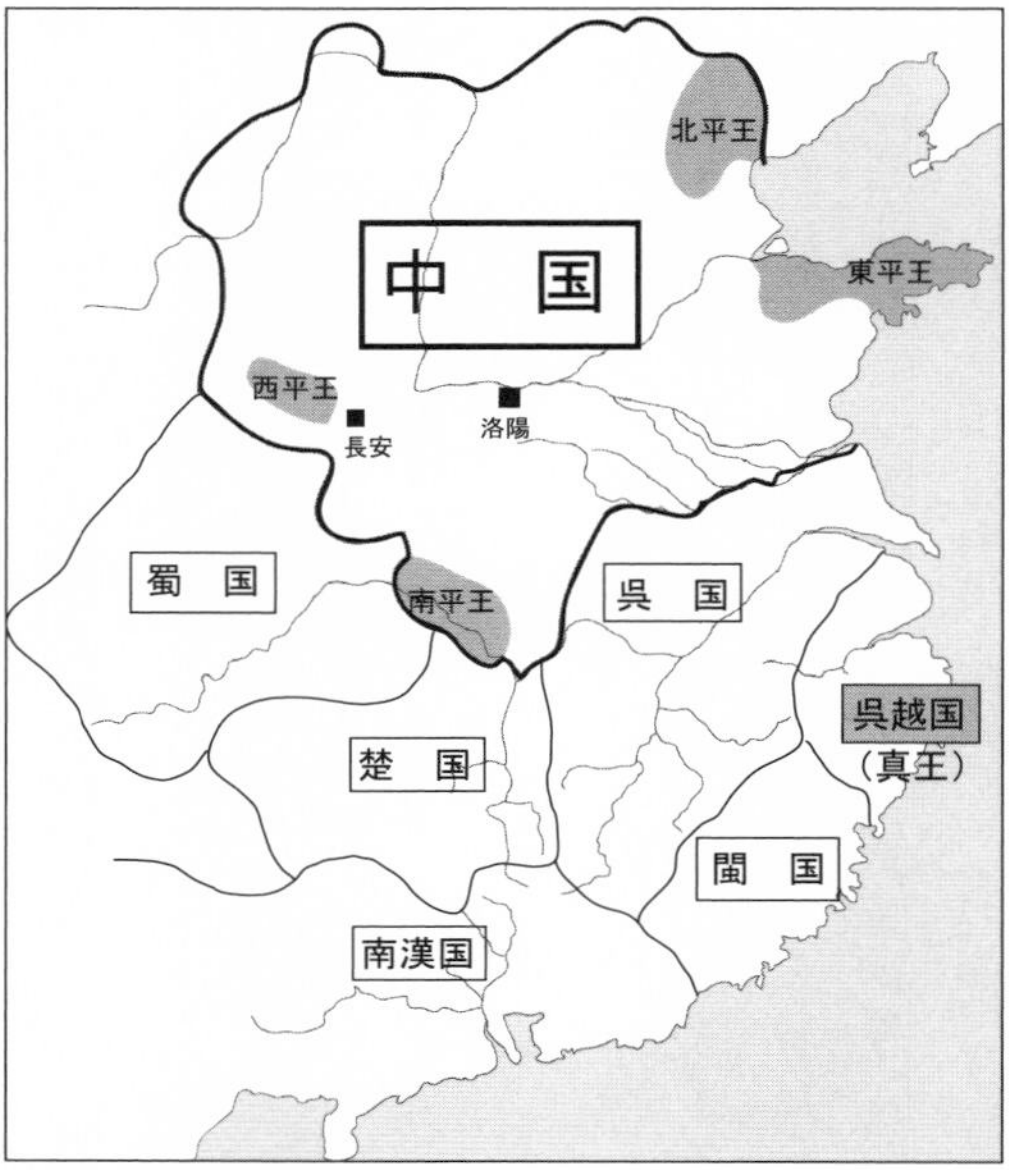

図3　五代天下秩序図

（日野開三郎「大唐方鎮図」（『日野開三郎全集』1）を基に製図．朱玉龍編『五代十国方鎮年表』，栗原益男『五代宋初藩鎮年表』を参考とした）

て州県制の施行によって、支配対象となる人間や領域は基本的に確定されている。封建制は、天子が諸侯国を立てて、諸侯に封土・爵位を授与し、貢納物・征戦を貢納させる制度である。封建制によって、中心となる天子のもとに複数の下位王権が階層的に統合される。化外の外国諸族も、そうして天下秩序に包摂される。貢献制は、化内・化外の素材・物品を貢納することで、上位である天子と下位である他の王権との個別的二者間関係を作り出すが、天下秩序の領域を構成するものではない。

この天下秩序は、唐王朝のように、天下＝九州を統一して、そのもとで州県制を施行し、戸籍を編成して人戸を直接支配する統一型天下秩序と、天下が四分五裂しつつも、中国大陸内で秩序化が目指される万国型天下秩序に区分できる。五代はもちろん、万国型天下秩序である。五代における天下秩序には、天下のうちに中心となる「中国」が存在した。このときの「中国」は天下と合一していない。この「中国」（華北王朝）の外延に諸国が存立していた。よって当時の天下は「中国」＋諸国である。「中国」では、州県制（五代では道州県制）が施行され、華北王朝の直接支配領域を構成する。その領域の四限に東西南北平王の封爵を授与して、支配領域の際限を表現した。

また「中国」は、諸国のうち恭順な呉越国・楚国・閩国に対しては封建を行い、封爵を与えて、天下内に包摂した。

そして封爵国も貢献・進奉の貢納を行った。封建制の施行されない敵国である呉国＝南唐・前後蜀国・南漢国は、一部に進奉・貢献を行って貢納を果たしつつ、それぞれ天下内の「国」として認識されていた。そして天下秩序を維持するために、それらの五代の天下を構成する諸国に対して、領導・征伐する者として、真王が置かれていた［図3］。欧陽脩が「乱離の時代」と談じた五代でも、天下秩序は維持されていたのである。

五、可能性の時代

分裂時代でも天下秩序は存続し、清朝まで継承された。この伝統的中国国家の持続の一方で、五代では新たな可能性として、また違った国家・国家間秩序が萌芽していた。それは黄土に染まる中国大陸ではなく、海上や草原に出現した。

真王として中国大陸での役割を期待された呉越国は、天下秩序に属しながらも、また別個に東アジア海域において海上秩序を敷設した。朝鮮半島の後百済《ごひゃくさい》・高麗《こうらい》や渤海、また南海諸国に封建を行いながら、契丹や日本に対しては民間の海商を通じて交易関係を結んだ。こうした呉越国海上秩序の揺籃は、九世紀より始まる東アジア海域における各地域間での民間交易活動にあり、その結節点として杭州を中心とする両浙地方が成長した。両浙地方と山東半島・朝鮮半島・渤海地域、そして日本列島から南海域にいたる海域に新たな政治権力として臨んだのが呉越国であった。ただ呉越国の場合、封建を行った国々が次々と消滅し、また海上秩序敷設にあたって封建制という天下秩序の政治制度を利用し、かつ呉越国王の権力の本質が華北王朝よりの封建に基づいていた（呉越国王への封爵授与）ため、国家基盤は不安定であり、その海上秩序は未完のまま消滅した。なお程度の差はあれ、南漢や閩も南海諸国との交易による立国・政権維持がなされたと考えられる。

五代において、中国大陸北方の草原の地より勃興したのが契丹である。一〇世紀初めに耶律阿保機《やりつあぼき》が登場して、契丹部族を糾合し、九一六年に皇帝を称した。遊牧民の部族連合を骨格とする国家構造の契丹は、その後に燕雲《えんうん》十六州を得て、州県制による人戸支配の二重統治体制を模索した。この遊牧民国家と天下国家との二重統治の合一は、契丹皇帝二代目太宗のときに試みられた。先に見たように、開運四年(九四七)二月一日、太宗は中原皇帝の正装である通《つう》天冠《てんかん》を戴いて絳紗《こうさ》袍《ほう》に身を包み、崇元殿に臨御した。後晋の文官官僚は東側、武官官僚は西側、そして契丹人はその中間に位置して分かれて整列し、朝賀の礼を執り行った。ただし太宗は、華北での州県制に基づく人戸支配に失敗し、北へと帰っていった。こうした遊牧民国家と天下国家とを止揚して発展的に合一するのは、モンゴル帝国を待たねばならない。ただし、契丹では遊牧民の統治に北面官制、州県制下の人民に南面官制を用意して、二重統治を開始した。その点では、契丹は世界帝国への階梯を昇ろうとしていたのであった。

五代は、伝統的天下秩序が維持されつつ、天下外で新たな国家構造を模索する国家・国家秩序が芽生える時期でもあった。

参考文献

山崎覚士(二〇一〇)『中国五代国家論』思文閣出版。

山崎覚士(二〇一三)「五代十国史と契丹」荒川慎太郎・澤本光弘・高井康典行・渡辺健哉編『契丹[遼]と一〇~一二世紀の東部ユーラシア』勉誠出版。

渡辺信一郎(二〇一七)「伝統中国の国家体制」渡辺信一郎・西村成雄編『中国の国家体制をどうみるか——伝統と近代』汲古書院。

コラム｜*Column*

契丹文字墓誌が語るもの

大竹昌巳

二〇二二年、契丹《きったん》文字は発見一〇〇周年を迎えた。最初に世に出たのは遼《りょう》の皇帝陵から出土した契丹小字で、後に契丹大字も発見された。大字は遼の太祖《たいそ》阿保機《ウブグニ》が神冊《しんさく》五年（九二〇）に製らせ、小字は太祖の弟迭剌《デラガ》が天賛《てんさん》四年（九二五）頃に製ったとされる。現在の主たる資料は一〇―一二世紀の石刻文献で、そのほとんどが契丹貴族の墓誌銘である。既公表の石刻文献は一九九〇年には一五点ばかりであったが、九〇年代以降の相次ぐ出土で四倍ほどに急増し、それに伴って解読が大いに進展した。今では、ある程度内容が理解できるまでになった。では、その契丹文字文献は我々に何を語ってくれるだろうか。ここでは、遼朝後期の名臣耶《や》律仁先《りつじんせん》（一〇一三―七二年）の墓誌銘を事例に、漢文墓誌や『遼史』等の漢文史籍と比較した契丹文字文献の史料価値について述べてみたい。

『耶律仁先墓誌銘』は、遼寧《りょうねい》省北票《ほくひょう》市小塔子《しょうとうし》郷の蓮花山《れんかさん》南麓にある遼代墓群から一九八三年に出土し、現在は遼寧省博物館が所蔵する。誌石は一・二メートル四方の誌蓋と誌身から成り、契丹人の撰者《せんじゃ》・書者による契丹小字墓誌文七〇行を誌蓋底面に、漢人の撰者・書者による漢字墓誌文三七行を誌身上面に刻す。契丹文は五〇〇〇字超と現存の契丹文字墓誌では最長で、所々に細字双行の注まで付すのは異例である。

契丹文墓誌は、仁先の家系、事績、品行、妻子、遺言と葬礼の様子、撰者による評価、墓誌撰述の経緯を叙述したのち、四字句が主体の韻文である「銘」を記して筆を擱《お》く。こうした構成や、撰者が自らの浅学菲才《ひさい》を知りながら遺族の懇願を固辞できず、故人の行いを実直に記して墓誌を撰述したと経緯を述べる定型文などは、他の契丹文墓誌でも大同小異で、漢文墓誌のスタイルに倣ったものであることは言を俟《ま》たない。銘以外の部分でも四字句の対句を多用したり、中国の典故を引用したりするところにも明瞭に漢文化の受容が認められる。例えば、仁先墓誌では『毛詩』の「淑人君子、胡《なん》ぞ万年ならざる。如《も》し贖《あがな》うべくんば、人其《そ》の身を百にせん」（直接の典拠は白居易『白氏文集』所収の祭文《さいぶん》）を引いて仁先の死を悼み、漢文仁先墓誌も引く「疾風に勁草《けいそう》を知り、世乱に忠臣を見る」を引いて仁先の功を称える。

五〇〇〇字超の記述量は、漢文仁先墓誌の一四〇〇字余や『遼史』耶律仁先伝の九〇〇字余を凌駕《りょうが》するが、この量的差異は漢文史料との質的差異に起因する側面がある。

一つは家系に対する態度で、契丹文墓誌は血縁を重んずる遊牧社会の価値観を反映し、概して祖先系譜を仔細《しさい》に記す。遼の皇族のうち太祖の長伯父の家系は孟父房《もうふぼう》、次伯父の家系は仲父房《ちゅうふぼう》、父の家系（太祖直系を除く）は季父房《きふぼう》と呼ばれるが、仁先の家系を漢文墓誌は仲父房、『遼史』は孟父房といい、齟齬《そご》がある。しかし、契丹文墓誌の詳細な系譜記述を見れば、孟父房に出自する仁先の祖父が、断絶した仲父房の家を相続した(契丹語では「帳《いえ》を把《つか》む」と表現する)という経緯が判明し、両者の齟齬の原因もはっきりするのである。

仁先の両親に関する記述も興味深い。契丹文墓誌は、漢文正史にもあるように父が興宗《こうそう》皇帝の「刺血友《しけつゆう》」(各々の血を取って契りを結んだ盟友)であった(『遼史』耶律信先《しんせん》伝)だけでなく、母が興宗皇后と服を取り換えたヌグル(友の意。モンゴル語のノコル)であったことを記す。別の契丹文墓誌には刺血友の誓いを立てる二人が互いの子に服と馬を交換させてヌグルとさせた話も見えるが、このヌグルは、王国維《おうこくい》が夙《つと》に指摘したように「交物之友」(『元史』太祖紀)と解されるモンゴルのアンダと同起源の遊牧社会特有の習俗である(「蒙古札記」『観堂集林』)。阿保機が突厥沙陀《とっくつさだ》部の李克用《りこくよう》と雲中《うんちゅう》に会盟した際に袍《うわぎ》と馬を交換して兄弟の契りを約した(『遼史』太祖紀上)という逸話も、この文脈で理解されるものである。

遼朝の要職を歴任した仁先は、特に興宗朝での澶淵《せんえん》の盟約《めいやく》の改定交渉(一〇四二年)と道宗《どうそう》朝での皇太叔耶律宗元《そうげん》(重元《じゅうげん》)父子による灤河《らんが》の乱の鎮定(一〇六三年)に功があり、漢文墓誌と『遼史』列伝はこれらに紙面の多くを割く。契丹文墓誌も、前者については興宗御製の官誥《かんこう》を引用して、関南《かんなん》十県の返還を求め挙兵した遼に対し、宋が銀絹の増幣で応じたこと、そこで仁先が宋に使《つかい》し、誓書に「貢納」を意味する文言を入れる条件を呑《の》ませて盟約締結に成功し、両国和平を実現させたことを語り、後者については道宗とのやりとりや叛乱《はんらん》軍との交戦を鮮やかに活写して平乱の大功を描く。仁先は契丹名を糺隣《ディウルニ》・査剌《チャラー》というが、元の字《あざな》はタブヨーニといった。ディウルニは道宗の皇女糺里公主《ディウルこうしゅ》に因《ちな》んでこのとき賜与されたもので、この話は契丹文史料にしか見えない。しかし、漢文史料との差異は仁先の最終官歴に最も顕著に現れる。

咸雍《かんよう》五年(一〇六九)、漠北《ばくほく》の遊牧集団北阻卜《きたジョボゴ》の叛乱鎮圧のため仁先は西北路招討使《せいほくろしょうとうし》に任ぜられ、病没するまでの三年間を西北経営に捧《ささ》げるが、契丹文墓誌はその描写に最も字数を割く。ここには 図木同刮《トゥムル＝トングワー》ら阻卜の抵抗勢力との多次に亘《わた》る抗争や萌骨徳《メングールド》(後のモンゴル部)の来貢など、漢文史料には断片的にしか、もしくは全く記録されない出来事が仔細に描かれ、一一世紀モンゴル高原の情勢を知る史料として貴重である。かたや漢文墓誌の対応する記述は二行に満たず、招討使着任の日を灤河の乱勃発の日と取り違える粗相すら犯している。西方に向ける眼差しは、漢文史料よりも強いと言えよう。

以上見たように、契丹文墓誌は漢文化の色彩を濃厚に帯びつつも、そこには確かに遊牧民族契丹人が捉えた世界が広がっている。未だ解読の途上で、種々の制約もあって現状では十分に活用されてはいないが、遼朝史の総合的理解には契丹文字文献の活用は不可避である。

宋代官僚制の形成
——元豊官制の歴史的意義

徳永洋介

はじめに

宋代は皇帝権力が格段に強化され、集権的な文臣官僚制が確立した時代とされる。これは唐末までの貴族政治が宋代以降は君主独裁政治になったとする内藤湖南の主張（内藤 一九四七）を発展させたもので、唐の律令官制《りつれいかんせい》（池田 一九七〇）は、律令官制を典型的「律令制」時代、つまり唐代前半期の官制と定義する）から宋の文臣官僚制への移行を皇帝専制体制の確立と捉えるところにその眼目がある。宋の新官制が文臣官僚制と表現されるのは、直接には武人優位の藩鎮《はんちん》体制を克服して文官主導の国家体制を再建した事情を反映したものながら、宋代以降、旧来の貴族に代わり科挙官僚が名実ともに国家機構の主役となった事実にむしろ本質的な理由がある（宮崎 一九五〇、同 一九七四、梅原 一九八五）。

他面、皇帝主導の集権体制の構築という点では、隋《ずい》の文帝《ぶんてい》（在位五八一―六〇四年）の諸改革に大きな画期を見出す立場から、三省六部《さんしょうりくぶ》制や科挙制の創設など、それらの改革がすべて宋代に直接つながる方向をうちだしていることを強調する論者も少なくない（濱口 一九四一、同 一九四二、渡辺 一九九四：三二一八頁）。むろん隋初の改革が定着するまでには多くの課題があり、最終的には唐宋の変革を待たねばならないが、こうした見解に立つ論考では、概して門閥貴族の社会的声望が唐末五代まで続いたことは認めるものの、その政治的影響力には懐疑的である。さらに唐の権力中枢は早くから集権的に整備されていたとの指摘があるとおり、律令官制が部分的にせよ君主専制の実現に向けて動いていたのも事実である(池田 一九六七)。

こうした学説は唐宋の変革に先行して隋初の改革を重視すること、そして貴族制の衰退を唐宋の変革の主要な要素と考えないことの二点において内藤湖南以来の一般的な見解とは相容れないようにも見える。だが、唐の律令官制を宋の集権的官僚制が確立するまでの過渡的な形態とみなす点で両者は一致しているほか、宋代のどの時点を指して典型的な文臣官僚制が形成されたと考えるのか必ずしも明確ではない点でも変わるところがない。

実際、宋の法制は神宗《しんそう》(在位一〇六七―八五年)の元豊《げんぽう》年間(一〇七八―八五)の前後で大きく変わるが、元豊以前の百二十余年、宋は他の王朝のように抜本的な改革を行って新たな制度をつくるのではなく、旧来の制度を踏襲しながら運用面で徐々に改変していく方法をとった。とくに元豊以前は唐の律令格式《りつれいかくしき》と宋が新たに編纂した編勅《へんちょく》や附令勅《ふれいちょく》が併用されたため(本巻・焦点、川村康「法構造の新展開」参照)、律令官制も一律に廃止されずに存続するなど、北宋前半期の官僚制は新旧相互の制度が入り混じるきわめて複雑な様相を呈した。

元豊の官制改革は、宋初以来の錯綜した官制を整理して合理的で安定した官僚機構を構築するという積年の時代的要請に応えたものであったが、形式的には唐の玄宗《げんそう》(在位七一二―七五六年)の開元《かいげん》二六年(七三八)に奉呈された『大唐《だいとう》六典《りくてん》』(儒教経典『周礼《しゅらい》』の理想を唐の律令官制に投影させた官制の書。律令官制そのものというより、その典型を伝える典籍として後世に至るまで影響を与えつづけた)の内容に沿って唐の三省六部に復帰するかたちで進められた。このため、その評価は論者によってまちまちだが、この分野の第一人者梅原郁は、宋代官僚制が最も躍動した時期は元豊以前の北宋前半期にあるとしながらも、唐宋の変革に一応の結着をつけたのは元豊の官制改革であり、それが元から明を経て清へと続く歴代王朝の官僚制度の直接の母胎となったと述べる(梅原 一九八五:xx―xxii頁)。

皇帝を頂点とする専制国家の歴史において宋代が重要な結節点に位置することは言うまでもない。但し、北宋前半期の文臣官僚制が前代以来の律令官制となにがしかの関係を有しながら形成されたのは事実であり、両者の間に明確な境界線を設けることはむずかしい。また宋代官僚制の一つの到達点が元豊の官制改革にあるとすれば、北宋前半期の官僚制はいまだ過渡的な段階のものであり、元豊以後の展開にこそ宋代官僚制に特有の姿が集約されていると見なくてはなるまい。こうした観点から、本章では宋代官僚制の構造と特徴を元豊以前と以後とに分けて論じ、中国官僚制の歴史において大きな画期となった元豊の官制改革とその歴史的意義を改めて考えてみたい。

一、北宋前半期の官僚制——律令官制の変容

北宋前半期の国家機構

北宋では律令官制の大半が実質を失うかわり、唐代後期から宋初にかけてその枠外に増設された機関が主要な職責を担う官僚機構がいち早く形成された。その多くは皇帝の特別な命令を遂行する者に付与された臨時の職名、なかでも使職《ししょく》(令外《りょうげ》の官)に由来する機関であり、その運用にあたる職官名を宋代には差遣《さけん》と称した。元来、使職は令に規定する職掌《しょくしょう》の範囲をこえて実務を処理する目的で設置されたもので、定員がなく、必要に応じて文官や吏員を採用することができたため、有能な人材を集める恰好の経路ともなった。唐代に藩鎮体制を築いた節度使はその代表的な例であり、八世紀中葉から使職の多くが常設の職となり、財政・軍事の分野で活躍するにつれ、それまで行政の中枢を担ってきた三省六部や九寺五《きゅうじご》監《かん》は職掌を奪われ、形骸化を余儀なくされた(池田 一九六七、同 一九七〇)。但し、六部や寺監の組織はその後も解体されることがなく、北宋前半期には判某部事、判某某寺、判某某監など、それぞれの官庁に判の字を冠した名称をもつ長官が任命されるなど、令の規定する官制は主要な職責を失ってもなお形骸を保ってい

た(宮崎 一九六三：二五七頁)。

さて、北宋前半期に最も枢要な政府機関となったのは、宰相府にあたる中書門下《ちゅうしょもんか》(中書)である。これは唐初に宰相会議として設けられた政事堂《せいじどう》から発展した機関で、玄宗の開元一一年(七二三)に名を中書門下と改め、専属の事務局を有する正式の宰相府となった。宰相の同中書門下平章事《どうちゅうしょもんかへいしょうじ》は令の定める正式な官職ではなく、複数の高官がこのポストを兼任するかたちで政府執行部を構成した(池田 一九六七：一六九－一七〇頁、渡辺 一九九三)。これを継承した宋では一名から三名の同中書門下平章事に加え、副宰相の参知政事《さんちせいじ》を新たに置いて権限の集中を避けたが、これも唐初の宰相会議の成員を一部復活させた措置で、基本的に唐制の枠組みを継承していた。この種の連続性は、たとえば勅授《ちょくじゅ》のように、中書門下が主導権を握るかたちで行う官僚の任命方式が宋代で一般化したことにもあてはまるが(大庭 一九八四：一三頁)、宰相府の中書門下が唐の最盛期から律令官制と併存するかたちで官僚組織の頂点にあり続けた事実は、宋の集権的な官僚機構へ向けた動きがすでに八世紀はじめから始まっていたことを如実に物語る。

他方、これと対照的な成り立ちを持つのが、中書門下と並んで両府《りょうふ》と呼ばれ、ともに政府執行部を構成した枢密院《すうみついん》である。この官庁の原型は唐代後期に宦官《かんがん》の要職として皇帝側近で機密にあずかった枢密使にあるが、直接には五代の軍閥政権が文武の官僚で構成される参謀本部へと改編したのが転機となり、宋代には軍政の最高機関にまで成長した。宋代の枢密院はすべて文官で占められ、武官人事も掌握したが、宦官や武官が管轄する皇帝の家産機関のなかで正規の国政機関へと転換を遂げた唯一の例でもあった(梅原 一九八五：第二章)。

北宋前半期、両府についで財政部門で重きをなしたのは、南宋の学者朱熹《しゅき》がその巨大さを唐の尚書省《しょうしょしょう》にたとえた三司《さんし》である(『朱子語類』巻一二八、本朝二)。戸部《こぶ》・塩鉄《えんてつ》・度支《たくし》の三部局からなる三司は、約一〇〇万にのぼる専業兵士を養う経費をまかなうために八－九世紀の交替期に設置されたのが発端となり、後唐《こうとう》の長興《ちょうこう》元年(九三〇)の三司使《さんしし》の成立で完成したとされる。これは後唐の明宗《めいそう》(在位九二六－九三三年)の侍衛親軍《じえいしんぐん》(禁軍)創設と軌を一にするもので、三司が行う集権的な財政運営はやがて後周《こうしゅう》の世宗《せいそう》(在位九五四—九五九年)と宋の太祖《たいそ》(在位九六〇—九七六年)による殿前司《でんぜんし》(禁軍精鋭部隊)の設立を促した(渡辺 一九八八、同 一九九〇)。北宋ではこれら皇帝直属の軍隊をさらに三系統(三衙《さんが》)に改組して兵権の分散を図ったが、こうした軍事力編成と枢密院を通じた統制を可能にしたのも、唐後半期から三司が一貫して財政的な基盤を整えてきた結果であった。

通常の政務は宰相をはじめ両府の大臣たちの合議で行われたが、皇帝の裁可を得た決定事項は詔勅のかたちで発令され、法令となる。唐代後期以来、この詔勅を起草するのが知制誥《ちせいこう》で、皇帝の命令を直接起草する翰林学士《かんりん》とともに皇帝の書記官を構成した。とくに翰林学士は唐では皇帝側近の顧問官を兼ね、一時は宰相を凌ぐ勢いを示したが、宋代には三司使より尊敬される地位を得て将来の宰相候補が就くべきポストと目されるなど、官制内部の新たな序列化も徐々にだが進んでいた(濱口 一九四二:八九六頁、宮崎 一九六三:二五三—二五四頁)。

以上のように、元豊以前の国家機構は、律令官制の本質に関わる箇所にはなるべく手をつけず、主として唐代中葉から五代にかけて設置された皇帝直属の行政機関を現状に即するかたちで再編してできたものだった。このため宋初の五十余年は官僚の俸給制度も複雑で整理されておらず、五代後唐の制度に後周が手を加えたものを踏襲するなど、制度全体が便宜的に運用されていた(衣川 二〇〇六:第六章)。

むろん宰相は政務を統轄する立場にあるが、宋初に新設された行政部門も含め、政府の諸機関は宰相には隷属せず、宰相と意見が異なるときは、皇帝に上奏して最終的な決定に委ねるのがこの時期に共通したきまりであった(宮崎 一九六三:二五七頁)。実際、財政を一手に握る三司使が皇帝に直属し、宰相とは対等の関係にあることから、その指揮命令を受けず、計相《けいしょう》の異名をとったのは、当時の官制が多分に分権的であったことを示す端的な例である。

たしかに宋は科挙出身の文臣官僚を用いて中央と地方のあらゆる部門部局を皇帝に直結させ、最終的な決裁は皇帝が行う専制体制をひとまず創りあげたかもしれない。だが、それだけでは集権的な官僚国家を確立したとはいまだ言いがたい状態にあったのである。

官と差遣――文臣官僚の身分秩序

宋代の官僚は大別して文官と武官、そして入流《にゅうりゅう》と未入流《みにゅうりゅう》とに分かれる。入流は従一品《じゅいっぴん》から従九品《じゅきゅうひん》までの官品《かんぴん》(品階《ひんかい》。日本の位階にあたる)を有する品官《ひんかん》のことで、いまだ官品を持たない未入流は、文官の場合、選人《せんじん》と呼ばれた。選人とは、銓選《せんせん》つまり任官審査を待つ官僚見習い期間の者のことで、たとえ幕職州県官《ばくしょくしゅうけんかん》のような地方の属官ポストに任ぜられたとしても、選人である限り、正式な官僚としては扱われなかった。加えて、宋代には科挙出身者をはじめ任官資格を得た者はいずれも官品のない選人からキャリアを始めるのが原則とされたため、未入流の選人には改官《かいかん》(品官の地位を得ること)して入流することがきわめて重要な課題となった。

北宋前半期の官僚には身分、序列、職務を示すいくつかの肩書きが与えられたが、官品をもつ文官(品官)は少なくとも二種類の肩書きを持っていた。一つは品階と俸給(料銭)の支給額を表す官(本官)であり、いま一つは実際の職務を担う差遣である。官と差遣の関係は唐代の散官《さんかん》と職事官《しょくじかん》との関係を一見彷彿とさせるが、そこには本質的な違いもあった。

唐の律令官制では、散官(階《かい》・階官《かいかん》)は文武の別と品階の上下を示す官名で、すべての官僚が有するかわり、俸給の支給がない。これに対し、実職をともなう職事官はそれぞれが品階を有するうえに、俸給を支給する際の単位にもなった。このうち最も重視されたのは職事官であったが、職事官に就くためには一定の散官を帯びていなければならなかった。むろん散官と職事官の品階はいつも一致するとは限らず、一致しないときは、職事官の品階が階官より高ければ「守」、低ければ「行」の字を職事官の上に加え、官品を基本とする官僚の一元的な身分秩序が保たれていた(池田 一九六七、同 一九七〇)。

ところが、北宋になると、散官にかわって官(本官)が新たに文武の別と品階を示す身分標識になるとともに、個々の官職の俸給額を表すようになった(北宋前半期の官を寄禄官と称するのは正確な表現ではない)。このとき官として用いられたのは、唐代以来の職事官名であり、もとを正せば、前代の使職が律令官制の職事官を帯びて品階と俸給を得ていた関係に遡る。しかも、官には三省六部や九寺五監の職事官名が使われたため、入流後の文官の地位・身分など、人事に関わる事柄は、京官《けいかん》(従九品—従八品)、朝官《ちょうかん》(正《せい》八品—従七品)、員郎《いんろう》(従六品—正七品)、卿監《けいかん》(正五品—正六品)、侍従《じじゅう》(従四品—正四品)というように、当該の本官が属する身分集団ごとに扱うのが通例となった(梅原 一九八五:第一章)。つまり、元豊官制以前の文臣官僚は名目的にはすべて中央政府に官職を持つ人間として遇されたわけで、唐代から官僚に欠かせない身分標識とされた散官は、北宋では唐の三省六部以下の職事官名を用いた本官にその地位を譲ったのである。

その半面、本官の種類の多さは、官制の運営に思わぬ支障をきたした。現に唐の文散官《ぶんさんかん》(文官の散官)が二九種類しかなかったのに対し、宋の本官では員郎クラスの筆頭にくる郎中(従六品)だけでも二四種類もあった事実から容易に想像されるように、その取り扱いは一筋縄ではいかなかった。事実、官は律令官制から継承した職事官の名称が土台となっていたため、もともとの種類の多さもさることながら、さらには門閥意識にもとづき官職に優劣をつける前代以来の考えかたと宋代に新たな特権階級となった科挙官僚のエリート意識とが交差して多分に複雑な様相を呈してくる。この結果、同じ品階であっても、進士出身の有出身人と、明経《めいけい》などの諸科出身(明経や学究などの諸科も科挙の科目ながら、進士科とは歴然たる格差がつけられていた)あるいは恩蔭《おんいん》出身(恩蔭とは官位保有者の子孫や親属が官位を授けられる制度)の無出身人とでは、昇進するにしても降格するにしても、その経路と就くべき官職は人それぞれで異なったものにならざるをえない。ただでさえ官の名称と実職が一致していないうえに、個々の官名を見れば、その人物の出自・来歴や資質などが窺えるしくみとあっては、多くの官僚には煩雑なだけで、よほど事情に通じた者でなければ容易に運用できるものではない(梅原 一九八五：第一章)。

北宋の官制が複雑で分かりにくいのは主としてここに帰因するが、実際に官僚制度を動かしていくためには、このように名実が混淆した状態をそのままにしておくわけにもいかない。仁宗《じんそう》(在位一〇二二―六三年)の慶暦《けいれき》八年(一〇四八)、官僚数が二万人に達し宋初の二倍近くに膨れあがった頃から、それは政府当局者たちに無言の圧力となって重くのしかかったに違いない(李燾《りとう》『続資治通鑑長編《ぞくしじつがんちょうへん》』巻一六三、慶暦八年二月甲寅など)。煩雑で扱いにくい官の体系から簡潔で明快な品階制度への転換なくしては、格段に規模を拡大した官僚組織の維持・管理はとうてい無理だったからである。

他方、実職を担う差遣には、もともと臨時の職名から発達した経緯もあり、皇帝の自由裁量で適材適所の人事を行える一方で、資序《しじょ》(実職経験にもとづく資格・身分)と称する任用の基準はあっても、かつての職事官と違い品階は与えられていなかった。このため、差遣ポストの法的立場は意外と曖昧《あいまい》で、いまだ流動的な部分を少なからず残していた。

もっとも、地方行政の中核をなす知州《ちしゅう》(州の長官)から州県の属官層を構成する幕職州県官にいたるまで、例外なく差遣で固められた地方官制では、南宋末まで続く新たな動きも見られた。具体的には幕職州県官から知県《ちけん》(県の長官)を経て通判《つうはん》(州の次官)となり、ついで知州へと順次昇進するかたちで実職(差遣)を経験させ、そのうえではじめて中央官界に進出するというもので、こうした差遣の資序は、本官の序列で言えば、選人、京官、朝官、員郎にそれぞれ対応する。もとよりこれはあくまで基準であり、実際にはさまざまに読み替えが行われるが、科挙出身者をはじめ、当時の文官たちが昇進していくためには、原則として知県や通判を経験しておくことが求められた。地方官が忌避された唐とはうって変わり、地方官としての実績が柱となる人事制度がまがりなりにも生まれたところに宋という時代の特徴がある(宮崎 一九五三、梅原 一九八五：第三章)。

ただ、ここでも一一世紀のなかばに官僚数が倍増した頃から、任期どおりにポストを終えることすらままならない官僚が増えてくる。本来は選人が就くべき幕職州県官に京官や朝官クラスの品官が任じられるのがふつうになり、中書門下が関与する特別人事(堂除《どうじょ》)が知県や通判のポストを侵蝕するなど(梅原 一九八五：二二五—二三四頁)、地方官の差遣をめぐる問題は次第に幾多の困難に見舞われていく。

北宋後期の文人官僚のひとり秦観が当時の官僚制度をさして「名称だけあって実体はなく、表面と内容が一致しないのは、五代の制度をそっくり継承したからだ」と嘆くとおり(『淮海集《わいかいしゅう》』巻一五、進策、官制下)、旧来の制度と新しい現実をとくに整理しないまま徐々に内容を変えることでよしとしてきた宋の政治姿勢は、ここにきて官僚組織の随所に大きな矛盾をもたらした。とくに官制全体に見られる冗漫さと統一性の欠如は、官僚機構の運用に重大な支障を来しただけに、とうてい容認されるものではなかった。建国から一〇〇年を経て、冗官問題(実際のポスト数に比べて官僚の数が過剰な状態)の深刻化と財政難に見舞われた国家は、これまで先送りしてきた問題の抜本的な解決を避けて通るわけにはいかないところに来ていたのである。

二、元豊官制とその展開——集権的官僚制の構築

寄禄階《きろくかい》の成立——官僚身分の再編成

元豊の官制改革は、元豊三年(一〇八〇)九月の寄禄新格《きろくしんかく》の制定に始まり、同五年(一〇八二)五月にそれまで官の地位に甘んじてきた職事官が本来の実職をともなうポストに復帰するまでの一年九カ月を要して行われた。ふつうこの改革は神宗がごく限られた人員とともに短時日で立案実施したものと考えられがちだが、仁宗の嘉祐《かゆう》三年(一〇五八)に知制誥の劉敞《りゅうしょう》らが『大唐六典』に依拠して策定した官制改革案(『公是集《こうぜしゅう》』巻三三、条上詳定官制事件劄子《さっし》)には、寄禄新格に関わる部分を除けば、元豊官制の骨子と言うべき内容がおおむね網羅されており、二十余年前の基本構想がこの

改革でようやく実現したものと分かる。

つまり、寄禄新格に限って言えば、構想から実施にいたるまで、すべてはこのとき初めて着手された施策にほかならず、それだけにこの法によって成立した寄禄階(寄禄官)は、名義上の官職と実際の職務が一致しない宋初以来の状態を解消するための第一歩であり、従来の官と差遣の関係に根本的な修正を迫るものとなった。

事実、寄禄新格の正式な名称が「階を以て官に易《か》え禄を寄する新格」(『続資治通鑑長編』巻三〇八、元豊三年九月乙亥)ということからも了解されるとおり、この新法は京官以上の品官に与えられた官(本官)をすべて階(階官)に入れ替え、さらにこの階で俸給の額を表示するというものであった。寄禄階という言葉はこれを発祥とするが、それだけでは官が階に変わっただけのことで、どこに違いがあるのか分かりにくい。階とは、宋代には名ばかりの存在であった散官(散階、階官)のことで、寄禄新格では全部で二九階ある文散官から二四階をとりだし、各階ごとに既存の官(本官)をひとまとめにしてしまった。その証拠に、かつて京官と朝官だけで三十近くあった官名は、京官は承務郎《しょうむろう》から宣徳郎《せんとくろう》の五階、朝官は通直郎《つうちょくろう》から承義郎《しょうぎろう》の三階に整理されるなど、複雑で錯綜した官の体系は新たに設けられた寄禄階のなかに一本化されたのである(梅原 一九八五:第一章)。

元豊の寄禄階はこうして官僚の身分序列を一挙に簡略にしただけでなく、かつての官のように官僚の出自や経歴を露わにすることもなかった。ところが、これが当時の科挙官僚たちから「流品《りゅうひん》(官僚身分)を分かたず」(官僚になるに至った出自や経歴をはっきりさせなくするものだ)として激しい反発を買ってしまう。そこで以後、南宋の中頃までの八十余年のあいだ、寄禄階に左・右の字を冠し、進士出身の有出身者には左、恩蔭出身などの無出身者には右をつけて科挙出身者か否かを明示する方法がいくどか講じられる。結局、この問題は高級官僚向けの寄禄階を若干新設するかたちでおちつくが、科挙制度の定着にともない旧来の門閥意識は姿を消しても、新たな特権階層となった科挙官僚のエリート意識には侮りがたいものがあったのである(梅原 一九八五:第一章)。

他方、官を階に入れ替えた結果、宋初以来、額面とはまったく違う役割を与えられてきた官(本官)は名実ともに実職をともない官品も有する職事官へと回帰していく。さらに南宋の官品令《かんぴんれい》には「執掌《しょくむ》を有する者を職事官と為す」(『慶元条法事類《けいげんじょうほうじるい》』巻四、官品雑圧《かんぴんざつあつ》)と規定するように、もとは差遣に由来する官職であっても、必要とあれば職事官の地位と官品を与えて寄禄階との整合をはかることも行われた。なぜなら、新たな制度のもとでは、職事官に就くためには一定の寄禄階をもつことが前提となるだけでなく、それが職事官の品階と一致することが欠かせぬ要件となったからである。寄禄階の成立は従来の官と差遣の関係にかえて階と職事官を柱とする職制の成立を促したのである。

それは表面的には律令官制における散官と職事官の関係の焼き直しとも受け取られかねないが、実際は「名と実を合わす」の標語のもとに官制全体の冗漫さを解消し、新たな体制づくりに向けた準備をするうえで重要な前提となっただけでなく、錯綜した俸給制度を寄禄階を軸とする新たな体系にまとめあげた点でも画期的なものだった(衣川 二〇〇六:第六章)。

『六典』官制と国家機構の刷新

元豊五年(一〇八二)五月、『大唐六典』に倣うかたちで中書、門下、尚書の三省が復活し、尚書省の壮麗な庁舎が新たに建てられるなど、三省六部を基本とする国家機構が再び姿を現した。元豊の新官制は既存の行政組織を大幅に分割、併合、改廃しながら、三省六部や九寺五監の部門部局として改めて編成されたものであり、宋初以来の錯綜した官制を一新し、官名と職務とが一致する官僚組織に改めようとする取り組みはひとまずその目的を達成した。

宮城の内外ではこれにあわせて各種官庁の大規模な改築が行われ、新築なった尚書省と六部の障壁には『周礼』の文言が書かれ、禁中に設けられた中書と門下の両省、そして改革後も存続がきまった枢密院と翰林学士院(皇帝の秘書機関)の障壁は、神宗が寵愛する宮廷画家郭熙《かくき》に制作させた作品で埋め尽くされた(曽布川 一九七七)。尚書省と六部の障壁を飾るものとして『周礼』が選ばれたのは、この書物が『六典』の依拠する経典であることもさることながら、王安石の主著で、当時の官学の基本テクストとされた『周官新義《しゅうかんしんぎ》』（『周礼』の注釈書）が如実に物語るように、それが皇帝を頂点とする集権的で機能的な官僚国家を築いていくための指導原理でもあったからである（吾妻 一九九五）。元豊官制は官僚組織の大規模な改編にはとどまらない、多分にイデオロギー性を帯びた改革でもあった。

このため、新たに発足した六部組織は、表向きは六典官制に則った尚書二十四司《しょうしょにじゅうしし》という形式を踏襲し、各部ごとに四つの部局（司）を設けてはいたものの、内実はかなり様相を異にしていた。まず人事を扱う吏部では吏部司のなかに新たに四つの部署（四選）が置かれた。これは元豊以前に文武の官僚を上級と下級に分けて人事を行っていた四つの機関をそれぞれ母胎にしてつくられたもので、文官を掌《つかさど》る尚書左選《しょうしょさせん》（六品―九品）と侍郎左選《じろうさせん》（選人）、武官を掌る尚書右選《しょうしょうせん》（中級武官）と侍郎右選《じろううせん》（下級武官）とがあり、残る司封《しほう》、司勲《しくん》、考功《こうこう》の三部局（司）とともに、いわゆる吏部七司《りぶしちし》を構成した（梅原 一九八五：第三章）。北宋で新設された機関を一つの部局にまとめ、旧来の組織に接ぎ木した恰好だが、皇帝が宰相と諮って決める高級官僚と一部の指定ポストを除き、すべての官僚人事を一手に握るという点では唐の吏部と兵部の機能をあわせもつ過去に前例のない組織であった。

また財政を主宰する戸部では、左曹《さそう》と右曹《うそう》の二つの部署が戸部司のなかに設けられた。これはかつての三司の管掌事項を左曹が引き継ぎ、王安石の新法で生み出された財源は司農寺《しのうじ》（九寺のひとつで、新法財政の総本部となった）から右曹にそっくり移管するというもので、新旧の財政を戸部が一括して管理することを目的としてつくられた。だが、現実には右曹の財源は司農寺が管轄していた時からのきまりで宰相が管理することになっており、戸部の長官は当初これに関与できなかった。この状態は南宋の初めに戸部の長官が全権を掌握してようやく解消されるが、その間、戸部の財政運営は統一性を欠いたまま紆余曲折を余儀なくされた（周藤 一九六八）。元豊の改革が必ずしも所期の目標どおりには進まなかった一例と言ってよいだろう。

総じて、元豊官制では尚書六部とこれに関わる行政部門に権限を集中する一方で、個々の官僚に対しては、権限の分散をはかる傾向が目につく。但し、さきに触れた『周官新義』の原理に従い、尚書六部に行政機能を一元化させ、皇帝がこれを直接支配することに官制改革の眼目があったとすれば、六部組織への画一化が官僚制のさまざまな箇所に現れたとしてもおかしくはない。実際、御史台《ぎょしだい》に六察《りくさつ》を設けて六部の監察を分担させたり（梅原 一九八五：六二頁）、北宋末期に地方官府の部局を六曹《りくそう》に分けたのは、これと同じ地平に立つものといえる（梅原 一九八五：一八―二〇頁）。さらに徽宗《きそう》（在位一一〇〇―二五年）の政和《せいわ》三年（一一一三）、宮中の女官で構成する尚書内省に六司《りくし》と呼ばれる専門機関が置かれ、尚書六部から提出される文書を部門ごとに管掌し、皇帝の決裁に供するしくみができたのは、すぐれて画期的な事件であった（徳永 一九九八：二三―二四頁）。なぜなら、皇帝は宰相や執政官に諮らなくても、これによって直接六部を指揮・監督できるようになったからである。

　他面、元豊官制は宰相制度にも大きな変革をもたらした。中書門下の廃止と三省の復活にともない、新たに宰相の地位を得たのは、尚書左僕射《しょうしょさぼくや》兼門下侍郎《もんかじろう》（首相《しゅしょう》）と尚書右僕射《しょうしょうぼくや》兼中書侍郎《ちゅうしょじろう》（次相《じしょう》）の二人であった。いずれも尚書省の長官が門下省の次官（門下侍郎）と中書省の次官（中書侍郎）とを兼任したかたちで、尚書省の本庁にあたる都省《としょう》（都堂《とどう》）に宰相府を置き、三省の次官たちからなる総勢四人の執政官（副宰相）とともに最高政務機関を構成した。神宗の強い意向もはたらき、当初、首相と次相の間には権限上明確な優劣は設けられておらず、すべての政務は執政官との合議のもとに執り行うのがきまりであった。あくまで三省が分立して政府の中枢を担うという構想にもとづく形式ながら、現実には尚書六部を実務機関として掌握する尚書省が政府機関の中核となる事態は避けられなかった。現に官制改革の結果、尚書六部は著しく行政機能を集中させており、これを統括する宰相の職権は、執政官をはじめ他の官僚の追随を許すものではなかった（熊本 二〇〇五）。元豊官制以前の中書門下が属僚組織を備えるにとどまったのとは違い、新たに発足した宰相府が従えていたのは、いまや行政機構の中枢として格段に権限を強めた尚書六部だったのである。

こうした理由もあって、宰相の専断を防ぐ措置は幾重にも講じられていたが、元豊八年(一〇八五)に神宗が没すると、状況は大きく変わる。その後の制度改変によって、宰相の独断専行が現実のものとなったからである。具体的には首相が三省のすべてにわたる職権を掌握したことと、次相が欠員だった事情とが重なり、下級吏員の定員問題をめぐって、時の首相が執政官との合議を経ることなく単独で削減案を上奏して実施に移したというのが事の顚末で、官僚たちの意向を顧慮することなく、首相が独走したことに批判が集まったのである(熊本 二〇一〇)。もとより、最終的な決定権が皇帝のみに帰属する専制体制にあって、宰相によるこの種の独走は、皇帝の権威に抵触しない限り無下に否定されるものではなく、むしろ行政の効率化という点では好都合な場合すら少なくなかった。事実、この事案は宰相の強権志向がもたらしたというより、首相が裁可を受けるにあたりその職権を背景に政府部内における合意形成を怠ったというのが真相であった。

宋代にはこれ以後もこの種の権力行使に及ぶ専断的な宰相がたびたび現れたため、彼らは「皇帝の代行」者と評されることがある(梅原 一九八五：xxi頁)。もちろん、なかには文字どおりの強権政治を行う者もいたが、その多くはあくまで職権の範囲内で皇帝の意思の忠実な実行者に徹していたと考えられる。宰相は政権を専断する「専制朝権」は職掌上できたとしても、皇帝権力を代行することは原理上不可能だったからである。元豊官制の成果とはいうものの、皇帝が直接六部を指導する体制が整う一方で、その六部を皇帝から委任された宰相が従えるといういわば二律背反のなか、宰相はある種の政治的な緊張をたびたび迫られていたのである。

おわりに

約一〇〇〇年にわたる分裂状態に終止符をうち、中国を再び統一した宋は、藩鎮体制を解体して中央政府に権力を集中するとともに、皇帝が全権を掌握する専制国家体制を築いた。しかし、その国家機構は律令官制の組織を随所に残しながら、唐代後半期から宋初にかけてその枠外に増設された皇帝直属の行政機関を再編してできたものであった。こうした前代との連続性の強さは、官僚の肩書きにもはっきり表れており、官僚身分を秩序づける品階が唐の令が規定する職事官名を用いた官にはあっても、令に規定のない差遣にそもそも与えられていなかったのはその端的な例と言える。

しかし、前代から継承した国家機構に抜本的な手を加えず、不都合な箇所には修整を加え、不足すれば補うという宋初以来の政治姿勢は、政権内部の分権的性格を温存したばかりか、とくに北宋のなかばから冗官問題と財政難が顕在化してくるにつれ、ただでさえ錯綜した官制に深刻な矛盾をもたらした。官制の本格的な改革を求める声が政府首脳部からはっきりと挙がったのは、仁宗の嘉祐三年(一〇五八)に劉敞らがまとめた改革草案が最初であったが、実際に断行されたのはさらにその二十余年後のことであった。

元豊三年(一〇八〇)から神宗の主導で始められた官制改革は、本章でも縷々《るる》述べたとおり、宋の官僚制度を名実ともに一新させた。表面的には『大唐六典』に則り三省六部の復活という恰好を取ったが、それは律令官制への完全なる回帰を意味するものではなかった。むしろ律令官制の残滓をいちど精算したうえで、新旧双方の官制を六部組織のなかに巧みにとりこみ、かつてなく集権的な国家機構をつくりあげたのである。このことは、元豊官制と前後して行われた法制改革と密接に関わるが、ここでは贅言しないでおく(川村・前掲「法構造の新展開」参照)。

なお、元豊官制が依拠した『六典』の記述は、冒頭の三師三公と尚書都省に始まり、尚書六部の構造と職掌へと続いたのち、門下省、中書省の順で並べられていくが、こうした構成は元豊官制が既存の官僚組織を主として尚書省に再編・統合する方向で改革を進めたのとさまざまな点で符節を合している。実際、尚書六部が国家の中枢を担う行政機関を形成し、尚書省の長官が任ずる宰相が都省(都堂)に宰相府を構えて六部を統轄する支配体制は、元豊官制が目的とする集権的な官僚国家の根幹をなすにとどまらず、その後の歴代王朝のいわばモデルとなるものでもあった。金の尚書省、そして元から明へと続く中書省は、いずれも元豊の尚書省を祖型にもつ、いわば中核的な国家機関にほかならない。『六典』はこの意味でもその触媒の役割を果たしていたのである。

他方、隋の文帝が始めた科挙制度は北宋の中頃までに定着し、世襲の枠にとらわれない科挙官僚が進出したが、王安石の改革で科挙が実質的に進士科に一本化されると、科挙官僚を中心とする官僚ヒエラルキーの再編が改めて求められた。北宋前半期の本官のように、多分に唐制の余風を残したものではなく、科挙の試練をくぐり抜けてきた者にふさわしい官僚の身分序列が必要とされたのである。元豊官制の劈頭《へきとう》を飾る寄禄階の成立は、こうした要請に応えたものであり、些《いささ》かの曲折を経ながらもその目的を達成したと言えるだろう。

もとより、元豊の官制改革は少なくとも北宋末期から南宋初期にかけてその修整作業を続けたと見るべきものであるが、隋の文帝の諸改革に始まる中国専制国家の再編はここにきてようやく一つの帰着点を見出したといえる。だが、それは専制権力をさらに強めた皇帝と主要な国家機構を従え、かつてなく大きな職権を手に入れた宰相との間に新たな緊張関係をうむものでもあった。宋では専断的な宰相が時折現れては消えるという現象にとどまったが、明代初期の中書省廃止にいたる伏線はここに始まるものとみなくてはならない。

参考文献

吾妻重二(一九九五)「王安石『周官新義』の考察」小南一郎篇『中国古代礼制研究』京都大学人文科学研究所。

池田温(一九六七)「中国律令と官人機構」『前近代アジアの法と社会』勁草書房。

池田温(一九七〇)「律令官制の形成」『岩波講座　世界歴史』第五巻、岩波書店。

梅原郁(一九八五)『宋代官僚制度研究』同朋舎。

大庭脩（一九八四）『秦漢法制史の研究』創文社。

衣川強（二〇〇六）『宋代官僚社会史研究』汲古書院。

熊本崇（二〇〇五）「宋神宗官制改革試論――その職事官をめぐって」『東北大学東洋史論集』一〇。

熊本崇（二〇一〇）「宋元祐の吏額房――三省制の一検討」『東洋史研究』六九―一。

周藤吉之（一九六八）「北宋中期における戸部の復立――左右曹を中心として」『宋・高麗制度史研究』汲古書院、一九九二年所収、初出一九六八年。

曽布川寛（一九七七）「郭熙と早春図」『東洋史研究』三五―四。

谷井俊仁（二〇〇六）「官制は如何に叙述されるか――『周礼』から『会典』へ」『人文論叢（三重大学）』二三。

徳永洋介（一九九八）「宋代の御筆手詔」『東洋史研究』五七―三。

内藤湖南（一九四七）「支那近世史」『内藤湖南全集』第一〇巻、筑摩書房、一九六九年所収、初出一九四七年。

濱口重國（一九四一）「隋の天下一統と君権の強化」『秦漢隋唐史の研究』下巻、東京大学出版会、一九六六年所収、初出一九四一年。

濱口重國（一九四二）「魏晋南北朝隋唐史概説」前掲書所収、初出一九四二年。

宮崎市定（一九五〇）「東洋的近世」『宮崎市定全集』第二巻、岩波書店、一九九二年所収、初出一九五〇年。

宮崎市定（一九五三）「宋代州県制度の由来とその特色――とくに衙前の変遷について」『宮崎市定全集』第一〇巻、岩波書店、一九九二年所収、初出一九五三年。

宮崎市定（一九六三）「宋代官制序説――宋史職官志をいかに読むべきか」前掲書所収、初出一九六三年。

渡辺信一郎（一九八八）「唐代後半期の中央財政――戸部財政を中心に」『中国古代の財政と国家』汲古書院、二〇一〇年所収、初出一九八八年。

渡辺信一郎（一九九〇）「唐代後半期の地方財政――州財政と京兆府財政を中心に」前掲書所収、初出一九九〇年。

渡辺信一郎（一九九三）「「臣軌」小論――唐代前半期の国家とイデオロギー」『中国古代国家の思想構造――専制国家とイデオロギー』校倉書房、一九九四年所収、初出一九九三年。

焦点｜*Focus*

元の大都
――元朝の中国統治

渡辺健哉

はじめに

皆さんはいろいろ難しい理屈をおっしゃいますが、どうしてあのモンゴル大帝国の出現がエポックメーキングな事だと考えられないのでしょうか。

右は、一九九七年三月六日に関西大学で行われた最終講義における、大庭脩(一九二七―二〇〇二年、中国古代史・近世日中交流史)の発言である(大庭 一九九七：七〇頁)。奇しくも、この年の一〇月から『岩波講座 世界歴史』第二期の刊行が開始され、その第二回配本こそ、大庭のいう「モンゴル大帝国」にスポットを当てた『中央ユーラシアの統合』第一一巻であった。大庭の発言には、第二期の刊行前後にその重要性が認識されるようになった、いわゆる「モンゴル時代史」の一般的理解――とりわけ、当該巻を編集した杉山正明の手になる数々の啓蒙書(杉山 一九九六等)の大きな影響――が反映されているとみてよい。それから二十数年の時を経て、当該時代の研究はどのように進展・展開したのであろうか。

今回の『岩波講座 世界歴史』第三期では、『モンゴル帝国と海域世界』第一〇巻で「モンゴル時代史」に関する研究の現在までの到達点が示される予定となっているため、ここでは、チャイナプロパー(中国本土)を統治した元朝に関する研究動向について、ごく簡単に触れておく。

この二〇年で研究が進展したテーマとして、投下《とうか》領(モンゴルの諸王や功臣に分与された領民・領地)・ジャムチ(駅伝)・軍制・法制などの制度研究、命令文の収集およびその書式の類型化、仏教や道教の諸相、都市の社会史、文学や戯曲、交易や人的交流を中心とする周辺域とのつながり、色目人《しきもくじん》の実状、国家及び民間の祭祀に関する研究などがただちに想起される(櫻井ほか 二〇二一等)。その検討にあたっては、未知・既知を問わず、石刻資料や文献史料から新たな材料が見出された。

その一方で、常に指摘されてきたのが、元代江南《こうなん》研究の手薄さである(植松 一九九七、中砂 一九九七)。宋代や明清時代の江南研究と、特にこの二〇年の間に目覚ましい成果をあげている金—元代の華北研究に比して(飯山 二〇一一、井黒 二〇一三、古松ほか 二〇一九、高橋 二〇二一、求 二〇二〇、Wang 2018 等)、「江南支配の脆弱性」といういささか抽象的な言葉で片付けられてきた感のある、元代江南の実態解明が課題とされて久しい。

しかしながら、この二〇年の間にも研究成果は積み重ねられている。思いつくままに挙げれば、科挙の受験参考書を中心とする多様な書籍の出版(中砂 二〇〇二、宮 二〇〇六等)、江南統治にあたっての政治や制度(堤 二〇〇〇等)、社会経済史(矢澤 二〇一九等)、地方祭祀(櫻井 二〇一八等)、士人《しじん》層の実像(三浦 二〇〇三:中編・附論、于 二〇一三)等に関して研究が進められてきた。

以上のような個別の研究成果を踏まえ、これからは成果の統合も視野に入れていかなければならないと思う。詰まるところ、元朝とはいかなる時代であったのか。

本章では、元朝によるチャイナプロパーの統治に関わり、なおかつ王朝の存立を可視化する、元号・国号・国都に着目して(檀上 二〇一六：第八章、冨谷 二〇二一：四頁)、この点を論じてみたい。そして最後に、元代の記憶が次の明代ではどのように継承されたのかについて触れ、元から明代への足がかりとしたい。

一、元朝の中国統治

元号と国号の制定

まずは元号の制定について見ていく。

一二五九年、四川の前線でモンケが陣没した。前後の細かな経緯は省略するが、最終的にはモンケの実弟であるクビライが一二六〇年にカーンに即位し、この年を「中統元年」と定めた。しかしながら、クビライの即位に不満を抱く実弟アリク・ボケ(アリク・ブケ)との間で、皇位をめぐる争いが勃発する。以後、足掛け四年にも及ぶ長い戦いを制したクビライは、勝利を宣言するかのように、中統五年を「至元《しげん》元年」と改元した。

「中統」がクビライの即位、「至元」がアリク・ボケ戦争の勝利と関連しているように、元号の制定は政治的な思惑と絡んでいた。

伝統的な中華世界において、元号の制定や暦の頒布は、いずれも統治下の人々に向けた、時間支配の宣言に他ならない。時間支配は天命を授かった皇帝だけに許される崇高な行為であり、自然の摂理さえも皇帝が支配することを意味した。クビライ政権もそれまでの歴代王朝と同じツールを援用したといえる。

元号の制定に続いて行われたのが国号の制定である。国号の制定に先立ち、王惲《おううん》が、「国号を定めないのでは、どのようにしてその威厳を天下に知らしめ、後世に示すことができましょうか」と述べているように(王惲『秋澗《しゅうかん》先生大全文集』巻八六、「烏台筆補《うだいひっぽ》」所載「建国号事状」)、国号の制定は王朝存立に関わる重要な行為であった。至元八年(一二七二)、『易経』の「大哉乾元、万物資始」という一文に依拠し、国号を「大元《だいげん》」と定める。清代の考証学者である趙《ちょう》翼《よく》が指摘しているように、秦漢以来の国号は前王朝から封ぜられた爵号や、自らの統治する地名にもとづいていたのに対して、元朝は国号の典拠を初めて経典に求めた(『廿二史劄記《さっき》』巻二二、「元建国号始用文義」)。

国号「元」の意味をめぐっては、複数の議論が存在するが(李 二〇一九ほか)、ここでは措いておく。重要なのは、経典にもとづく観念的な名称を国号としなければ、多様なエスニシティや階層の心理的合一を図れないと、その制定に関わった人々が判断したことにある。

以上のように、伝統中華の統治ツールを援用しつつ、新機軸も織り交ぜながら、クビライ政権は時代の歯車を進めていく。一方で、こうしたクビライの一連の施策に対する批判的な見方も存在した。モンゴル高原に根拠地を置いた西北諸王による、クビライに対しての詰問が残されている(『元史』巻一二五、高智耀伝)。

> 西北の藩王は使者を派遣して入朝させ、「本朝(=元朝)の旧俗は漢法と異なるはずなのに、いまや漢地に留まり、都市・城郭、儀式などの制度を定めるにあたっても、漢地のやり方を準用している。なぜか?」と言ってきた。

伝統中華の制度を取り入れて、その文明に馴染もうとするクビライに対する痛烈な批判である。こうした意見が存在したことを考慮すれば、伝統中華の制度を取り込んだという点にのみ着目して、クビライ時代を過大に評価する見方は留保すべきであり、そうした指向が鮮明になるにはいま少しの時間を必要とした(舩田 二〇一八:一六頁)。影響力の極めて強い中華文明を受容する人々が存在する一方で、そうした世界に背を向ける、いわば保守的な勢力も確実に存在したのである。

元号、国号の制定とともに国都の建設も始まっていくが、この点は後述する。

元代の科挙

元朝の統治に関わって、近世中国において重要な位置を占める、科挙についても触れておこう。『元史』選挙志の冒頭部分が指摘するように、元代は出仕経路が多岐にわたり、相対的に科挙の占めた役割は低かったといわれる。これまで一般には、元代では科挙が中断した点、なおかつそこで掬《すく》い上げられた人材が、官界を順調に歩むことの無かった点が強調されてきた。関連して述べておけば、科挙及第者が皇帝に謝意を示す「上表謝恩」に際し、例年の季節移動のために、皇帝がすでに大都を離れていたということさえもあった（宋褧《そうけい》『燕石集《えんせきしゅう》』巻六、「登第詩五首」）。元朝政府の科挙への向き合い方について考えさせられる。

そもそも元代において科挙の実施は、早い段階で構想されていたものの、制度としての確立をみることはなかった。実力主義にもとづく人材登用が優先されたため、科挙の実施には消極的であったと見なさざるを得ない。しかしながら、皇慶二年（一三一三）になってようやく始まる（こののち一三三五年に中断し、四〇年に再開）、この時代の科挙のもたらした影響にも留意すべきものはある。

まず、経書解釈にあたっては、漢唐以来の古注疏《こちゅうそ》ではなく、朱子学的解釈にもとづく四書（大学・中庸・論語・孟子）理解が求められた。「近頃の江南の学校では四書しか教えていない」（袁桷《えんかく》『清容居士集《せいようこじしゅう》』巻四一、「国学議」）という批判的な言辞からは、四書の理解に偏る江南社会の趨勢と同時に、朱子学の江南社会への浸透も想起されよう。

科挙と四書理解の関係でいえば、この時期には参考書としての四書の注釈書――四書合刻（一七二種）、大学（三七種）、中庸（二八種）、論語（三〇種）、孟子（二三種）――が出版された（周 二〇〇八：附録）。遠くハラホト（黒城）で発見された『新編待問集四書疑節《しんぺんたいもんしゅうししょぎせつ》』の元刊本の残葉は、中華世界の辺境ともいえる土地であっても、そうした書籍が流通していた事実を伝えてくれる（虞 二〇〇三）。

教育の場である書院の数も元代になって増加した。元代で確認できる書院四〇六カ所のうち、元代になって創設されたのが二八二カ所、かつての書院を復興したのが一二四カ所である（鄧 二〇〇四：一九〇頁）。

科挙をめぐって表出する様々な事象は、南宋から元代江南を経て明代につながる重要な伏流の一つに位置づけられよう。

二、元の大都

大都前史

モンゴル高原を揺籃の地とするモンゴルが中華世界への足掛かりとして建設したのが、元の大都(現在の北京)である。ニューヨークやマドリード、そしてアンカラなどと同じ北緯四〇度付近に位置するこの地は、農耕地帯と遊牧地帯の接点として、古くから交易の要衝であった。歴史的にみれば、その起点は古代の燕であるが、重要な都市として脚光を浴びるのは、唐代以降である。遼代・金代ではそれぞれ南京・中都と呼ばれ、宋朝との交渉の窓口の役割を果たした。

このような北京地区が、江南まで領有した形として初めてチャイナプロパーの国都となるのが元の大都である。その意味で、大都は現在まで続く北京の歴史にとって重要な転機といえる。

大都の建設

至元三年(一二六六)一二月(以下、月日はすべて旧暦)、資材運搬用の運河開鑿《かいさく》をもって、大都の建設が始まる(以下、渡辺 二〇一七:第一章)。場所は、金代の中都の東北部が選ばれた。そのため当時の史料は、金の中都を「南城」「旧城」、元になって新たに作られた空間を「北城」「新城」と区別して表記する(本章では、前者を「南城」、後者を「大都城」とする。後出の**図**を参照)。なお、元代中期に至っても南城を指して「中都」と呼称することがあった(中村 二〇〇六：六六―七二頁）。したがって、二つの城壁で囲まれた広域の空間を一括して「大都」と理解しなければならない。

実質的な建設工事は至元四年から開始され、同一〇年には宮殿の主要な部分が完成した。同一一年正月の朝賀の儀礼はその完成を内外に宣言するものであった。これ以降、他の宮殿の工事とともに内装工事も始まる。同二二年には、南城から大都城への移住規定が公布された。移住にあたっては、一定の土地を所有した官僚が優先され、住宅を造る資力を持たない者の入城は許されなかった。

南城は元朝期を通じて大都城の住民の行楽地とも化していく。大徳八年（一三〇四）、虞集《ぐしゅう》は南城にあった長春宮を訪問し、「国朝の初めに大都城を燕京《えんけい》の北東に造営し、民衆を移住させて大都城を充実させた。〔そのために〕もとの燕城は廃れてしまった」という感慨を残している（虞集『道園学古録《どうえんがくころく》』巻五、「游長春宮詩序」）。また、至正一一年（一三五一）、カルルク（中央アジアのトルコ系遊牧民）の迺賢《ナシン》は友人とともに南城に出かけ、すでに荒廃が目立ちつつある金の故宮の建物を見学している（迺賢『金台集《きんだいしゅう》』巻二、「南城咏古十六首序」）。

なお、大都城が下敷きにしたとされる『周礼《しゅらい》』のプランについても言及しておきたい。大都城は、一般的には『周礼』プランを下敷きにしたといわれる。しかし筆者はこの点に疑問を抱いている。右で述べた南城の存在によって大都の形状が制約を受けた以上、完全な計画的都市であったと考えることは難しいのではなかろうか。むしろ、『周礼』に代表される古典にもとづくプランは明代の永楽帝が北京を造営した際に現出したと考えられる（斯波 二〇〇二：七四頁）。ただし筆者は、理念的プランの先行する「計画都市」は否定するものの、儀礼施設の配置などにあたっての「都市計画」までを否定しているわけではない。都市が生成されていくにあたって、無秩序に建物が建設されたとは考えにくいからである。ここでは、「計画都市」と「都市計画」とは分けて考える必要がある点を指摘しておく。

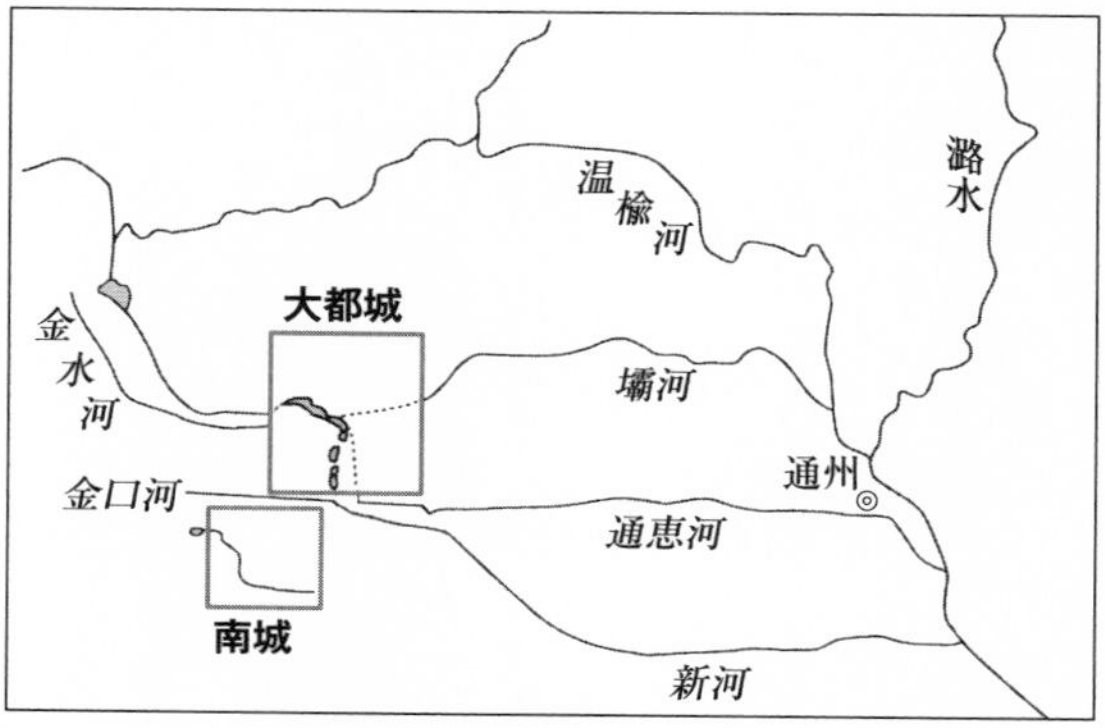

図　大都周辺の河川

物流（運河・陸路）の整備

大都には一般住民に加えて官僚・軍人などが居住した。そのため、突如として華北に出現したこの巨大な消費都市を維持するには、豊かな生産力を誇る江南からの物資輸送が不可欠となった。江南の税糧をいかに安定的に華北に運ぶかという、現代にもつながる問題の萌芽がここに確認できる。

江南から華北へは主として海道・大運河が利用されたが、問題は通州から大都に至る最終行程――直線で約五〇キロメートル、水位差約三七メートル――の克服であった。その解決策が、金代に利用された通恵河《つうけいが》の再開削である。通恵河は世祖治世の最末期である至元二九年（一二九二）に開削され、開閉式の水門を使ってこの高低差を克服した。ところが、この通恵河は性急に造営したためか、ほどなくして問題が生じる。まず木製水門の腐食が進んだ。そのため、至大四年（一三一一）六月に石製水門への交換が提言され、泰定《たいてい》四年（一三二七）に石材への換装を終えている（宋褧《そうけい》『燕石集』巻一二、「都水監改修慶豊石牐記《せきそうき》」等）。加えて堆積する土砂の浚渫《しゅんせつ》も課題になった。『元史』は幾度かの浚渫作業を伝える（『元史』巻二六、延祐《えんゆう》六年（一三一九）十月己卯の条等）。通恵河の完成によって、江南からの物資が円滑かつ恒常的に大都まで運び込まれたと考えられがちだが、時間の経過とともに問題が顕在化していったのである。

こうした状況を元朝政府は黙って見過ごしていたわけではない。まず大都城の中央部を西から東に向かって流れていた壩河《はが》を整備し、元末まで運用した（渡辺 二〇一七：第四章）。加えて、陸路も利用した。『元史』には陸路の整備が記される（『元史』巻三〇、泰定三年（一三二六）十月辛未朔の条等）。

以上のように、通恵河に加えて、壩河や陸路も利用しながら江南の物資を大都に運び込んでいた。のちにトゴン・テムル(順帝)は、大都攻略を目指した朱元璋《しゅげんしょう》の北閥軍が通州を手中に収めたという一報を知るや、ただちに大都の放棄を決意する(『元史』巻四八、至正二八年〔一三六八〕閏七月甲子の条)。要衝である通州が大都の命運を握っていることを悟っていたからであろう。

なお、大都は北のモンゴル高原や江南との結びつきのみならず、江南を起点に海域アジア世界を経て、西アジアにまでつながっていた。さらに、ウイグル人の交易活動・ネットワークを介して、大都は東部天山地方や河西とも陸路で結びついていた(森安 二〇一五：五〇三頁)。

儀礼施設の建設

国都にはその威厳を保つための様々な儀礼施設が設置された。大都も同様であり、主な儀礼施設を建設時期で整理すれば、以下のようになる。

太《たい》　廟《びょう》　至元一七年(一二八〇)　社稷壇《しゃしょくだん》　至元三〇年(一二九三)
郊《こう》　壇《だん》　至元三一年(一二九四)　三皇廟《さんこうびょう》　元貞元年(一二九五)
孔子廟　大徳一〇年(一三〇六)　先農壇《せんのうだん》　至大三年(一三一〇)

このようにすべてが同時期に建設されたのではなく、時間の経過に伴い、徐々に建設されていった点は注意をしておきたい。個別の建設過程は省略し、ここでは概略を紹介する(以下、とくに注記しない限り、『元史』巻七二―七六、祭祀志にもとづく)。

当初、祖先祭祀は、前述の南城にあった奉先寺《ほうせんじ》で行われた(『元史』巻四、中統二年〔一二六一〕九月庚申朔の条)。至元一四年(一二七七)正月に南宋の国都臨安《りんあん》を陥落させた元朝政府は、同年八月に、大都城における太廟の建設を命じる。

場所は大都城南東の斉化門《せいかもん》北側が選定された。至元一六年(一二七九)八月には、南宋から獲得した儀式に用いる物品などを収蔵させている(後述)。同一七年一二月一六日に太廟の南城からの移転を宣言し、二五日から二六日にかけて、廟内に安置してあった木主(位牌)を移出する。

注目すべきは、二七日に行われた南城の太廟の撤去である。旧太廟の撤去は、新太廟が建設された大都城が都であることを内外に示す宣言に他ならない。

祈天施設である郊壇も建設された(馬 二〇一九等)。大都城の建設後、太常寺に唐・宋・金の礼制を検討させ、麗正《れいせい》門《もん》の東南七里の場所に祈天のための「祭台」を設け、臣下が皇帝の代理を務める「有司摂事」の形式で祈天祭祀が執り行われた。「唐・宋」という伝統中国の方式に加えて、金(女真《じょしん》)の方式も検討させていることから、それまで続いてきた礼制の再編成を企図していたと考えられる。

祈天施設の設置にあたっては、金代と同じ場所が選ばれたが、このときの「祭台」はあくまで簡易的なもので、正式な郊壇ではない。壇は、クビライの死後、テムル(成宗)の即位から一九日後に建設された(『元史』巻一七、至元三一年(一二九四)四月壬寅の条)。大徳六年(一三〇二)三月から儀式が開始され、大徳九年になって演奏する楽章(音楽の歌詞)がようやく完成した(同巻六八、礼楽志二、制楽始末)。つまり実質的な祈天祭祀は、設備や楽章も含めてテムルの時代まで待たねばならなかった。モンゴル伝統の祈天祭祀は行う一方で、郊壇の設置には熱心でないモンゴルの姿勢が窺える。

漢族式の郊祀に対してもモンゴルは一貫して消極的であった。祭祀に皇帝が自ら赴く「皇帝親祭」の唯一の事例は、至順元年(一三三〇)のトク・テムル(文宗)によるもので、これは複数の史料に記されている(虞集『道園類稿《どうえんるいこう》』巻一五、「郊祀慶成頌」等)。非日常的・印象的な出来事ほど、記録として残りやすいという歴史学の鉄則に従えば、この皇帝親祭が特異な事例であったといえよう。

土地神(社)と五穀神(稷《しょく》)を祀る春と秋に行う祭祀は、農耕を主な生業とする漢族にとってはとくに重要なものとされていた。社稷の祭祀は至元七年(一二七〇)一二月に初めて実施されたが(『元史』巻七、至元七年一二月丙申朔の条)、社稷壇は、同二九年(一二九二)七月に建設が始まり、翌年正月に完成した。場所は和義門《わぎもん》の近くが選ばれた。太廟が先に建設されたため、この点に関しては「左祖右社《さそゆうしゃ》」という『周礼』プランに依拠したとみられる。同三〇年六月にはさっそく社稷の儀礼が行われている(同巻六八、礼楽志二、制楽始末)。制度が至元七年に制定されたのにもかかわらず、社稷壇の完成はクビライ死去の一年前のことであり、壇の建設の優先度は低かったといえる。

農業の成功を祈念する先農の祭祀についても、至元九年(一二七二)二月に祭祀は行われたが、壇の建設は至大三年(一三一〇)まで待たねばならない。社稷と先農は国家基盤に関わる農業振興と結びつくため、重要なものであった。しかし、農業振興の政策が先行し、祭祀は後から整備されたのである。

孔子廟も当初は南城に建設された。大都城における孔子廟の建設は大徳三年(一二九九)から開始され、同六年にほぼ完成した。同一〇年には楽器の製造を江浙行省《こうせつこうしょう》に委託し、同年八月にそれらを利用した最初の「釈奠《せきてん》(孔子を祀る典礼)」が行われた(『元史』巻六八、礼楽志二、制楽始末)。

以上概観してきたように、儀礼の実施やそれに伴う政策はクビライ時代に進められたものの、儀礼施設の建設は後回しにされた。しかし一方で、祭祀に関わる儀礼施設の建設を頑なに拒んだわけではない。儀礼施設を設置することで、大都を国都として広く認識させる意図は確実にあった。大都城での新廟建設とそれに伴う南城の旧廟の即時撤去は、その例証といえよう。

ただし、大都にはチベット仏教様式の王立寺院が複数建設され、皇帝も関与する宗教的行事が活発に行われた点は特記しておかなければならない(中村 一九九三ほか、乙坂 二〇一七：第三章)。

収蔵庫としての大都

中国の歴史をひもとけば、王朝交替のたびに、次代の支配者は前朝の所有してきた古籍や書画、儀礼用の物品を収集し、国都に集積させてきた。大都も同様であった。

元代後半の至正二年(一三四二)の記録によれば、書籍や書画を収蔵した当時の秘書監には、金と南宋から流伝したものに加えて、後に購入したものも収められていた(『秘書監志《ひしょかんし》』巻六、「秘書庫」)。この点について、時間をさかのぼって確認していく(久保田 二〇一九:七―八頁)。

太宗期の一二三四年、金朝の都である開封《かいほう》が陥落するや、史館にあった「金の実録・秘府図書」(『元朝名臣事略』巻六、「万戸張忠武王」)を張柔が真っ先に押収した。これらは張柔の根拠地である保定でしばらく保管されたのち、中統二年(一二六一)になって中都に運び込まれた(蘇天爵《そてんしゃく》『滋渓文稿《じけいぶんこう》』巻二五、「三史質疑」。王惲『秋澗先生大全文集』巻八〇、「中堂事紀」、中統二年二月丁酉の条)。「清明上河図」も、この混乱の中で開封から中都に運び込まれ、宮中でしばらく保管されていたが、元朝宮廷の表具師によって模本とすり替えられて市中に流出したことを、楊準《ようじゅん》の跋文(一三五四年執筆)が伝える(東京国立博物館ほか 二〇一九:二三〇頁)。

やはり太宗期の一二三三年には、耶律楚材《やりつそざい》が陥落間近の開封に居住する孔子の五一代孫の孔元措《こうげんそ》を衍聖公《えんせいこう》に封じ、かれに礼楽人を招集させた。孔元措は金朝滅亡ののち、中都や開封に取り残された金朝の礼楽関係者の捜索と礼楽器の収集を願い出て、中都で楽人九二名を確保している。中都で収集された礼楽器は三九九点を数えたが、それだけでは不充分であった。至元元年(一二六四)一一月、太常官が「中都だけでなく、寺観や民家にあった金の礼楽器を政府に供出させてはどうでしょうか」と上奏し、各道の宣慰司《せんいし》に文書を回した結果、三八五点が回収できた(『元史』巻六八、礼楽志二、制楽始末)。

以上みてきたように、書籍や礼楽器の回収作業は太宗の時代に始められたが、一カ所にまとめられたのはクビライの時代である。これは中都（のちの大都）の収蔵庫としての機能が備わり始めたことを意味する。

次に南宋滅亡後の状況もみていく。至元一二年（一二七五）九月の段階で、臨安の陥落を見すえて、宮城内の書籍・禁書の押収と、江南に散在していた版木の回収を指示している。押収すべき書籍の書名まで指示するほどの徹底ぶりであった（『秘書監志』巻五、「秘書庫」）。

至元一三年（一二七六）、臨安が陥落する。一月一八日に降表を受け取った伯顔《バヤン》は張恵らに命じて、倉庫内の戸籍や太廟・景霊宮《けいれいきゅう》の儀礼用品の押収を行わせた（『元史』巻一六七、張恵伝）。二月一一日に発せられた詔でも、秘書省の図書、太常寺の管理する儀礼用品、天文地理の図冊、戸口や版籍の自主的な提出を指示する（同巻九、至元一三年二月丁未の条）。史書の蒐集については、「宋史及び諸注記五千余冊を得て」（『国朝文類《こくちょうぶんるい》』巻七〇、元明善「藁城董氏家伝《こうじょうとうしかでん》」）とあるように、董文炳《とうぶんぺい》の指示のもと、実録や国史（ここには「宋史」とある）を始めとする約五〇〇〇冊の歴史書が押収された。これらはのちに『宋史』編纂の材料となる。

こうして押収された書籍、儀礼用品、礼楽器などは、一〇月から大都に運びこまれていく（『元史』巻九、至元一三年十月丁亥の条）。押収品の運搬に当たっては、海運と陸路が利用された（同巻九三、食貨志一、海運。虞集『道園学古録』巻二〇、「翰林学士承旨董公行状」）。大都に運び込まれた押収品は、さっそく展覧に供され、クビライの正妃であるチャブイの眼前に並べられた（同巻一一四、后妃伝）。

京朝官《けいちょうかん》を対象とした美術品の展覧会も開催され、参加した王惲は法書一四七点、絵画八一点のタイトルと作者の一覧を記録している（王惲『秋澗先生大全文集』巻九四、「玉堂嘉話《ぎょくどうかわ》」）。中には、魏晋の謝安・王羲之《おうぎし》、唐の褚遂良《ちょすいりょう》・顔真卿《がんしんけい》、北宋の蔡襄《さいじょう》・黄庭堅・米芾《べいふつ》ら錚々たる書家の作品も並んでいた。のちに清の乾隆帝《けんりゅうてい》に愛玩されて「三希堂《さんきどう》（乾隆帝の書斎）」の一つに入り、現在は台湾の故宮博物院に収蔵される、王羲之「快雪時晴帖」の名前も挙げられている。

以上述べてきたように、金朝や宋朝の継承してきた物品は、世祖によって回収され、大都に運び込まれ、一部流出したものもあるとはいえ、基本的には王室財産として保管された。こうしたものを保管した空間こそ、大都であった。

こうして集めた公文書、書籍を原史料として、『宋史』『遼史』『金史』の編纂も開始された。前の時代の記録を「正史」として編纂する作業は、南北に分裂したチャイナプロパーを統一した正統な継承者としての、元朝の立場を担保するものであった。ただし、三史の編纂は早くから構想されてはいたものの、完成は一三四五年まで待たねばならなかった(古松 二〇〇三)。

三、大都をいかに位置づけるか

では、このような大都はどのような都城と位置づければよいのか。まず大都は、金・南宋の継承者であることを具現化する空間であった。それは、前代からの書籍・絵画・礼楽器等を、当初は中都に、引き続き大都に集積・保管したことから指摘できよう。

ここまで述べてきたことを踏まえると、伝統的な中華世界で行われたことが、ただ忠実に大都で再現されたという印象を与えるかもしれない。しかしながら、伝統中国の都城とは大きく懸絶する点も大都は持ち合わせていた。

何よりも重要な点は、皇帝は常に大都で起居していたわけではないことである。遼・金・元、そして清、また西ユーラシアの遊牧諸政権全般にいえるが、彼らは自らの習慣を維持するため、複数の都を建設して、季節に応じて移動を続けた。まさに王権が移動したのである。元朝の場合も、冬の都である大都と、夏の都である上都(内モンゴル自治区正藍旗)の間を季節に応じて移動した。加えて大都と上都を結ぶ巡幸ルートの途中には、中都と呼ばれた都城も建設された(渡辺 二〇一九)。この移動は上都が陥落する至正一八年(一三五八)まで続く。

さらに、モンゴルが大都をどのように理解していたのかを考えるうえで示唆的な史実を紹介したい。

至正一七年六月、紅巾《こうきん》軍の武将である劉福通《りゅうふくつう》麾下《きか》の毛貴《もうき》は、山西から大都、陝西《せんせい》、山東から大都へと軍隊を展開した。大都南郊の柳林《りゅうりん》が陥落し、いよいよ情勢が緊迫するなか、朝廷ではその対応をめぐって議論が百出する。大都を放棄して上都に逃げるべきと訴える者、陝西の京兆府《けいちょうふ》（現在の西安）への遷都を提言する者もあらわれた。そうした議論に与《くみ》しなかったのは、代々上都留守を勤めてきた賀氏一族（漢族）の太平《たいぴん》ただ一人であった（『元史』巻一八八、劉哈剌《リュウカラ》不花《ブカ》伝）。ここからは、元朝政府の中枢が大都の放棄を躊躇しなかったことを看取できる。

以上のように、大都は伝統的な中華世界の要素を抱えた都城でありながらも、それとは大きく異なる要素をも含んだ都城であった。

おわりに——元朝の記憶の行方

元末明初まで時計を進める。

至正二八年（一三六六）正月朔日、トゴン・テムルは社会の動揺に不安を高めつつも、大都の宮廷では皇帝として振る舞っていた。一方、すでに江南の過半を収め呉王を称した朱元璋（太祖）は応天府《おうてんふ》（現在の南京）で皇帝に即位する（『明太祖実録』巻二九、洪武元年（一三六八）正月乙亥の条）。これと同時に国号（大明）と元号（洪武《こうぶ》）も定めた。さらに、南郊祭祀も行うことで、政権の所在地が南京であることを天下に示した。こののち大都を陥落させた攻略軍の最高指揮官である徐達《じょたつ》が真っ先に行ったことは、書籍や儀礼用具の押収であった（同巻三一、洪武元年十月戊寅の条）。押収した公文書・書籍等は南京に運び込まれ、翌年二月には、それらにもとづいて、『元史』の編纂が開始される（同巻三七、洪武二年二月丙寅朔の条）。

明朝初期のこうした動きは、本章で述べてきた元朝のそれとほぼ相似形をなす。ただし、明朝の場合はいずれも短期間で実施された。それはなぜか。『元史』本紀は、明朝が追諡《ついし》した順帝の意味を、「天命」に「順じ」て大都を「退去」したために「順帝」と加号した、と説明する（『元史』巻四七、至正三〇年（一三七〇）五月癸卯の条）。『元史』を編纂した明朝政府は、元朝はあくまで大都から「退去」したに過ぎず、いまだモンゴル高原では北元が勢力を維持していることを正しく認識していた。統治の正統性に不安を抱いていたからこそ、明朝は自らの正統性を早々にアピールし、元朝を急ぎ歴史の彼方へと封じ込めなければならなかったのである。しかし、人々には元朝の記憶が残っていた。北元の存在は、人々に「元」字の使用を忌避させ、「呉原年」「洪武原年」と記すこともあったという（鶴成 二〇一九：三七六―三七七頁）。

ただし、明という時代の進むなか、現実的な問題が生じた場合、依るべきは元代の記憶であった。一例を挙げる。成化六年（一四七〇）二月から六月にかけて断続的に北京を襲った豪雨は、通州・北京間の物資輸送に支障をもたらし、米価の高騰を招いた（『明憲宗実録』巻八三、成化六年九月己亥の条）。この対処法として提言されたのが、すでに使用不能となっていた通恵河の改修工事であった。成化帝は臣下に対し、現地調査に加えて、文献史料『元史』と、水門に立っている石碑の調査を命じる（同巻九七、成化七年十月丙戌の条）。現実の問題に対して、人類はしばしば過去の叡智に解決策を求める。北京を都とした明朝政府が「解」を求めた先は、元の大都を都にした元朝の時代であった。なお附言しておけば、直後の成化八年三月に北京で行われた会試における策問の第五問では、首都に直結する運河に関して問われた（『成化八年会試録』）。当時の社会問題が科挙に反映された一例といえる。

ここまで述べてきた事実を踏まえると、伝統的な中華世界に元朝という時代をどのように位置づけることができるのであろうか。

まず、モンゴルは、「第二次南北朝時代」とよばれた長期にわたる分裂を解消した。宋と金の文物が大都に集められたのは、分裂―統合のプロセスの象徴といえよう。そのため、およそ一世紀に及ぶモンゴル統治は、時代の大きな転換点となり、明清時代から現代にいたる中国社会を考えるうえでも、重要な時代であることは強調されてよい。

この時代を考察するにあたっては、金―元―明、宋―元―明、と王朝交替が繰り返されるなか、そこに断絶を認めながらも、連続した点、連続せざるを得なかった点にも目を向ける必要がある。すなわち、この時代に導入されたモンゴル独自の様々な制度や、モンゴルの統治によって大きな影響を受けた社会の実態解明とともに、伝統的な中華世界で脈々と続いた制度や社会が、元朝統治下でいかに変容を加えつつ運用されたかについても、等しく考察されなければならない。

たとえば、城壁で囲まれた二つの都城(大都と上都)を建設し、その間を季節に応じて移動したことは、北方民族による中華世界の統治を考えるうえで重要なヒントが秘められている。また、元朝初期は実施されなかった科挙が、一度復活したあと再び中断し、さらに再復活を遂げた事実は、科挙に向けた社会の強い渇望とともに、リクルートシステムとしての完成度の高さをも示唆している。それまでの中華世界で形成された制度・社会の強靭性や持続性は、この時代にこそ、見出されるのかもしれない。そういった意味で、とりわけ元の大都＝北京は、連続面や断絶を考えるうえで恰好の舞台といえる。

過去の研究のようにモンゴルを徒《いたずら》に貶める必要はないし、また過度に称揚する必要もない。あたかも、地中深く絡みあった地下茎を探るかのように、目に見えないつながりの解明こそが歴史学の醍醐味だとすれば、時間的にも空間的にも元朝を総体的に理解する環境が整いつつある。これまでに獲得した知見を踏まえながら、埋もれていた史実を丹念に掘り起こし、この魅力的な時代の検討を深めていくことが今後も求められよう。

参考文献

飯山知保(二〇一一)『金元時代の華北社会と科挙制度――もう一つの「士人層」』早稲田大学出版部。

飯山知保（二〇一九）「ユーラシア東部における「唐宋変革」期」『一一八七年　巨大信仰圏の出現』〈歴史学の転換期〉4、山川出版社。

井黒忍（二〇一三）『分水と支配――金・モンゴル時代華北の水利と農業』早稲田大学出版部。

植松正（一九九七）『元代江南政治社会史研究』汲古書院。

大庭脩（一九九七）「私の中国史の時代区分」『象と法と』大庭脩先生古稀記念祝賀会。

乙坂智子（二〇一七）『迎仏鳳儀の歌――元の中国支配とチベット仏教』白帝社。

久保田和男（二〇一九）「大元ウルスの都城空間と王権儀礼をめぐって――宋遼金都城と元大都の比較史的研究の試み」『長野工業高等専門学校紀要』第五三号。

櫻井智美（二〇一八）「元代の南海廟祭祀」『駿台史学』第一六三号。

櫻井智美ほか編（二〇二一）『元朝の歴史――モンゴル帝国期の東ユーラシア』勉誠出版。

斯波義信（二〇〇二）『中国都市史』東京大学出版会。

杉山正明（一九九六）『モンゴル帝国の興亡』上・下、講談社現代新書。

杉山正明（二〇〇四）『モンゴル帝国と大元ウルス』京都大学学術出版会。

高橋文治（二〇一一）『元好問とその時代』大阪大学出版会。

檀上寛（二〇一六）『天下と天朝の中国』岩波新書。

陳高華（一九八四）『元の大都――マルコ・ポーロ時代の北京』佐竹靖彦訳、中公新書。

堤一昭（二〇〇〇）「大元ウルス治下江南初期政治史」『東洋史研究』第五八巻第四号。

鶴成久章（二〇一九）「「一世一元」制度の淵源」水上雅晴編『年号と東アジア――改元の思想と文化』八木書店。

東京国立博物館ほか（二〇一九）『決定版　清明上河図』国書刊行会。

冨谷至（二〇二一）「中華世界の重層環節　その第一幕」『岩波講座　世界歴史』第五巻、岩波書店。

中砂明徳（一九九七）「江南史の水脈――南宋・元・明の展望」『岩波講座　世界歴史』第一一巻、岩波書店。

中砂明徳（二〇〇二）『江南――中国文雅の源流』講談社選書メチエ。

中村健太郎（二〇〇六）「ウイグル文「成宗テムル即位記念仏典」出版の歴史的背景――U4688 [T II S 63]・*U 9192 [T III M 182] の

分析を通じて」『内陸アジア言語の研究』第二一号。

中村淳（一九九三）「元代法旨に見える歴代帝師の居所——大都の花園大寺と大護国仁王寺」『待兼山論叢』第二七号。

中村淳（二〇二一）「大モンゴル国の成立——一二〇六年と一二一一年」『駒沢史学』第九六号。

舩田善之（二〇一八）「モンゴル帝国の定住民地域に対する拡大と統治——転機とその背景」『史学研究』第三〇〇号。

古松崇志（二〇〇三）「脩端「辯遼宋金正統」をめぐって——元代における『遼史』『金史』『宋史』三史編纂の過程」『東方学報』第七五冊。

古松崇志ほか編（二〇一九）『金・女真の歴史とユーラシア東方』勉誠出版。

三浦秀一（二〇〇三）『中国心学の稜線——元朝の知識人と儒道仏三教』研文出版。

宮紀子（二〇〇六）『モンゴル時代の出版文化』名古屋大学出版会。

宮紀子（二〇一八）『モンゴル時代の「知」の東西』上・下、名古屋大学出版会。

森安孝夫（二〇一五）『東西ウイグルと中央ユーラシア』名古屋大学出版会。

矢澤知行（二〇一九）「元代長江デルタ地域における綿業の展開とその意義」*Journal of international studies*, 4.

渡辺健哉（二〇一七）『元大都形成史の研究——首都北京の原型』東北大学出版会。

渡辺健哉（二〇一九）「元中都研究の現状と課題——大都・上都・中都の比較史的考察に向けての覚書」『大阪市立大学東洋史論叢』第一九号。

于磊（二〇一三）「元代江南知識人の職能化について——儒・医の関係を中心に」『集刊東洋学』第一〇九号。

鄧洪波（二〇〇四）『中国書院史』東方出版中心。

李春圓（二〇一九）「"大元"国号新考——兼論元代蒙漢政治文化研究」『歴史研究』二〇一九年第六期。

劉暁（二〇一五）「元代郊祀初探」『隋唐遼宋金元史論叢』第五輯。

馬暁林（二〇一九）「蒙漢文化交会之下的元朝郊祀」『中国史研究』二〇一九年第四期。

求芝蓉（二〇二〇）『元初「中州士大夫」与南北文化統合』社会科学文献出版社。

温海清（二〇一二）『画境中州——金元之際華北行政建置考』上海古籍出版社。

虞万里（二〇〇三）「黒城文書『新編待問』残葉考釈与復原」『漢學研究』第二一巻第一期。
周春健（二〇〇八）『元代四書学研究』、華東師範大学出版社。
Wang, Jinping (2018), *In the Wake of the Mongols: The Making of a New Social Order in North China, 1200–1600*, Harvard University Asia Center.

集点 | *Focus*

法構造の新展開

川村　康

はじめに

前近代中国の古典的法構造

前近代中国において「法」は文章化された成文法を意味する。前近代中国の古典的法構造を滋賀秀三は以下のように整理する。これらはまず、基本法典、副次法典、単行指令の三階層をなす。基本法典は基本的かつ永続的な法的価値をもつ規範を定める条項からなる。単行指令は現実社会の必要に応じて発せられる法的価値をもつ皇帝の命令である制勅《せいちょく》をさす。これは個別具体的案件を解決する処分的単行指令と、政策を遂行し制度を構築する立法的単行指令とに分けられる。立法的単行指令のなかから将来的にも通用すべき法的価値をもつ要素を抽出して編纂されるのが副次法典である。部分改正を容れず、わずかな条項の改定にも全面改正を必要とする基本法典を、現実社会の必要に応じて補充修正するものである。これらはまた、刑罰法と非刑罰法の二領域に分けられる。刑罰法は規範と罰則の双方の規定をもち、非刑罰法は罰則を刑罰法に委ねて規範の規定だけをもつ。刑罰法の基本法典としては律《りつ》、非刑罰法の基本法典としては令《れい》が想定される。

古典的法構造の形成

この三階層・二領域からなる古典的法構造は、漢人王朝の歴史とともに形成されてきた。法の形成期には、紛争解決や制度構築のために支配者が発した命令のなかで法的価値が認められるものが不文法として伝承され、さらに重要なものが文字に固定されて成文法となった。その中核は刑罰法である。戦国時代の魏《ぎ》の文侯《ぶんこう》年間（前四四五―前三九六）に李悝《りかい》が定めた『法経六篇《ほうけいろっぺん》』は中国における体系的法典の起源とされる。商鞅《しょうおう》がこれを秦《しん》に導入したときの名称である「律」が刑罰法の一般的名称となった。しかし漢の『九章律《きゅうしょうりつ》』は基本法典としての性質をもたず、旁章律《ぼうしょうりつ》その他の単行律と並存する状況が後漢《ごかん》末までつづいた。基本法典としての律の確立には三国時代の魏の『新律十八篇《しんりつじゅうはっぺん》』を、刑罰法の基本法典としての律と非刑罰法の基本法典としての令の並立には西晋《せいしん》の『泰始律令《たいしりつれい》』を待つことになる。副次法典としての格《かく》と式《しき》の確立には南北朝時代における法典編纂の経験を経た隋《ずい》の開皇《かいこう》年間（五八一―六〇〇）を、古典的法構造の一体としての確立には唐《とう》の『永徽《えいき》律令格式』を待たなければならない。律令法体系と称される唐の法構造をまとめれば、律は刑罰法の、令は非刑罰法の基本法典であり、格は律令双方についての副次法典、式は非刑罰法の細則法典であって広義の副次法典に含まれる。律の公権的注釈である律疏《りつそ》も法的効力をもつ。言い換えれば、刑罰法の基本法典は律、副次法典は格の関連部分であり、非刑罰法の基本法典は令、副次法典は格の関連部分、細則法典が式である。いつの時代にも、ふたつの法領域を通じて単行指令は存在する。

本章の構成

唐前半までに形成されてきた古典的法構造は、そのままのかたちで後代へと継承されたわけではない。それ以後の社会変動に応じて新たな展開を迎える。本章はまず、唐後半から五代、宋《そう》へと至る漢人王朝における法構造の変容を

表1　唐から明初までの主要法典類

【　】: 漢人王朝　〔　〕: 征服王朝

西暦	王朝・年代	名称
六二四	【唐】武徳七	武徳律令
六三七	【唐】貞観一一	貞観律令格
六五一	【唐】永徽二	永徽律令格式
六五三	四	永徽律疏
六六五	【唐】麟徳二	麟徳令格式
六七七	【唐】儀鳳二	儀鳳令格式
六八五	【唐】垂拱元	垂拱律令格式
七〇五	【唐】神龍元	神龍律令格式
七一二	【唐】太極元	太極格
七一五	【唐】開元三	開元三年令格式
七一九	七	開元七年令格式
七三七	二五	開元二十五年律令格式・律疏・格式律令事類
八一八	【唐】元和一三	元和格後勅
八三三	【唐】大和七	大和格後勅
八三九	【唐】開成四	開成詳定格
八五一	【唐】大中五	大中刑法総要格後勅
八五三	七	大中刑律統類
九一〇	【後梁】開平四	大梁新定格式律令
九二五	【後唐】同光三	同光刑律統類
九三五	【後唐】清泰二	清泰編勅
九三九	【後晋】天福四	天福編勅
九五一	【後周】広順元	大周続編勅
九五八	【後周】顕徳五	大周刑統
九六三	【北宋】建隆四	重詳定刑統(宋刑統)・新編勅
九七八	【北宋】太平興国三	太平興国編勅
九九四	【北宋】淳化五	淳化編勅
九九八	【北宋】咸平元	咸平編勅・儀制勅
一〇一六	【北宋】大中祥符九	大中祥符編勅・儀制勅
一〇三二	【北宋】天聖一〇	天聖編勅・天聖令・附令勅
一〇三六	〔遼〕重熙五	重熙新定条制
一〇四八	【北宋】慶暦八	慶暦編勅・続附令勅
一〇六二	【北宋】嘉祐七	嘉祐編勅・続附令勅
一〇七〇	〔遼〕咸雍六	咸雍重修条制
一〇七三	【北宋】熙寧六	熙寧編勅・附令勅・申明勅
一〇八四	【北宋】元豊七	元豊勅令格式・申明刑統
一〇八七	【北宋】元祐二	元祐勅令式・申明刑統
一〇九九	【北宋】元符二	元符勅令格式・申明刑統
一一一三	【北宋】政和三	政和勅令格式
一一三二	【南宋】紹興二	紹興勅令格式・申明刑統・随勅申明
一一四五	〔金〕皇統五	皇統制
一一四九―六九	〔西夏〕天盛年間	天盛改旧新定律令
一一五六―六一	〔金〕正隆年間	正隆続降制書
一一六一―六三頃	〔金〕大定初	軍前権宜条理
一一六五	五	続行条理
一一七〇	【南宋】乾道六	乾道勅令格式・存留照用指揮
一一七七	【南宋】淳熙四	淳熙勅令格式・随勅申明
一一八〇	七	淳熙条法事類
一一八二	〔金〕大定二二	大定重修制条
一一九八	【南宋】慶元四	慶元勅令格式・随勅申明
一二〇二	〔金〕泰和二	泰和律義・律令・新定勅条・六部格式
一二〇三	【南宋】嘉泰三	慶元条法事類
一二一二	〔西夏〕光定二	光定壬申新法
一二四二	【南宋】淳祐二	淳祐勅令格式
一二五一	一一	淳祐条法事類
一二九一	〔元〕至元二八	至元新格
一三〇〇	〔元〕大徳四	大徳律令草案
一三二二頃	〔元〕至治二頃	元典章(大元聖政国朝典章・大元聖政典章新集至治条例)
一三二三	三	大元通制(通制条格)
一三四五	〔元〕至正五	至正条格
一三六八	【明】洪武元	大明律・大明令

概観する。次に、遼《りょう》から金《きん》、西夏《せいか》、元《げん》へと至る征服王朝における法構造の形成を概観する。これらの概観を通じて、この時期の法構造のなかで中核を占める存在が何であったのかが明らかになる。なお、法典類の年代は、原則として**表1**を参照していただきたい。

一、漢人王朝の法構造

唐後半

唐の永徽年間に確立した法構造を体現する法典の編纂は開元《かいげん》二十五年次で終結した（以下、本章では、この年次の律令格式を唐の律令格式とする）。安史《あんし》の乱《らん》を中心的契機とする戦乱と社会変動が律令格式の編纂の継続を不可能にしたのである。しかし、社会変動に呼応する法の制定が不可欠であることに変わりはない。法の社会変動への対応は、まず制勅によりなされる。その蓄積に整理編纂を加え、不動の存在と化していた律令格式を「外側」から修正補充する再副次法典として、憲宗《けんそう》朝では『元和《げんな》格後勅《かくごちょく》』、文宗《ぶんそう》朝では『大和《たいわ》格後勅』と『開成《かいせい》詳定格《しょうていかく》』（開成格）がつくられた。宣《せん》宗《そう》朝の『大中《たいちゅう》刑律《けいりつ》統類《とうるい》』は、数箇条の律条を門にまとめ、これに関連する令格式と制勅の条項を附載《ふさい》した私撰《しせん》の書であったが、奏上《そうじょう》されて公的に行用された。刑罰法の基本法典である律は刑律統類へと模様替えしたのである。唐末の法構造は、刑罰法の基本法典に律、副次法典に格の関連部分、再副次法典に格後勅と開成格の関連部分が、非刑罰法の基本法典に令、副次法典に格の関連部分、再副次法典に格後勅と開成格の関連部分、細則法典に式が位置するものであった。

五代

唐の禅譲《ぜんじょう》を受けて九〇七年(開平《かいへい》元年)に後梁《こうりょう》を建てた太祖《たいそ》・朱全忠《しゅぜんちゅう》は唐法を廃して『大梁新定格式律令《たいりょうしんていかくしきりつりょう》』をつくった。五代で独自の律をもつ王朝は後梁だけであるが、その律令式は唐の律令式と、格は開成格と大差ないとされる。九二三年(同光《どうこう》元年)に後唐《こうとう》を建てて後梁を滅ぼした荘宗《そうそう》・李存勗《りそんきょく》は唐制の復興をめざし、梁法を廃して唐法を復活させた。『大中刑律統類』を実質的に継承した『同光刑律統類』を定めて刑律統類を官撰《かんせん》の法典に格上げし、格を『開成詳定格』に統一した。後唐末に建国以来の制勅を選抜編集してつくられた『清泰編勅《せいたいへんちょく》』は格後勅の性格を継ぐ。契《きっ》丹《たん》の後援を得て後唐を倒し、九三六年(天福《てんぷく》元年)に後晋《こうしん》を建てた高祖《こうそ》・石敬瑭《せきけいとう》は『天福編勅』を定めて『清泰編勅』に代えた。後漢《こうかん》を継いで九五一年(広順《こうじゅん》元年)に後周《こうしゅう》を建てた太祖・郭威《かくい》は『天福編勅』への追加として『大周《たいしゅう》続編勅』をつくった。五代第一の名君とされる世宗・柴栄《さいえい》の『大周刑統《けいとう》』は、『大中刑律統類』の体裁を踏襲したうえで、律疏の一部を採録し、新条項を追加した。これにより『大中刑律統類』『開成詳定格』『天福編勅』『大周続編勅』は廃された。五代末の法構造では副次法典はいったん姿を消し、刑罰法の基本法典には刑統に含まれる唐律が、非刑罰法の基本法典に唐令、細則法典に唐式が置かれた。

北宋前半

後周の禅譲を受けて九六〇年(建隆《けんりゅう》元年)に宋を建てた太祖・趙匡胤《ちょうきょういん》は、『大周刑統』の体裁を受け継ぐ『重詳定《じゅうしょうてい》刑統』すなわち『宋刑統』を発した。これは律疏の全文を収載して、南宋末まで基本法典として効力をもちつづけた。印刷刊行された最初の法典とされ、最終巻の末尾を除いて今日に伝わる。その編纂の際に『大周刑統』から削られた条項と、『大周刑統』編纂後の制勅を素材として『新編勅』がつくられた。唐の令式は法的効力をもつものとして継承された。宋初の法構造では、刑罰法の基本法典に刑統、副次法典に編勅の関連部分を、非刑罰法の基本法典に唐令、副次法典に編勅の関連部分、細則法典に唐式を置いた。しかし唐の律・律疏と令式とでは、九七九年(太平興国《たいへいこうこく》四年)

に中国を再統一した王朝の現実に充分には対応できない。法変動の役割を担う編勅は、太宗《たいそう》朝の太平興国、淳化《じゅんか》と編纂を重ねるうちに膨大化した。真宗《しんそう》朝の『咸平《かんぺい》編勅』では、儀礼や儀式に関する規定が分かち出されて儀制勅《ぎせいちょく》という非刑罰法の副次法典のひとつとなり、特定の地域、官庁、行政分野に関する規定も削られた。仁宗《じんそう》朝の『天聖令《てんせいれい》』は唐令と儀制勅ならびに編勅の非刑罰法の部分や制勅の要素を条文化したもので、唐令に代わる非刑罰法の基本法典である。戴建国《たいけんこく》が一九九九年に寧波《ニンポー》の天一閣《てんいつかく》から三分の一程度を発見した『天聖令』では、各篇目の現行の令条のあとに、廃止された唐の令条が「不行《ふこう》唐令」として附載されている。『天聖令』を補充修正する附令勅《ふれいちょく》も『天聖編勅』とともにつくられ、慶暦《けいれき》・嘉祐《かゆう》の編勅が編纂されたときには続附令勅が加えられた。仁宗朝に形成された法構造では、『宋刑統』が刑罰法の基本法典、編勅の関連部分が副次法典に、『天聖令』が非刑罰法の基本法典、編勅の関連部分と附令勅・続附令勅が副次法典、唐式が細則法典に位置した。

北宋後半・南宋

唐宋変革にひとつの劃期《かっき》をなす神宗《しんそう》朝の熙寧《きねい》・元豊《げんぽう》の改革は法構造にも及んだ。熙寧の編勅は旧来の方針でつくられたが、元豊年間には勅令格式《ちょくれいかくしき》へと整理された。勅は編勅に含まれていた刑罰法の部分の要素を律の規定形式で条文化したものである。勅条だけが規定する事項、ならびに律条と勅条が牴触《ていしょく》する事項には勅条を適用し、律条だけが規定する事項には律条を適用する。律条が適用できる事項について勅は規定しないので、勅は律に代わるものではない。刑罰法では基本法典に刑統、副次法典に勅が位置する。元豊の令は『天聖令』と附令勅・続附令勅ならびに編勅の非刑罰法の部分、さらには唐式の要素を唐令の規定形式で条文化したものである。元豊の格式は唐の格式とは規定形式を異にする。唐格が命令文言を抜き書きした制勅を列記するものであるのに対して、元豊の格は官員の出張の従者の人数を官品ごとに列挙するような表示的規定の集成である。唐式がおおむね令に準ずる規定形式の細則規定集であるのに対して、元豊の式は唐公式令《こうしきれい》の文書式《ぶんしょしき》に相当するような書式的規定の集成である。元豊の令格式は規定形式で分けられているのであり、基本法典・副次法典・細則法典という階層構造にはない。元豊以降には、命令文言を抜き書きした制勅を集成した、唐格や編勅に類する規定形式の申明《しんめい》もつくられた。これには、刑統を補充修正する申明刑統と、勅令格式を補充修正する随勅《ずいちょく》申明とがある。格を含まない『元祐《げんゆう》勅令式』を除いて、北宋後半の党争や南宋初の戦乱を経て南宋末に至るまで、勅令格式の体系は継承されるが、編纂のたびにその分量は増大してゆく。検索の便をはかるため、南宋後半には勅令格式と随勅申明の条項を分門類別した条法事類《じょうほうじるい》がつくられた。その二番目の『慶元《けいげん》条法事類』は半分弱が今日に伝わる。条法事類は開元二十五年次の律令格式を分門類別した唐の『格式律令事類』に範をとったとされるが、吏部勅令格式申明を類別した南宋の吏部七司条法総類《しちしじょうほうそうるい》に倣《なら》ったと考えるべきである。

一司勅

吏部七司条法総類は、全国に通用する「海行法《かいこうほう》」ではなく、「一司勅《いっしちょく》」と箇称される法分野に属する。宋の法制の特徴のひとつである一司勅は「一司一路一州一県勅《いちろいっしゅういっけんちょく》」とも総称され、特定地域に適用される法、特定官庁に適用される法、特定行政分野に関する法の三部類に大別される。『咸平編勅』がその内容を海行法に限定したことが一司勅の編纂の契機となり、九九九年(咸平二年)に『三司《さんし》删定《さんてい》編勅』、一〇二〇年(天禧《てんき》四年)に『一州一県新編勅』と『删定一司一務《いちむ》編勅』が発せられた。宋では行政実務を成文法のもとに統制する方針が貫かれたが、唐よりも多様化した行政実務の法的要素は海行法には収めきれず、一司勅という独立の法分野を設けざるを得なかったのである。木版印刷術の普及も一司勅の法典としての記録を可能にし、一司勅は宋を通じて枚挙にいとまがないほどにつくられた。編勅の形式をとってはじまった一司勅は、元豊以降には勅令格式の形式をとった。その一斑は『永楽大典《えいらくたいてん》』残本に一部が伝わる、一二六二年(景定《けいてい》三年)頃の『景定重修《じゅうしゅう》吏部条法総類』にうかがうことができる。これは三番目の吏部七司条法総類である。最初の吏部七司条法総類である一一七六年(淳熙《じゅんき》三年)の『淳熙吏部条法総類』は、官員の人事に関する吏部七司法などを編集した一一七五年(淳熙二年)の『淳熙重修吏部勅令格式申明』を分門類別したものである。一司勅の効力は海行法に優越したので、海行法を一般法とすれば一司勅は特別法にあたる。一司勅はまた、唐の法構造では式にあたる細則法典の一種としても理解できる。元豊の勅令格式の編纂の際に唐式を廃することができたのは、咸平年間以後、唐式の法分野が実質的に一司勅に委ねられたからである。

断《だん》例《れい》

断例の編纂も宋の法制の特徴のひとつである。単行指令である制勅は既存の成文法に拘束されない皇帝の意思表示であり、その効力は基本法典にも副次法典にも優越する。政策遂行や制度構築のための立法的単行指令は副次法典編纂の素材として整理される。個別具体的案件を解決するための処分的単行指令はその案件についてだけ効力をもつはずであるが、案件解決後も無用の記録と化すわけではない。現代日本の行政処分が先例、判決が判例として活用されるのと同様に、類似の案件が生じたときに検索して活用される。そのような法的価値をもつ処分的単行指令を、宋では「法」と対比して「例」と呼んだ。ところが「例」の検索を担う文書管理担当の胥吏《しょり》は、往々にして不正な先例操作を行い、「法」に反する事態を招いた。これを「用例破法《ようれいはほう》の弊《へい》」として問題視しても、「法」と「例」の兼行は避けられない。抽象的法規定を具体的案件に適用する際には法解釈が必要であり、その過程において既存の類例は参照価値をもつ。既存の類例に対して下された皇帝の特旨《とくし》を、恩恵的な減刑や賞賜の奏請《そうせい》の際に援用することは、法に柔軟性を与える意義をもつ。「例」の検索に資するため、人事などに関する「例」をあつめた例冊《れいさつ》とともに、刑事司法に関する「例」をあつめた断例が編纂されるのも必然の趨勢であった。唐の六七七年(儀鳳《ぎほう》二年)頃に趙仁本《ちょうじんほん》が私撰した『法例《ほうれい》』は、高宗《こうそう》の「律令格式が備わる以上、煩瑣《はんさ》な例をつくることはない」との批判により廃されたが、宋では廃することのできない存在であった。宋の断例は私撰あるいは大理寺・中書の内部的編纂からはじまり、一〇九九年(元符《げんぷ》二年)には官撰の『刑名断例《けいめいだんれい》』がつくられた。断例の編纂は北宋後半にもつづけられ、南宋でも高宗朝の一一六〇年(紹興《しょうこう》三〇年)に『紹興編修《へんしゅう》刑名疑難《ぎなん》断例』、孝宗《こうそう》朝の一一六六年(乾道《けんどう》二年)に『乾道新編《しんぺん》特旨断例』がつくられた。疑難断例は法の解釈適用に、特旨断例は皇帝の特旨に関するものである。断例は処分的単行指令の検索を容易にするものにすぎず、断例に採録されなかった処分的単行指令も検索の対象として存在しつづける。処分的単行指令と断例の関係は、現代日本の裁判所の判決と判例集の関係に類し、立法的単行指令と副次法典の関係とは異なる。「例」と「法」の峻別を前提とする宋の断例は、「法」である明《みん》の問刑条例《もんけいじょうれい》ともまた異なる。

漢人王朝の法構造の中核

漢人王朝の法構造においては、刑罰法では基本法典は刑統へと変容したが実質的には唐律でありつづけ、副次法典は格後勅から編勅、そして勅へと変遷した。非刑罰法では基本法典が唐令から『天聖令』へ、副次法典が格後勅から編勅・附令勅・続附令勅へと変遷したのち、規定形式で分けられる令格式が形成された。非刑罰法では階層構造が融解する一方で、刑罰法では唐律が中核にありつづけたのである。

二、征服王朝の法構造

遼

唐末五代の混乱期、東北辺から北辺の地に契丹人を統合した耶律阿保機《やりつあぼき》が自立し、九一六年(神冊《しんさく》元年)に帝位に即いた。遼の太祖である。遼は、太宗朝に後唐を滅ぼして後晋から得た燕雲《えんうん》十六州をその支配領域の南限とし、後晋を滅ぼして獲得した中原《ちゅうげん》の地は放棄した。聖宗《せいそう》が一〇〇四年(統和《とうわ》二二年。宋：景徳《けいとく》元年)に宋の真宗と結んだ澶淵《せんえん》の盟《めい》でもこれを維持した。遊牧民の契丹人・奚《けい》人は部族に編成して北面官が、農耕民の渤海《ぼっかい》人・漢人は州県に編成して南面官が統治する二系統並立の統治体制がつくられ、法についても二系統並立の構造がとられた。太祖は遊牧民に適用する法の制定と漢人への律令の適用を命じ、太宗は渤海人への漢法の適用を定めたとされるが、これらを内容とする法典は残存しない。遊牧民に適用する法についての明確な記録はないが、農耕民に適用する律令・漢法は唐の律令と唐末五代の法ならびに建国以来の農耕民の法を包含する。漢化政策を推進した聖宗は、法についてもこの方針をとり、契丹人と漢人の刑罰の統一や、一定の罪を犯した契丹人への律の適用を命じた。興宗《こうそう》朝には太祖以来の法令に建国以前の遊牧民の法である条制《じょうせい》を加味した『重熙《じゅうき》新定条制』がつくられた。これに修正削除をほどこして律条および新定の条項を加えた道宗《どうそう》朝の『咸雍《かんよう》重修条制』は契丹人と漢人への適用法の一元化をはかったが、施行後も条項が追加されつづけて内容が煩瑣を極めたため、一〇八九年(大安《たいあん》五年)に廃された。条制は佚文《いつぶん》も発見されておらず、契丹文字で記されたのか漢字で記されたのかも不明である。刑罰法・非刑罰法の区分の存否も不明であり、条項の追加を容れる重熙・咸雍の条制に基本法典としての性格はない。その法構造に基本法典をもつことのないまま、遼は天祚《てんそ》帝《てい》の一一二五年(保大《ほだい》五年)に滅亡した。

金

東北辺に勃興した女真《じょしん》人の完顔阿骨打《ワンヤンアクダ》は遼の支配に抗して挙兵し、一一一五年(収国《しゅうこく》元年)に帝位に即いた。金の太祖である。西夏を服属させた太宗は一一二五年(天会《てんかい》三年)に遼を滅ぼし、一一二七年(天会五年。宋：靖康《せいこう》二年・建炎《けんえん》元年)には宋をも滅ぼして徽宗《きそう》・欽宗《きんそう》を首都の開封《かいほう》から連行した。金が間接統治のために建てた楚《そ》の帝位に即いた張邦昌《ちょうほうしょう》は、金軍が撤退すると、河南《かなん》で宋を再興した高宗に投降した。淮水《わいすい》以北を制圧した金は、一一三〇年(天会八年。

宋：建炎四年）に劉豫《りゅうよ》を皇帝とする斉《せい》を建てて間接統治をすすめた。宋は一一三二年（紹興二年。金：天会一〇年）に杭州《こうしゅう》を臨安《りんあん》（臨時の首都）とした。斉は建国四年目の一一三三年（阜昌《ふしょう》四年。金：天会一一年。宋：紹興三年）に『阜昌勅令格式』をつくって律・刑統・律疏などと兼行し、宋に倣う漢人王朝の法構造をとった。金は熙宗《きそう》の一一三七年（天会一五年。宋：紹興七年）に斉を廃して直接統治下に置き、一一四二年（皇統《こうとう》二年。宋：紹興一二年）に宋と和議を結んで国境を劃定《かくてい》した。淮水以北の華北《かほく》を要地とする金は、女真人には猛安《もうあん》・謀克《ぼうこく》の軍事的部族組織を敷いたが、おおむね漢人王朝の統治方式を踏襲し、漢化政策のもとに法を整備した。すでに太宗朝でも遼宋の法を用いていたが、熙宗朝では刑法は律文に従うとして、国初以来の諸制度に隋唐遼宋の法を加味した『皇統制』を定めた。熙宗を殺害して帝位に即いた海陵王《かいりょうおう》は金を漢人王朝式の国家へと変貌させ、『正隆続降制書《せいりゅうぞくこうせいしょ》』をつくって『皇統制』と兼用した。宋への進攻中に殺害された海陵王に代わった世宗は、戦乱収拾のための制旨《せいし》を編集した『軍前権宜条理《ぐんぜんけんぎじょうり》』とその追加である『続行《ぞくこう》条理』をつくり、ともに皇統・正隆の制書と兼用した。制書と条理の併用の解決をめざした『大定《たいてい》重修制条《せいじょう》』は、皇統・正隆の制書を一本化して条理の有用な要素をとりこんだうえで、制書に記載のない事項に関する律文を加え、制書にも律文にも記載のない事項については新たな条項を定めた。ここで参照された「律文」は『宋刑統』である可能性が高いが、その中核は唐律である。この時点では、制が法の主要素たる現行法であり、律が参照価値をもつ補充的法源として機能する法構造がとられた。

泰和《たいわ》律令

この法構造を一新したのが章宗《しょうそう》朝の『泰和律令』である。これは泰和律義《りつぎ》、律令、新定勅条《ちょくじょう》、六部《りくぶ》格式の四部からなる。泰和律義は宋の刑統に相当し、唐律から時宜に適わない律条を削り、時用に適する制の刑罰規定をとりこんだ。律条には律注を加え、律疏を合本した。律令は唐宋の令に相当し、唐令から死文を削り、時宜に応じて増修した。

新定勅条は制の制度規定の集録で、刑罰・非刑罰双方の規定を含む。六部格式は形式・内容ともに不明であるが、律義と律令の実質的変動と細目規定の役割を担った可能性がある。そうであれば、『泰和律令』は律義を刑罰法の基本法典、律令を非刑罰法の基本法典、新定勅条と六部格式を双方の法領域の副次法典とする法構造を形成し、征服王朝の法構造から脱して漢人王朝の法構造へと至ったことになる。ここには劉豫の斉における法構造の経験も活かされたであろう。だが、金の法典も女真文字で記されたのか漢字で記されたのかは不明である。女真文字の普及につとめた世宗の条理や制条が女真文字で記された可能性は高いが、中国的風流天子であった章宗の『泰和律令』は漢字で記されたであろう。金律の佚文は漢文だけであり、その復原はなお途上にある。『泰和律令』に代える法典の編纂は記録されず、章宗の歿後は王朝自体が衰亡へと向かう。チンギス・カンの進攻を受けて南遷した金は、哀帝《あいてい》の一二三四年(天興《てんこう》三年)にオゴデイ・カーンの進攻によって滅亡した。

西夏

西北辺から興ったタングート人の拓跋思恭《たくばつしきょう》は、黄巣《こうそう》の乱《らん》の鎮定に貢献して唐から夏州定難節度使《かしゅうていなんせつどし》に任ぜられ、李《り》姓を賜った。その後、代々中原王朝から節度使に任ぜられたが、李継遷《りけいせん》のときに宋に反した。継遷の子の李徳明《りとくめい》は宋に臣属したが、徳明の子の李元昊《りげんこう》に至って完全に独立し、一〇三八年(天授礼法延祚《てんじゅれいほうえんそ》元年)に大夏《だいか》を称した。西夏の景帝《けいてい》である。一〇四四年(天授礼法延祚七年。宋:慶暦四年)に宋との間に和約を結んだ。官制は宋に倣ったが、民族独自の風俗の保存につとめ、西夏文字で自国の記事を記録し、漢籍やチベット典籍を翻訳させた。法典も西夏文字で記された。二〇世紀初頭にエチナ河畔のハラホトから発見された西夏文書のコズロフ・コレクションには『天盛改旧《てんせいかいきゅう》新定律令』と漢訳される法典の残本が存する。これは史書に記載がなく、西夏最初の法典であるかどうかも明確ではないが、建国百余年後の仁宗朝に成立したとされる。時期的に南宋の『紹興勅令格式』や金の『皇統制』の影響がうかがわれるが、刑罰法・非刑罰法の区別も、基本法典・副次法典のような階層構造も備えていない。コズロフ・コレクションには『光定壬申新法《こうていじんしんしんぽう》』と漢訳される未公開の法典も存する。これも史書には記載がないが、時期的に南宋の『慶元勅令格式』『慶元条法事類』や金の『泰和律令』の影響を受けたものであろう。西夏は末主《まつしゅ》の一二二七年(宝義《ほうぎ》二年)にチンギス・カンの進攻によって滅ぼされた。

元

北方に興ったモンゴル部族のテムジンは一二〇六年のクリルタイでカンに推戴され、チンギス・カンと称されるようになった。この年を元の太祖元年とする。太祖チンギス・カンは西夏を、太宗オゴデイ・カーンは金を滅ぼした。モンゴル支配下の漢地では漢人世侯《せこう》を通した間接統治が敷かれたが、世祖《せいそ》クビライ・カーンは李璮《りたん》の乱《らん》の鎮定を機に漢人世侯を廃して直接統治へと転換した。一二七一年(至元《しげん》八年)には大元《だいげん》を国号とすると同時に金の『泰和律令』の行用を禁じた。漢人王朝の法構造へと転じていた金の法構造との絶縁を示したのである。世祖は一二七六年(至元一三年。宋:徳祐《とくゆう》二年・景炎《けいえん》元年)に臨安を陥れ、一二七九年(至元一六年。宋:祥興《しょうこう》二年)に宋を滅ぼして漢地全土を支配した。しかし漢人王朝の法構造とその中核をなす律の制定には冷淡であった。世祖朝の『至元新格《しんかく》』は行政実務上の指針と規制の集成にすぎず、刑罰規定や民事的紛争処理にかかわる条項を含まない。成宗《せいそう》が編纂を命じた『大徳律令《たいとくりつりょう》』が草案のままに廃棄されたあとは、国初以来の単行指令を配列した法書が編まれてゆく。仁宗朝に編纂が命じられて英宗《えいそう》朝に施行された『大元通制《つうせい》』は、国家の大事と大赦《たいしゃ》などの文言を集成した制詔《せいしょう》、非刑罰規定と裁判例を集成した条格《じょうかく》、刑罰規定と裁判例を集成した断例、条格・断例から辺境の地方官庁にとって重要な規定と裁判例を別分けした別類《べつるい》の四部からなる。今日に伝わる『通制条格』は条格の残闕本《ざんけつぽん》である。『大元通制』を増補改訂した順帝《じゅんてい》朝の『至正条格《しせいじょうかく》』は、制詔・条格・断例からなり、後二者が印刷配布された。元の主要法書のなかで唯一完本が伝わる『元典章《げんてんしょう》』は、

『大元聖政国朝《せいせいこくちょう》典章』とその追加である『大元聖政典章新集至治条例《しんしゅうしちじょうれい》』を合本したものである。これは政務分類の見地から吏部・戸部・礼部・兵部・刑部・工部の六綱《りくこう》に分けられるが、刑罰法・非刑罰法の区分はない。江西《こうせい》の官衙《かんが》の公文書を編集した書肆《しょし》による私撰書であり、類似の書籍が官民の需要に応じて数多く出版されていた。

例あって法なし

元の法構造には単行指令があるだけで基本法典も副次法典も存在しない。『大元通制』に採録されなかった単行指令も廃棄されずに存続したから、それは副次法典ではなく、宋の断例と同じ性格の「例」の編纂物である。ただし、元では「法」の素材となるべき立法的単行指令と「例」を構成すべき処分的単行指令の区別は認識されず、すべての単行指令が「例」として存在した。元の「例あって法なし」という状況は「例は法なり、法は例なり」とも言いうる状況であった。ところで『大元通制』の編纂が命じられた仁宗朝は、科挙の復活など、漢人王朝の制度への回帰を余儀なくされてきた時期である。「例あって法なし」という状況の限界の認識が『大元通制』の編纂につながったのであるのなら、それは漢人王朝の法構造に向けての第一歩であったのかもしれない。けれども元は『至正条格』がつくられた順帝朝の一三六八年(至正二八年)に終焉を迎える。その先にどのような法構造が構想されていたのかは知るすべもない。

征服王朝の法構造の中核

遼の条制は基本法典ではないから、唐律が参照価値をもつ補充的法源として機能した可能性は高い。金の制律並存構造においても唐律は同様の機能をもち、泰和律義は「実は唐律なり」と史書に記されるほどに唐律を範としていた。西夏の律令も唐律の影響を否定できない。例が法であった元でも法の古典として参照価値を認められたのが唐律と律疏である。唐律と律疏とを一体化した『故《こ》唐律疏議《そぎ》』に加え、『唐律釈文《しゃくもん》』『唐律纂例《さんれい》』などの注釈書や便覧書も民間で出版されて、唐律が基本法典の空隙《くうげき》を埋めていた。征服王朝の法構造においては、唐律は現行法ではなかったけれども、事実上は基本法典と同様の参照価値をもつ中核的存在でありつづけたのである。

おわりに——そして明へ

滋賀秀三の整理による三階層・二領域からなる古典的法構造は、唐以降の王朝を通じて不変のものとなっていたわけではない。漢人王朝においては変容を余儀なくされ、非刑罰法の階層構造は融解した。征服王朝においては漢人王朝の法構造への接近が試みられたが、けっきょくは単行指令だけを法とする構造となった。しかしどちらにおいても唐律は法構造の中核でありつづけた。漢人王朝を復興した明の太祖・朱元璋《しゅげんしょう》は、その建国初年に『大明律』『大明令』を施行した。律は唐律に範をとった刑罰法の基本法典、令は律と一体化した司法の準則である。前皇帝の単行指令を新皇帝の即位時に無効とする措置がつづけられたあと、一五〇〇年(弘治《こうち》一三年)の問刑条例により副次法典が復活して、刑罰法では基本法典・副次法典という漢人王朝式の階層構造が再興された。明律が唐律を範としたのは、漢人王朝の法伝統への回帰のためだけではなく、唐律が漢人王朝と征服王朝の双方において中核的存在であったためでもある。しかしながら非刑罰法では単行指令の集積だけが法でありつづけ、漢人王朝式の階層構造はつくられなかった。宋の一司勅の煩瑣さの再現を回避するために、あえて元の「例」だけを法とする構造を継いだのであろうか。

参考文献

滋賀秀三(二〇〇三)『中国法制史論集——法典と刑罰』創文社。

島田正郎（二〇〇三）『西夏法典初探——東洋法史論集　第八』創文社。
戴建国（二〇一九）『宋代法制研究叢稿』中西書局。

集点｜*Focus*

中国父系制の思想史と宋代朱子学の位置
――中国ジェンダー史素描のために

佐々木 愛

はじめに

中国および中華圏の地域では、清明節（春分から一五日目、毎年四月五日頃）に墓参する慣習がある。墓参（墓祭）の慣習は唐代に始まりその後定着したとされ、一般的には家族全員で行う行事だと考えられている。しかし少なくとも現在、むすめが実の父母や祖父母の墓参をすることは忌まれ避けられている。それはそのむすめが既婚でも未婚でも同様であり、またたとえむすめが墓参するという地域であっても、それは比較的近年からはじまったことに過ぎず、高齢の女性は墓参をしていないという。このような喪祭儀礼からのむすめの排除は墓参ばかりではない。むすめは実親の訃報に駆けつけて泣くのも忌まれたりすることや、むすめは野辺送りや埋葬に同行せず、同行したとしても途中まで等の慣習が報告されている。また、福建省のある大宗族（中国の父系親族集団）の古老は筆者のインタビューに答え、未婚のむすめが亡くなった場合、一族が共同で使用している山の穴に遺体を捨てるだけで墓を作らない、と語った（佐々木 二〇二二c）。

こういった現象は、祖先から財産やその祭祀権を継げるのはむすこだけだという強い父系制の観念に基づくものであることは明白であろう。ひとりっ子政策実施時の中国において、その強い男児選好が異常な男女比率や無戸籍者の出現などの問題を惹起したことと同軌の現象と考えられる。

これらの現象は中国と日本との親族観念の相違を象徴している。日本のいわゆる家制度では、婿養子をとるという形をとりさえすればむすめでも正統に家を継げたのであり、日本は父系でも女系でも継承可能だった。一方、中国において婿養子は本来は認められない結婚形式であった。むすめしかいない場合にはむすめは婚出させた上、父系親族の男子のなかからむすこと同じ世代の者を養子にとるものとされ、父系出自でない異姓男性が継承することはできないものとされた。中国は日本とは異なり、強固な父系制社会であったのである。

このような現代中国のむすめの地位と父系制の状況は、斯界の通説である滋賀秀三『中国家族法の原理』で語られている帝制時代の家族法(滋賀 一九六七)と重なるものである。滋賀によれば、財産権と祭祀義務は父からむすこへのみ継承され、母からむすこという継承の形はない。むすめは婚出して夫の家族に帰属し、財産・祭祀の権利上で夫と一体の存在となる一方、生家の一族に社会的な意味では帰属することはない。むすめには財産権や祖先の祭祀権は与えられず、また未婚のまま死んだ場合は祖墳に葬られず、位牌は作られず家廟や祠堂で祭祀されることはない。こういった内容を滋賀は「父子同気」——ヒトの本質を規定する「気」は父子間で継承され、何世代たっても気の同一性は失われない一方、母子間では気は継承されない——という観念によって支えられているのだとした。

とすれば、父子間にのみ気が継承されるため祖先祭祀ができるのもむすこだけ、という考え方はどれほどの歴史的背景があるものなのだろうか。滋賀説では漢から清に至る帝制時代を通してこのような原理は貫徹したとする。しかし、ヒトには必ず生物学上の父と母があり双方からの遺伝的特徴を受け継いで生まれるということは誰の目からも当然のことである。それにもかかわらず、中国では母子間の継承関係を完全に否定し、さらにはむすめを実家の葬祭儀礼から排除するまでに至ったのだとすれば、それは何らかの歴史的な階梯を経て形成されていったものとみるのが自然だろう。

本章は、滋賀説をはじめ現代中国にもみられる強固な父系制観念の歴史的形成過程と、宋代——特に朱子学の果たした役割について述べることとする。

なお、朱子学といえば「君に忠、親に孝、大義名分といった封建道徳を強要する思想」といったイメージが一般的にはあるが、「朱熹《しゅき》(朱子)その人が考えていたこと」と、「後世の人がこれが朱子学と思ったもの」とは異なる。朱熹は理気二元論にもとづいた儒教としての形而上学の構築に傾注した人物で「君に忠、親に孝」はその学問の特徴とは言えず、また「大義名分」に至っては、朱熹自身は発言したことすらなかった(大義名分は日本の後期水戸学における造語である)。本章では行論中、朱子学とは何か、そしてその思想の柔軟性についてもあわせて触れながら、宋代と明清時代のジェンダー事情の相違についても紹介したい。

一、「父子同気」なのか？——経書の規定と宋代以前

「気」は中国の伝統思想・文化においてきわめて重要な概念である。気は哲学思想のみならず、天文気象、絵画や音楽などの芸術、鍼灸などの医学、気功や武術など、中国文化で幅広く用いられる概念である。特に宋代以降、気はガス状の物質で、自己運動し、天地の間を周流し、凝固して万物を構成し、かつそれに生命や活力を与えるエネルギーを意味する。

ただし気の思想にも歴史的な変化がある。本章で特に問題となる「万物の構成要素としての気」が語られ始めるのは戦国時代の道家・雑家《ざっか》にはじまることであり、それより前、春秋時代に生きた儒家の孔子は「万物を構成する要素」という意味での気の概念を共有してはいなかった(それは戦国時代の孟子も同様である)。さらに孔子の「鬼神を敬

して之を遠ざく」(『論語』雍也)、「未だ生を知らず、いずくんぞ死を知らん」(『論語』先進)の語に象徴されるように、儒家にとって喪祭儀礼は学派を特徴づける重要なテーマであったが、死や霊魂などの不可知な世界についてはあえて踏み込まないことこそが見識としていたのである。しかし戦国期における道家、雑家など諸学派における気の思想の盛行を背景に、戦国―漢初期、『易』『礼記《らいき》』等の儒教文献でも、気の概念によって万物の生成存在や霊魂を説明する例が若干みられるようになっていく。

『易』は儒教経典(経書《けいしょ》)で道教にも大きな影響を与えた占いの書であるが、天地間の万物とその変化を陰と陽の爻《こう》の組み合わせ(卦)で表現するという基本的思考にもとづく。そのため、父たる陽だけで子がなる、ということを正当化するのはそもそも著しく困難な立て付けになっている。父母とその子についての易の卦とその象徴するものは以下のとおりである。父は純陽の☰乾＝天、母は純陰の☷坤＝地、長男は☳震＝雷、長女は☴巽＝風、中男は☵坎《かん》＝水、中女は☲離＝火、少男(末子)は☶艮《こん》＝山、少女(末娘)は☱兌《だ》＝沢。当然のことながら、子はいずれも陰陽が組み合わさっている。

『易』にも「同気」という語はあるが、雲と龍、風と虎等を同気関係とするもので、家族関係の例はない。一方、戦国―漢代の諸文献には家族関係を「同気」で表現した用例が数例ある。ここでは後世に影響を与えた最初の用例『呂氏春秋』精通篇に載る話を紹介しよう。周の申喜《しんき》という人がある日、自宅の門外で女の物乞いが歌う歌が強く心に迫ったので、招き入れて話をしたところ、何とその女の物乞いは亡くなったことになっていた実母であった。このような不思議なことが起きるのは「父母が子に対して、子が父母に対しては、もともと一体であるものが二つに分かれ、気を同じくしていながら別々に息をしているだけ」だからだ、という話である。つまり最終的には一般論として父母子の同気がいわれるのだが、しかし同気であることの具体事例としては母子で、父子よりも母子の同気が中心の話なのである。一方、父子間のみに同気をいう用例は特にこの時期には一例もない。また、墓葬や祭祀と関係させて同気について言及するという用例もない。つまりこの時期には明らかに父子同気（＝母子不同気）の観念は存在していない。もちろん中国において父系継承自体は殷代には確認でき、また経書でも父系継承の規定はあるが、つまりそれらは父子同気という思想に裏打ちされてはいなかった、ということになる。

では、経書に記された父系制の強度はどの程度だったのだろうか。後継のむすこがいないという場合、むすめやむすめの子などが祭祀を継承することは許されたのだろうか。経書の記述のなかで女系による継承を明確に批判する文言は、『春秋穀梁伝《こくりょうでん》』襄公《じょうこう》六年、鄫《かい》国で後継のない国公は女きょうだいのむすこである莒《きょ》国の公子を迎え、それが「莒人鄫を滅ぼす」の内実だと解したくだりであるが、これは春秋三伝のうち最も読まれなかった『穀梁伝』のみにある記載である。広く読まれた『春秋左氏伝』には「鬼神（死者の霊魂）は其の族類に非ざれば其の祀《まつり》を歆《う》けず」（僖《き》公《こう》三十一年）等の文言があり、後世女系継承を批判するさい引用されたが、そもそもの経文では無縁の他国人による祭祀を否定する話であった。また「族類」といった場合、必ずしも父系だけを意味したわけではない。経書には「九族」という語があるが、古来解釈が分かれている。前漢時代に主流であった今文学では、九族を父族四種、母族三種、妻族二種の計九種と解釈し、母系親族や姻族など異姓でも族類に含め、かつ嫁いだむすめが産んだ子も父族に分類した。一方、前漢末以後盛んになった古文学では、九族の「九」を高祖から玄孫に至る父系直系の九代と解釈し、異姓を排除した。ただし唐の『五経正義』では九族の解釈については今文説を採用しており、父系親族観念一辺倒というわけではなかった。

また、むすめを儀礼の場から排除するという考え方も経書のなかにはみられない。『儀礼《ぎらい》』士喪礼には、亡骸の東側に男性遺族が、西側に女性遺族が並んで座り泣くという規定があり、後漢の鄭玄《じょうげん》はこの女性遺族について「妻妾子姓也」（妻妾と子孫）と記す。鄭玄以来唐代の『五経正義』に至るまでの注釈において、ここでむすめやまごむすめたちが着座することに疑問が呈されたことはない。また、喪礼においてむすめはただ座って泣くばかりではなく、亡骸を棺に納めるなど儀礼の進行を手助けする役割が与えられ、また野辺送りと埋葬に同行することも定められている。また、位牌で行う祖先祭祀にもむすめは参加するものとされていた。『礼記』内則《だいそく》にはむすめの育て方を記す文中に「祭祀を観て酒漿《しゅしょう》〔酒と飲み物〕・籩豆《へんとう》〔祭祀用の器皿〕・菹醢《そかい》〔塩漬けの野菜と肉〕を廟に納め、儀礼の際には供え物を供える助手をする」とある。この規定をむすめは裏方の手伝いのみ、と読むのはあまり適切でない。それはまず供え物をすること自体が儀礼の一つであること、そしてそもそも主祭権者は宗子とよばれる嫡長子直系の男性一名に限定され、それ以外の者はたとえ男子であっても観るか手伝いのみで祭ることはできないことによる（ちなみに、むすこが「祭祀を観る」のは成人以後との定めであり、むすめより遅れる）。総じてむすめの儀礼参加は明白で、本章冒頭で紹介したようなむすめの喪祭儀礼からの排除は、儒教経典の本来の規定からは逸脱したものなのである。

漢に続く魏晋南北朝時代は、祖先祭祀等儀礼を重視する儒教よりも仏教・道教といった出世間的宗教が盛行した時代であった。仏教はインド由来の宗教で、万物生成を気で論じることはない。中国土着の道教では気は重要な概念であったが、現世の父母と子の関係について気で論じることはなかった。そしてこの時期の儒教は気への関心を著しく減退させ、形而上の問題は宋代新儒教の誕生に至るまでほとんど忘れられることになる。

この時期に「同気」の語は専ら兄弟間に用いられるように変化した。それは六朝期最大の文豪・曹植《そうしょく》〔魏の曹操の三男〕が自身と兄の曹丕《そうひ》を「同気」と表現したことが影響したとみられる現象である。同気は単なる兄弟の同義語として用いられ、また唐代においては兄妹姉弟の異性きょうだい間をも同気と表現する例が散見される。そして父子関係を「同気」と表現するのを避け、「天性」「天属」などと表現する用例もあらわれる。それは父子のような明らかに尊卑の関係に対して「同」という語で表現するのは不適切とみなされるようになったためと考えられる。つまり少なくとも唐代までの時期においては、滋賀説のような父子同気観念が存在することはまったく想定できない。

二、朱子学と「父子同気」、そして儀礼とむすめ

気という概念が儒教思想の最重要概念の一つになるのは宋代以降のことである。宋代当時理学や道学といわれた学派——のち南宋・朱熹(一一三〇—一二〇〇年)に至って朱子学として大成する——では、気という語を用いて宇宙万物の生成と存在、心の本性と善悪の認識、自らの道徳性の向上方法など、儒教としてはこれまでなかった形而上学を語るようになったのである。のちに朱熹が自らの学統の創始者と位置づけた周敦頤《しゅうとんい》(一〇一七—七三年)は、その著『太極図説』において『易』繋辞《けいじ》伝《でん》に基づき万物の根源と生成のプロセスを図解した。太極から陰陽二気が生じ、二気から木火土金水の五行が生じ、五行から陽である男的なるものと陰である女的なるものが生まれ、男女の交感によって万物が生まれるというのがその内容である。この『太極図説』は後の朱子学の生成存在論の根幹となった。つまり朱子学の生成存在論では、父からの気だけを受けて子が生まれると説明するのは困難ということになる。

さらに張載(一〇二〇—七七年)に至って、万物の存在と生滅を気の集散によって説く気の思想が確立する。張載は死者の霊魂も陰陽二気の良能(自然な働き)、気の屈伸であると説いた。ただし張載は子孫による祭祀と霊魂の関係を気によって説明するまでには至っていない。一方、後に朱熹に最大の影響を与えた程顥《ていこう》(一〇三二—八五年)・程頤《ていい》(一〇三三—一一〇七年)兄弟の専らの関心は気ではなく理(原理・道理)にあった。ただし、程頤が墓の作り方について記した「葬説」には、父祖と子孫の同気による感応を説く次のような一節が記されている。「葬地がよいところならば、神霊は安んじ、子孫は盛んになる。(中略)父祖子孫は同気であるから、あちらが安んじればこちらが安んじ、あちらが危うければこちらも危ういというのも、また理なのである」。この文言は、新儒学の教説において、死後の祖先と現世の子孫が同気で感応することを述べる初出の例である。ただしこれは風水——大地の中を流れる気を受けられる地点

に祖先の墓を作って子孫に吉兆をもたらそうという術――の発想に基本的に則ったものである。この程頤の同気感応説を、儒教的な祭祀の枠組みで説いたのが、程頤の高弟である謝良佐《しゃりょうさ》(一〇五〇―一一〇三年、号・上蔡《じょうさい》)であった。謝良佐は鬼神がなぜ祭祀を享《う》けられるのか弟子から尋ねられてこのように答える。「(鬼神の祭祀への感応は)自らが有ることを求めれば有るし、自分が無いことを求めれば無いというようなものだ。鬼神は虚空にひろがり充満していて、目に触れるものが皆これであるのは、鬼神というものが天地の間の妙用であるからである。祖先のたましいとは自らのたましいのことなのである(「祖考精神、便《すなわ》ち是れ自家精神」)」(『上蔡語録』巻一)。のちに朱熹はこの謝良佐の「祖考精神、便是自家精神」の語を繰り返し引用し、父子同気にもとづく祭祀の感応を説く朱子学の鬼神祭祀説のほぼ唯一の根拠となった。

そして朱熹は、万物の生成存在、人の生死と霊魂、そして祖先祭祀、人の心の働きなど、万事万物を理と気という二つの概念を用いて包括的に説明を行った。すなわち、すべての事物は理と気からなっている。気は自己運動して万事万物を形成する一方、理はその気をあるべきようにさせる根拠であるとともに、どうあらねばならないかという道理でもある。万事万物は気からなり、理はそこに内在する。万事万物は気からなるのであるから、死者のたましい(=鬼神)も気で出来ているということになる。朱熹は祖先の鬼神が子孫の祭祀に感応することを同気によって説明した。ここでは朱熹の高弟・陳淳《ちんじゅん》による簡潔なまとめを引用しておこう。「人と天地万物は、みな天地の間にある公共の一箇の気からできている。子孫と代々の祖先とはこれまた公共の一気なのであるが、なかには互いをつなぐ回路があって、関係が非常に親しい。謝上蔡は次のように言った――「祖考の精神は便ち是れ自家の精神」と。だから子孫が自らの誠意と敬意を極め尽くすことができれば、己のたましいは集中し、そして祖宗のたましいもまた集まり、やってくるのだ」(『北渓字義』巻下)。このように説明されてはじめて、祖先と子孫が同気だからこそ祖先のたましいは祭祀に感応できるということが、ようやく一応整合的に説明できたことになる。

では、ここでいう祖先と子孫は父系に限られていたのだろうか。朱熹はもちろん経書の規定どおり、父子継承が正しいと考えていた。朱熹は冠婚葬祭の四礼のマニュアル『家礼《かれい》』を書いているが、そこでは経書に記された宗法規定に基づき、喪主は長男がつとめ、祭祀の主祭権は代々嫡長男子が継承していくと定めている。宗法に定められた嫡長男子相続とは世爵世禄の封建体制であった周王朝時代の礼制であり、秦漢以降の社会の現実である男子均分制とはそぐわない点があるが、朱熹は経書に記された理念としてこれを守った（ただし兄弟で遠距離別居していて兄が主祭する祭祀に弟が参加できない場合、弟にも祭祀を認めるが、位牌を用いず紙に祖先名を書いて祭り終了後は焼くなど兄より格を下げた形として現実と理念の折り合いをつけている）。ともあれ朱熹にとって主祭権の父系継承は当然の理念であった。

ただし、宋代時点において、父系男子でなければ祭祀権がないという観念は必ずしも徹底してはいなかった。程頤は実母の伝記を書いているが、そのクライマックスを飾った話は、危篤となった母が「今日は寒食（祖先祭祀の日）だから、私に代わって実父母を祭祀してほしい、来年はもう祭れない」とむすこ（程頤）に代祭を頼んだという逸話であった（『程氏文集』巻一二）。そもそも伝記というのは顕彰のための文章である。この話を伝記に書いたということは、臨終間近い苦しい息のなかでも父母の祭祀のことを忘れない孝行な人物であった、として母を称揚しているということである。原理に厳しい程頤ほどの人物ですら、他家へ嫁入りしたむすめが実父母の祭祀をする行為（あるいは成人男性が母方の祖父母を祭祀する行為）を全く問題にしていないということをこの伝記は示している。

朱熹はこの程頤の母の祭祀を「経書に則っていない」と批判しており、また朱熹の弟子たちも父系による祭祀が原理であることを理解していた。しかし、後継ぎがいないなど、やむを得ない場合でも、父系でない祭祀は否定されたのか。朱熹と弟子たちの問答をみてみよう。

汪徳輔《おうとくほ》が質問した。「「祖考の精神便ち是れ自家の精神」であるので、斎戒して祭祀すれば祖先（のたましい）がやってきます。もし傍系の親族や子を祭るというのであっても、やはり同じ気ですので、同じようなものだと考えられます。しかし妻や母系親族を祭るというケースでは、そのたましいは父系親族のたましいではありません。このケースでは、心で感じているだけで、気ではないということでしょうか」。〔朱熹〕曰く「祭られている者はそのたましいがみな感じて通じるというだけだ。そもそも一箇の源から流れ出てきたものであり、当初はそれぞれ違いは無かった。天地山川鬼神もそうだ」(『朱子語類』巻三)

この対話が興味深いのは、まず第一に、質問者は、父系の親族を祭るのが正統であると認識しつつも、妻や母系親族など本来祭祀関係にない親族を祭ることも普通で、かつそれは別段指弾されることではないという前提があり、その前提で祭祀時の祖霊の感応について質問していることであり、朱熹もまた父系以外の親族を祭ることそれ自体については批判していない、という点である。そして第二に、朱熹は母系親族のたましいであっても、祭祀すれば気で感応すると説明している点である。そして実際、後継がいないなど、やむを得ない場合には、祭祀対象ではない死者を祭ることを朱熹は認めていたのである。

〔弟子〕「今、わたしにはおばがいるのですが、その夫の家はなくなってしまい、実家に帰ってきています。すでに年老いておりますが、亡くなった後には兄弟やおいを除くと主祭してくれる者はいません。祔祭《ふさい》〔後継のない死者の位牌を、当人の祖父母の位牌の脇に置き、当該祖父母の後継子孫が祖父母を祭祀する際、その位牌もあわせ祭る〕という形で祭ってくれる者がいるかどうかはわかりませんが、祭祀してもらえなくなるのではかわいそうです」

〔朱熹〕「『祭祀する者のいなくなった家の者の祭祀は、近隣の人々がするという』古の法はすでに廃れてしまっており、近隣の人々が他人を祭るということは決してないのだから、この場合は適宜〔そのおばの実家の祖先祭祀所とは〕別の居室に位牌を置いて祭るということで良い」(『朱文公文集』巻五八)

この他にも、むすこがいないためむすめが亡父を祭っているケースについても朱熹は特に批判していない。実のところ案外と朱熹はむすめの祭祀・むすめによる祭祀に対して寛容なのである。その理由としては、第一に、気の概念では、理論上、母系親族や姻族などの祭祀を否定・排除することはできないことがあげられる。気とは宇宙の万物を構成する要素であり、万物の一体性の根拠であるとともに、その凝集のありようの如何によって万物の差異が生ずる根拠でもある。気は一体化と差異化という両者のベクトルをあわせもっているために、一方的な否定排除の理論を構成することはできないのである。もし父系子孫による祭祀でなければ鬼神が祭祀に全く感応しないのだとすれば、祖先祭祀以外のすべての祭祀——天地山川等——が説明できなくなる。結局、父系は母系に比べてより直接的な感応が期待・想定される濃密な関係であるという程度でしかなく、父系以外の祖先についての祭祀を一切無意味化する程の位置づけを与えることは理論上できない。

第二に、万事万物を理気の二元でとらえる朱熹の思考法の本来的な柔軟性が指摘できる。万事万物には理（そうあるべき正しさ）があるが、しかし理は気とともにしか存在しえない。気が澄んでいれば（現実的に支障がなければ）理の通りに実践できるが、気が濁っていれば理の通りには出来ないことがあるのもこれまた当然である。朱熹は現実と乖離した実践不可能な原理原則を振り回して人に押しつけるようないわゆる「道学先生」ではなかった。朱熹はつねに原理と現実とのバランスをとり続けた人であったのである。後継者のいない者の祭祀をどのようにするかという問題でいえば、まずは父系親族のなかから後継を立てて祭祀を行わせるというのが、父系継承を正しいと考える朱熹による解決策の第一であった。ただし宋代当時、祖先祭祀はさほど実践されていなかったようで、後継を立てたとしても必ずしも祭祀の確実な実施は期待できなかったらしい。朱熹は、後継がいないため母方祖父母を祭っているという人物について「親族間で相談して後嗣を立て、後嗣の人には田畑も少しあげて家も建てて住まわせ、また皇帝に上奏して官僚ポストをいただいて俸禄をもらえるようにすれば、この後嗣となった人も、必ずやその厚誼に感激して、祭祀をおこたるようなことはしないはず」と述べている。これほどの援助をしないと祭祀の確実な実施が期待できないという状況であったのであれば、朱熹が立嗣を勧めたのもこの人物が官僚ポストを要求できるほどの人物で富裕だったからこそであろう。そのような対応ができない一般的な人の場合は、父系以外の者を祭ることを朱熹が認めたのも当然のことと理解できる。

　このような朱熹の柔軟性は、「夫が死に、若い妻と子どもが残され、みよりもない場合、妻は再婚できるか」という問題にしても同様である。夫死後の再婚は唐宋時代には普通に行われていたが、程頤は「餓死事極小、失節事極大」（『河南程氏遺書』巻二二下）と夫死後の再婚を非常に厳しく批判した。元代以降、旌表《せいひょう》（孝行貞節に優れた者の表彰制度）が貞節重視に変化したことに伴い不再嫁守節が強調され、明清期には、程頤発言が広く引用されつつ寡婦の再婚が厳しく忌まれるようになった。近代に至ると朱熹は程頤発言を支持したとして批判された。しかし朱熹は高い地位にあり富裕な人物に対し、その妹の不再嫁守節をすすめただけである。朱熹は「やむを得ない場合もあり、聖人であっても再嫁を禁止することはできない」とはっきり述べている。経済的にどうあっても再婚してはならないなどと朱熹は到底考えてはいなかった。

　また未婚のむすめについて、墓を作らないのが正しいとも朱熹は考えていなかった。そもそもそのような規範は経書には書かれていない。朱熹は一五歳で亡くなったむすめを自身の妻の墓に合葬した。そして自身が亡くなった時、この妻とむすめの墓に合葬されたのである。『朱子文集』には朱熹が書いたこのむすめの墓誌銘が載っている。三字文という幼い子ども向けの文体で、まるでむすめに語りかけるように綴《つづ》られたこの文章は、失ったむすめへの愛惜に満ちている。程顥や程頤の文集にも未婚で亡くなったむすめへの思いにあふれた墓誌銘が載っており、むすめを一族の墓地に手厚く葬っていることがわかる。

　近年、考古学的な発掘調査でも、未婚のむすめがあくまで礼として生家の墓地に葬られていたことが明らかになった。陝西《せんせい》省藍田《らんでん》県の北宋呂《りょ》氏家族墓の計二九基四十余名の墓が全面的に発掘調査されたのである。被葬者のうち官僚として最も高位に達したのは哲宗元祐《てっそうげんゆう》年間の宰相・呂大防《りょたいぼう》（一〇二七—九七年、M3号墓）であるが、より重要なことは、呂大防の兄弟である呂大臨《りょたいりん》(一〇四〇―九三年、M2号墓)、呂大鈞《りょたいきん》(一〇二九―八〇年、M22号墓)、呂大忠《りょたいちゅう》(一〇二〇―九六?年、M20号墓)の三人がともに張載の高弟であり、張載死後は程頤に従学した北宋道学思想史上重要な位置を占めた人物で、かつ呂家は礼学を家学としていたことで世に知られる存在だったことにある。本墓は北宋道学の家族秩序観念を知り得る墓なのである。

左図が家族墓全体の配置図であり、世代ごとに配列された二九基の墓のうち、灰塗の墓一二基は成人墓に相当しない墓である。この一二基の内訳は、滋賀説では祖墳に埋葬することができないとされた乳幼児・児童男女の墓が九基、成人に達していたが未婚のむすめの墓一基のほか、成人し結婚したが後継の子のなかった男性の墓二基である。この者たちが単なる親の私情からではなく、礼として葬られたと解釈できるのは、その墓の位置からである。これらの墓は例外なく、当人の祖父母の墓の斜め後方にある。例えばM3号墓・呂大防墓の後方のM7号墓は未婚で死亡したそのまごむすめ呂嫣《りょえん》墓である。自らの属する世代の位置ではなく祖父母墓の直近に葬られているのは、『礼記』喪服小記《そうふくしょうき》の「若死にした者と後継ぎのない者は祖(父母)の廟に祔祭する」という、本来は位牌祭祀についての規定を準用したものとみることができる。呂嫣は婚儀直前に病没したが、婚約者の家の祖墳に葬られることなく生家に葬られ、また副葬品も他の既婚女性とさほど見劣りしない。未婚のむすめも手厚く葬られたのである。また出土した呂嫣の墓誌には、祖母に祔祭する形で家廟で位牌祭祀が行われたことが記載されている。未婚のむすめも位牌で祭祀

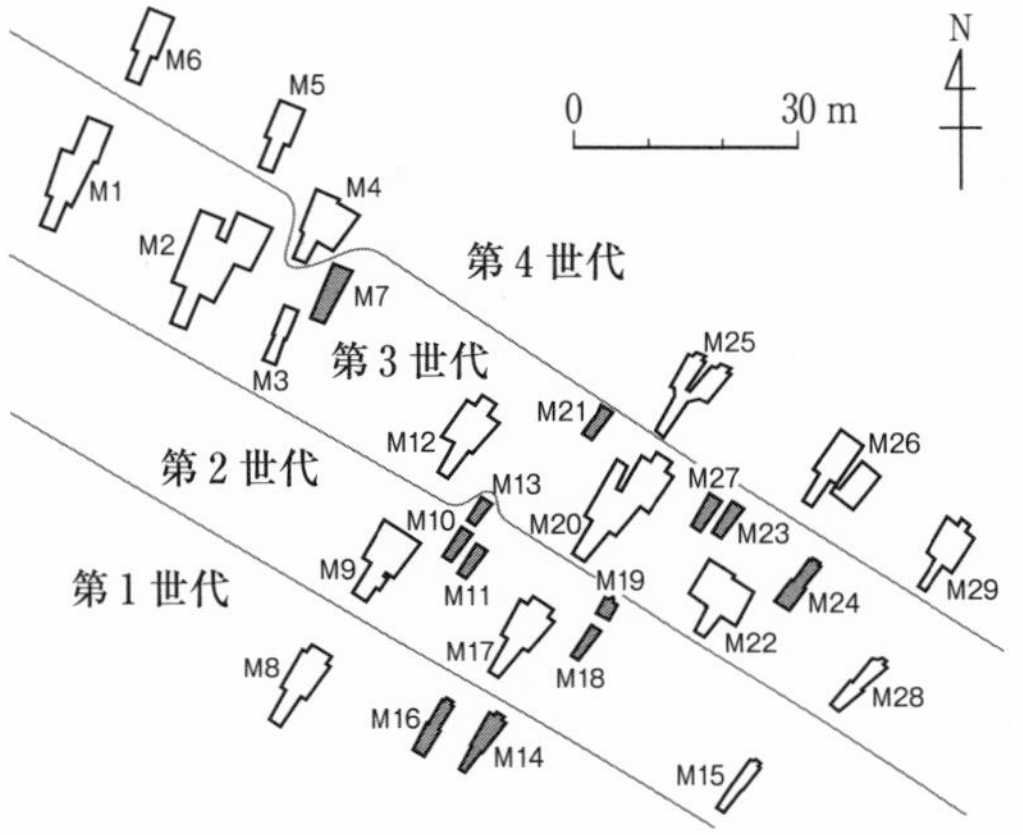

図　藍田呂氏家族墓配置図(『藍田呂氏家族墓園(四)』1112頁掲載図より作図)

がされていたという実例である。

朱熹『家礼』にも未成年死亡者の位牌は祖(父母)に祔祭するとの規定があり、主祭者(主人)のむすめやまごむすめの位牌については、主祭権者の妻(主婦)ではなく長女ないし長男の妻が櫝《とく》(位牌を納めてある箱)から位牌を出し、供え物等をして祭るとの規定がある。また朱熹『家礼』ではむすめは喪祭儀礼には当然参加する規定となっており、立ち位置、着る服、役割などの諸規定もある。未婚のむすめも生家において祭り祭られる関係のなかに入るとするのが朱子学の立場だった。

なお、後世と比較する関係上、朱熹『家礼』全体に示されるジェンダー構造について簡単にふれておきたい。祖先祭祀の主祭権者(主人)は前述の通り被祭者の嫡長子直系の男性一名であるが、主人は妻である主婦とともに並列(主人が東、主婦が西)して儀礼を行う。喪礼でも喪主(死者の長子)とともに主婦(死者の妻あるいは喪主の妻)を立て、ツートップ体制で行われる。喪祭ともに主人が全体をリードする場面ももちろんあるが、しかし基本的には主人がその他の男性たちを、主婦がその他の女性たちを率いる形で儀礼が進行される。男性が東側、女性が西側に並ぶという点では男性が幾分上位であるが、しかし並列という関係である。主婦は堂上で祖先を祭るのに対し、男性であっても主人かあるいは助手役でなければただ堂下で拝礼するだけで特段の役割を果たすことはない。

餕《しゅん》という儀礼についてみてみよう。餕は祖先祭祀——春夏秋冬の四時および冬至、立春、季秋(陰暦九月)に行う祖先祭祀の最終盤で、祖先に供えた酒肉を下げて参加者で飲食する儀礼である。男は堂、女は中堂と場所を分けて行われ、七歳になれば男女は席を同じくせず、共に食事をしない(『礼記』内則)の礼意をまもるが、しかし男女で杯を交わす儀礼もある。男女それぞれで酒を酌み交わした後、女性たちは堂の前にいき、男性尊長の長寿を祈るご挨拶を申し上げ、男性尊長は返杯する。男性たちは中堂にいき女性尊長に長寿を祈るご挨拶を申し上げ、女性尊長は返杯する、という儀礼である。ここでは男女がともに儀礼を行い、そして世代や年齢が下(卑幼)の男性は、世代や年齢が上(尊長)の女性に対して礼を尽くす形がとられている。儒教といえば男尊女卑というのが一般的イメージであり、確かに男女という関係だけに焦点をあてればそうであるが、男女以外に世代や年齢の上下も同様に重要な基準である。母―むすこという関係であれば、母が圧倒的に優越し、むすこは全面的に孝を尽くさなければならない。『二十四孝』など孝子説話でも孝の対象はどちらかといえば父より母であった。ともあれここでは男女がともに並列して儀礼に参加するのが当然の規定であったということを確認しておきたい。

三、朱熹以降、元明清期の生命生成論とむすめの祭祀

生命が誕生するのは陰陽男女の気の交感による、という考え方は、『易』にもとづいた朱子学の生成論の根幹であり、その後、元・明・清と時代が下ってもこの点は基本的に変化しなかった。男女の気が混じって生命が誕生するという考え方は、儒教のみならず、道教でも、中国医学でも同様である。

ただしわずかに注目されるのは、生命の形成において父気こそが本質であるという見方が一部の論者によって表明されていったことである。元代を代表する朱子学者・呉澄《ごちょう》(一二四九―一三三三年)は「父から気を受けた時に、その気には清濁の違いがあるので、母において質となったときに、美悪の違いがでてくる」(『呉文正公集』巻二)と述べた。ここでいう「質」とは気が凝固した状態のことをいう。つまり父から受けた気が、母の胎内で気が凝固して質となる、というのであり、生命は父からの気によって作られ、母は腹を貸しているだけであるというように理解することも可能な句作りとなっている。この文言は明初の『性理大全』に採入されて広く人目に触れることになった。さらに明代中期以降、占術(四柱推命)や風水などの術数の書において「父から気を受け、母において形となる」といった文言が現れ、ついで自由な解釈を特徴とする明代末期の経学においては、『易』解釈として「母において形となる」式の解

釈が出現した。清代の文人にも「父は種、母は園《はたけ》」と表現した者がいる。ただしこれは父から離縁された母が再婚先で産んだ子と兄弟付き合いする者を諫めようとするあまり、本人自身の生成論にも反した発言が行われ、それが記録されたことに端を発していた。総じて、父気こそが本質という論者はきわめて例外的でしかなかった。

このような状況は、儒教思想が中国社会の父系制の強化を牽引したのではないことを明らかに示している。社会のほうが先行して父系制を望み、実現していったのであり、その影響をうけて、儒教の生成論上は基本的には無理な父気の優越を説く人物が出現したのだと理解できる。

喪祭儀礼からのむすめの排除についても、『儀礼』など経書にはむすめの参加が明記されているため積極的な排除を論じるのは困難であったはずであった。また『儀礼』をもとに実践しやすくした冠婚葬祭のマニュアルが朱熹『家礼』であったが、明代に至って『家礼』をさらに実践しやすくした丘濬《きゅうしゅん》『家礼儀節』が登場し、また明末の出版ブームにのって様々なバージョンのテキストが印刷され日用類書にも必ず収められる等、むすめの儀礼参加が明記されているテキストは一層普及した。しかし明末清初期以降、男女を分けて儀礼を行うべきだという意見が表明されるようになる。

呂坤《りょこん》（一五三六―一六一八年）「喪祭で男女を分けないのは礼ではない。（中略）末世の人情であってもそれが古（＝理想のありかた）ということもあるのだ。棺について泣くさい、男女が向き合って泣くのは男女がなれなれしくて礼儀を失っている。婦女は幃《とばり》の中におり、丈夫は幃の外にいるものだ」（『四礼疑』巻四）。

孫奇《そんき》逢《ほう》（一五八五―一六七五年）「祭祀では、婦人は（男性とは）別に儀礼を行う」（『夏峰先生集』巻一〇）。

顔元《がんげん》（一六三五―一七〇四年）「（餕の儀礼のさい）婦女たちが堂前に出て男性尊長に酒を献じ、また男性たちが中堂に入り、女性尊長に酒を献じるようなことをさせるのはだめだ。この場には賓客がいる場合さえあるというのに、それでいて杯のやりとりをし、男性が女性たちに酒を飲ませ、女性が男性たちに飲ませるなど、特にありえない。私がおもうに、男性と女性はそれぞれ事を行い、男性は女性には杯のやりとりをせず、女性は男性には杯のやりとりをしないというのが良い。拙宅の祖先祭祀では、主人が男子を率いて前方で拝礼をし、婦人は数歩後ろ、あるいは門外から拝礼をしている」(『礼文手鈔』巻五)。

これらはいずれも男女を隔離するのが正しい礼だという認識である。経書にも家を建てるさいにも、外と内を二分して、男性は外に居り、女性は内に居る(『礼記』内則)といった男女隔離をいう規定がある。また明清期は男女隔離の規範が著しく強化された時代だった。呂坤は節気や誕生日でもなければ舅と嫁が対面することはないと述べている。このような状況であれば男女がともに集って儀礼を行い、酒を献じあうなど到底考えられないことだろう。スーザン・マンは、明清期における女性の家内隔離は、身分制のない社会における社会的地位の指標として機能したと指摘する(マン 二〇一五)。貧困のため結納金が準備できず結婚できない多数の独り者の男性が戸外に多くいるという社会では、一定程度の経済力をもつ家であれば妻もむすめも家内に隔離しておくという配慮は当然ありえただろう。そして社会で男女が顔を合わせないという慣習が定着すれば、家族どうしであっても姻族であれば対面を避けようという人々も現れたことだろう。さらに喪祭儀礼となれば集まる親族の範囲は同居家族成員をはるかに越える。朱熹『家礼』で想定されていた祖先祭祀単位は通常は兄弟とその妻子・孫といった程度で、最大でも高祖(曽祖父の父)を共通の祖先とする父系親族であったが、明清期の特に中国南方で広がった宗族結合の慣習では、始遷祖(始祖)に連なるすべての親族を広く集結することができる仕組みだった。服喪の範囲を遠く越える遠縁の間柄の人々も広く集まるとなれば、男女で対面するのは不適当であるとして、男女別々に儀礼を行おうというありかたも当然うまれてくるだろうことが推察できる。

また、纏足《てんそく》の普及が女性の儀礼からの排除につながったことをうかがわせる発言もある。李文炤《りぶんしょう》(一六七二—一七三五年)は次のように述べる。「宗廟の祭りは厳なるもので、もちろん一家でともに行うものである。しかし女性や子どもは筋力が弱く、誠敬の心も必ずしも純至というわけではないので、長く立っているとやる気なくだれてきて、みぐるしいこと甚だしい。そのため〔中略〕主婦はただ女性たちを率いて、供え物を運んできたり、茶湯を点《た》てたりするだけで、礼が終わったら退出することとし、小さい子どもは櫝《とく》を開けるとき再拝させるだけとし、四時祭の場合には主婦は「再献」〔主婦として祖先を祭る〕の役割を果たせばそれで退出し、酒食の供え物を片付ける儀礼を行ってまた退出する、とすれば良い。礼には「君阼に在り、夫人房に在り」〔『礼記』礼器〕ともあり、そもそも男女が左右に分かれて並列するのは礼の意義ではない。不自由な足を引きずるようにして祭祀に参加するのは君子の非とするところである」〔『家礼拾遺』巻二〕。纏足とは女児の足を布で緊縛して足の成長を止めて固めるという慣習で、五代十国・南唐の舞姫を先駆として宋代に始まるものとされ、明清期に広く普及した。実のところ纏足の女性が儀礼の場で長時間立ちかつ跪拝《きはい》したりすることは難しいこともあっただろうし、ましてやまだ纏足が完成せずに足の痛みに苦しみ叫ぶむすめたちが儀礼の場に出たり、ましてや親族の野辺送りのために遠出するなど到底考えにくい。前引の李文炤は女性らには祖先への誠敬の心が足りぬとして手厳しいが、たとえ女性の体を気遣った優しい気持ちから出たとしても、結果として女性は祭祀に出なくて良い、関わらなくてよいという考え方が普遍化すれば、その事実に当初の意図とは異なる別の意味が付与されていくことは大いにありえよう。

なお、最後にむすめは祖墳に葬らないという慣習について付言しておきたい。呂坤は未婚のむすめの墓を作るのは当然という前提で一族墓地を設計した。また筆者に「むすめについては墓は作らない」と話した古老の一族の族譜には清朝道光年間に女児の墓を作った記録がある。滋賀説の根拠が一九四〇年代の中国農村慣行調査であることを考えあわせると、そのような慣習の定着時期はより近代に近い時期であった可能性が考えられる。

おわりに

本章冒頭に「父子間にのみ「気」が継承されるため祖先祭祀ができるのもむすこだけ、という考え方はどれほどの歴史的背景をもつのか」という課題を掲げた。結論としては、父系祖先と子孫は同気であるから祭祀で感応するという考え方は南宋・朱熹がはじめて述べたものであったが、気の理論上では母子間にも気の継承関係があるのは当然で、ただ父子の気がより重要だというものだった。朱子学の体制教学化によりこの考え方がその後も基本的に継承されるから、特に明清期以降の中国にみられる強固な父系制は、中国伝統文化の最重要概念たる気の思想に裏付けられ牽引されたものとはいえない。むすめの喪祭儀礼からの排除など明清期以降にみられる女性への抑圧的なジェンダー規範は、経書の規定や朱子学の理気論、『家礼』の規定をはるかに逸脱強化して成ったものであった。このことは、明清期以降の強い父系化が朱子学の普及によって起こったのではなく、社会の側の要因で進んだものであることを示唆するものといえる。

なお南宋期には、父母死亡後の家産分割においてむすめにむすこの二分の一の財産権を認める特異な法があったことが知られている（いわゆる「女子分法」）。本法はその解釈をめぐってこれまで多くの議論が重ねられてきた。しかし財産権と相表裏する関係にあるとされる祭祀権においては、むすめが実家において祭祀し祭祀される関係にあるとするのが朱子学の立場だったことを考えれば、南宋「女子分法」の存在も誠に頷けるものである。

参考文献

大澤正昭（二〇〇五）『唐宋時代の家族・婚姻・女性——婦《つま》は強く』明石書店。

大澤正昭（二〇二一）『妻と娘の唐宋時代――史料に語らせよう』東方書店。

小浜正子・下倉渉・佐々木愛・高嶋航・江上幸子編（二〇一八）『中国ジェンダー史研究入門』京都大学学術出版会。

佐々木愛（二〇一五a）「墓からみた伝統中国の家族――宋代道学者がつくった墓」『社会文化論集』一一。

佐々木愛（二〇一五b）「むすめの墓・母の墓――墓からみた伝統中国の家族」小浜正子編『アジア遊学191 ジェンダーの中国史』勉誠出版。

佐々木愛（二〇二〇）「「父子同氣」概念の成立時期について――「中國家族法の原理」再考」『東洋史研究』七九―一。

佐々木愛（二〇二一）「北宋藍田呂氏家族墓園にみる家族秩序」伊東貴之編『東アジアの王権と秩序――思想・宗教・儀礼を中心として』汲古書院。

佐々木愛（二〇二二a）「近世中国における生命発生論――母子間の継承関係と父系制」小浜正子・板橋暁子編『東アジアの家族とセクシュアリティ――規範と逸脱』京都大学学術出版会。

佐々木愛（二〇二二b）「朱熹『家礼』における家族とジェンダー――特に女性の儀礼参加をめぐって」『社会文化論集』一八。

佐々木愛編（二〇二二c）『記憶された人と歴史――中国福建・江西・浙江の古墓・史跡調査記』デザインエッグ社（刊行予定）。

滋賀秀三（一九六七）『中国家族法の原理』創文社。

マン、スーザン著、小浜正子、リンダ・グローブ監訳（二〇一五）『性からよむ中国史――男女隔離・纏足・同性愛』平凡社（英文原著二〇一一）。

諸橋轍次（一九四〇）『支那の家族制』大修館書店（後、『諸橋轍次著作集』第四巻所収）。

陝西省考古研究院・西安市文物保護考古研究院・陝西歴史博物館（二〇一八）『藍田呂氏家族墓園』（一）―（四）、文物出版社。

焦点｜*Focus*

高麗国とその周辺

矢木 毅

天下国家を論じることは私の任ではない——などという場合の「天下国家」は、通例、我が日本国の政治のことを意味している。しかしこの語は本来「天下・国・家」という、それぞれ次元を異にする三つの領域を指し示すものであった。このうち、最下層をなす「家」とは代々諸国の政治を担う貴族の家、いわゆる「世家《せいか》」のことを意味しており、その世家に支えられて諸侯の「国」が成り立っている。そうしてその諸侯に爵位と領地とを与え、いわゆる封建を行うことによって、「天命」を受けた有徳者である「天子」が「天下」を支配していたのである。

「修身、斉家、治国、平天下」——中国の古典『大学』にみえるこの文言は、「天下・国・家」の世界構造に基づいて君子の徳が外へ外へと押し広げられていくプロセスを端的に示している。これによって古代の中国の人々は、当時の「全世界」のあり方を、自分たち「華夏《かか》」を中心として構造的に捉えていた。そうしてその天子の定めた「礼教」の及ばない世界については、それを「蕃夷《ばんい》」として切り捨て、もしくは礼教による教化、懐柔の対象とみなしていたのである。

我々「東夷」の子孫からいえば、余計なお世話としか言いようがない。「東夷・南蛮・西戎《せいじゅう》・北狄《ほくてき》」にはそれぞれの暮らしと文化があり、それは「中華」の「礼教」の世界とも本質的には対等の価値を有している。とはいえ古代中国の文明は、周辺世界のなかでは圧倒的に先進的なもので、その魅力が周辺の諸民族・諸国家を強く引き付けてきたこともまた事実である。とりわけ中国大陸とは地続きであり、古くから中国の文明を受け入れてきた朝鮮半島の人々にとっては、中国の「礼教」を自らのものとし、中国を中心とする「天下」の秩序のなかに、自国を「小中華」として位置づけることが彼らの誇りとすらなっていた。そうした「天下」の秩序の安定こそが、彼らにとっては自分たちの「国」や「家」の安定にも繫がっていたからである。

もっとも朝鮮半島の人びとは、数千年にわたる中国との交流を通しても、ついに自分たちの固有の文化や言語を失うことはなかった。朝鮮半島と中国大陸との地理的な近さを考えると、これはほとんど奇跡といってもよいほどであるが、それにはやはり、それなりの理由がある。中国本土と朝鮮半島とを結ぶ「遼西《りょうせい》・遼東《りょうとう》」の地域——遼河の東西の地域——は、古来、必ずしも漢民族の支配する領域ではなかった。そうしてそのことは、中国本土と朝鮮半島とを適度に引き離すことにもなった。しかし、この地域が契丹《きったん》や女真《じょしん》などの北方民族によって支配されると、朝鮮半島の人びとは大陸との陸路の交通路を失い、危険な海路による交通——具体的には山東半島を経由する北路と、江南《こうなん》に直航する南路——とに頼らざるを得なくなった。しかも、海路によって中国本土とつながっていることは、中国の文物を求める北方民族の勢力を、朝鮮半島へと引き寄せる一つの間接的な要因ともなったのである。

一、高麗の建国

九一八年、高麗の太祖《たいそ》王建《おうけん》は、泰封《たいほう》国の前主・弓裔《きゅうえい》を放伐《ほうばつ》して高麗国を建て、年号を「天授」と定めた。暴力による革命を「天命」として正当化したのである。国号の「高麗」は、古《いにしえ》の「高句麗《こうくり》」、すなわち「高麗」の継承を謳うものであるが、これはこのころ対立していた新羅《しらぎ》や後百済《ごひゃくさい》との対抗上、高句麗の歴史的権威を借用したものにすぎない。このとき、「天授」という独自の年号を定めたことは、高麗が中国の冊封に頼ることなく、独自に王朝国家としての正統性を打ち立てたことを意味している。

その後、新羅王の帰順を受け入れ、後百済王を討伐して、いわゆる「三韓」——ここでは朝鮮半島の全体を指す雅称——を統一したのが九三六年（太祖一九年）のこと。これより先、九三三年（太祖一六年）に王建は中国五代・後唐からの冊封を受けて「高麗国王」に封ぜられた。このため高麗は「天授」の年号を停止し、以後しばらくは後唐の正朔《せいさく》（暦）を奉じている（『高麗史』年表）。

有唐高麗国

九三七年（太祖二〇年）に立碑された、ある高僧の墓碑（『韓国金石全文』一四四）には、「有唐高麗国海州須彌山《しゅみせん》広照寺故教諡真澈《しんてつ》禅師宝月乗空之塔碑銘、并序」との題名があり、末尾には「清泰《せいたい》四年十月二十日」との紀年が刻まれている。「清泰」は五代・後唐《こうとう》の年号。このとき後唐はすでに滅びていたのであるが、高麗では引き続き後唐の年号を用いていた。その理由はともかく、ここではまず碑文の題名にみえる「有唐高麗国」という名乗りに注目しておきたい。

「有唐」とは後唐の「天下を有《たも》つの号（有天下之号）」。これは単なる国号ではなく、中国を統一した（と称する）王朝が、自国の称号を支配領域の全土、すなわち「天下」に押し広げた「大号」である（『白虎通義《びゃっこつうぎ》』国号）。したがって、その「天下」のもとには、かつて対立していた「国」や、新たに服属した「国」なども含まれている。そうして「高麗国」もまた、その後唐の「天下」に身を寄せ、自らを後唐の「天下」の一角として位置づけていたことが、この「有唐高麗国」という名乗りに端的に示されているのである。

なお、「教諡真澈禅師」というのは、国王の命令（教）によって「真澈」という諡《おくりな》が与えられたことを意味しているが、「教」とは天子（皇帝）の「詔《みことのり》」に対して諸侯の言を意味しており、ここでも高麗国王が中国の皇帝に対して一段階へりくだった立場を取っていたことが確認できる。ちなみに、有唐の「有」は国号などに添える接頭語（美称）。

私たちが「後唐」と呼ぶのは李白や杜甫の時代の「唐」と区別するための便宜的な呼称であり、当時の後唐の人々は、当然、自らのことを「唐」と称していたのである。

五代・北宋との通交

その後、高麗では九三八年(太祖二一年)から「後晋」の年号を用い、九四八年(定宗三年)からは「後漢」の年号を用いている。九四三年(太祖二六年)に立碑された、ある別の高僧の墓碑(『韓国金石全文』一五二)には「有晋高麗中原府開天山浄土寺教諡法鏡大師慈灯之塔碑銘、并序」との題名があり、末尾には「天福八年歳次癸卯六月丁未朔五日辛亥」との紀年が刻まれている。これは高麗国が「有晋」の天下に身を寄せていたことの一例である。

かくして高麗国は、中国五代ないし北宋の正朔を次々と奉じることになった。ただし第四代・光宗の時代には「光徳」という独自の年号を立てていたことが注目される。金・王寂《おうせき》の『遼東行部志』に移録されている写経の巻首に、「菩薩戒弟子、高麗王王昭、以我国光徳四年、歳在壬子秋、敬写此経一部」とあることはその貴重な証言である。つまり、中国の正朔を奉じる一方において、国内においては独自の年号を行うこともあったのであるが、その光宗も九五一年(光宗二年)からは後周の年号を行い、九六三年(光宗一四年)からは北宋の年号を行うようになった(ただし、それより以前の「峻豊」の年号も、実は北宋の「建隆」の年号を避諱《ひき》によって改めたものである可能性が高い)。

九六三年(光宗一四年)、高麗では王宮(大闕《だいけつ》)の修繕工事が終わっているが、その正殿である「乾徳殿」の名称は、この時の北宋の年号「乾徳」にちなんで名づけられたものであるのかもしれない。仮にそうであるとすれば、これもまた高麗国が北宋の「天下」に身を寄せていたことの、一つの象徴として位置づけることができるであろう。

国制の整備

高麗国王は北宋皇帝からの冊封を受けて「玄菟《げんと》州都督、大順軍使、高麗国王」に任命されていた。このうち「玄菟州」というのはいわゆる「羈縻《きび》州」で、これは中国が周辺異民族を軍事的・経済的に懐柔するために設定した行政区画。ここでは北宋が国内の州県制度を高麗にも擬制的に当てはめ、この地域に玄菟州という羈縻州を設定していたことを意味している。また「大順軍」というのも中国の軍隊の名称(軍額)で、もとは「大義軍」といったが、北宋の太宗の諱《いみな》(光義)を避けて大順軍とした。これは北宋がこの地域に大順軍という軍隊を設定し、その軍事指揮権を高麗国王にゆだねていたことを意味している。もとより擬制的なものにすぎないとはいえ、北宋は高麗を羈縻州として自らの「天下」に組み込んでいたということになる。

これに対し、高麗国王のほうでも自らを中国の天子(皇帝)に服属する「諸侯」とみなす立場から国制の整備を進めている。たとえば、従来は国王のお言葉を「詔」と称していたが、九八六年(成宗五年)にはこれを改めて「教」と称し、中国より一段階へりくだった立場を明らかにした(ただし、高僧の墓碑ではすでに「教」と称していたことは前述のとおり)。また九八八年(成宗七年)には天子の「七廟」に対し、一等を逓降《ていこう》して「五廟」の制度を定めている。当初は「始祖」の元徳大王(宝育)と、懿祖《いそ》(作帝建)、世祖(王隆)、太祖(王建)、そうして自らの父である戴宗(旭)の五人を祀る計画であったのかもしれないが、その後、九九四年(成宗一三年)の段階では太祖、恵宗、定宗、光宗、戴宗、景宗の三世代・六人の王を太廟に祀っている(このうち戴宗は追贈)。

第六代・成宗の時代は、その廟号が示すとおり、高麗初期の制度の「完成」の時代であった。そうして当時の高麗国は、北宋の「天下」のもとで、北宋の天子(皇帝)に服属する「諸侯」としての国制を備え、いわゆる「小中華」としての道を歩もうとしていた。

二、契丹(遼)への服属

高麗は北宋に服属していたが、その北方においては契丹(遼)が擡頭《たいとう》して北宋と高麗の双方に圧力を加えていた。もともと契丹は唐と突厥に両属し、また唐の羈縻州ともなっていたが、唐末に勢力を伸ばして太祖(阿保機《あぼき》)の時代に皇帝と称し、太宗(徳光《とくこう》)の時代に五代後晋から燕雲《えんうん》十六州の割譲を受けて、万里の長城の南北にまたがる多民族の複合国家として発展していった。いわゆる燕雲十六州の割譲は、ちょうど高麗が「三韓」を統一した九三六年の出来事である。その後、北宋の太宗が中国を統一すると、失われた燕雲十六州の奪還に向けて、契丹の背後に位置する高麗や女真にたびたび使者を派遣し、契丹への挟撃を持ちかけている。この時期、山東半島から遼東半島へ、そうして鴨緑《おうりょっ》江《こう》下流域へとつながる北方の航路を介して北宋と高麗・女真との通交が活発に行われていた背景には、燕雲十六州の奪還に向けた北宋の外交戦略が存在していたのである。しかし、それを警戒した契丹は、北宋との通交を遮断すべく鴨緑江流域の女真に対する統制を強化し、やがてその圧力は朝鮮半島の高麗国にも及んでいった。

契丹への服属

九九三年(成宗一二年)、契丹は「高句麗の旧領を回収する」と称して高麗の西北境に侵攻する。高麗の成宗は自ら西京(平壌)に幸《みゆき》し、安北府(安州)に進んで契丹軍に対峙したが、戦況が悪化して西京に引き返した。一時は、かつての高句麗の都である西京を放棄することもやむなしとする雰囲気であったが、幸い、契丹の側でも講和を望んでいたため、高麗が宋と断交し、契丹に朝貢することを条件として契丹は軍を引き返した。高麗からは早速にも契丹に朝貢の使節を派遣し、翌九九四年(成宗一三年)からは契丹の「統和」の年号を行っている。ただし、その一方では北宋にも使者を派遣し、北宋からの軍事支援を求めているが、このころ北宋の太宗は、九八六年の岐溝関《きこうかん》の戦いで契丹に大敗して以来、すっかり北征の意欲をなくしていたため、「北鄙《ほくひ》はじめて寧《やす》んず。宜しく軽動すべからず」と称して高麗の使者を送り返している(『高麗史節要』成宗十三年六月条)。以後、高麗と北宋との国交は途絶することになった。

官制の改革

契丹に服属した高麗は、九九五年(成宗一四年)に官制を改革し、唐宋の制度をそのまま準用して六部《りくぶ》・寺監《じかん》などの官職名を定めている。たとえば御事都省《ぎょじとしょう》を「尚書都省《しょうしょとしょう》」に改めたことなどがその一例であるが、これには異民族の契丹に服属したことに伴い、失墜した国王の権威を回復する意図が込められていたものと思う。

従来、高麗国王は「中華」の諸王朝からの冊封を受け、それを王位の正統性の根拠として位置づけてきたが、今や北宋との国交が途絶え、北方の異民族である契丹からの冊封を受け入れることになった高麗では、国王みずからが「中華」の価値を体現することによってしか、その正統性を誇示することができなくなった。これ以後、高麗国王は契丹の冊封を受けながらも、国内的には皇帝の「礼」を犯し、たとえば王命のことを「詔」と称して、自ら皇帝を気取るようになっていくが、それに対して異民族の立てた王朝である契丹は、取り立ててその僭礼をとがめることはなかったのである。

三、靖康《せいこう》の変と高麗

契丹と北宋とは一〇〇四年に「澶淵《せんえん》の盟《めい》」を結び、以後、一〇〇年にわたって同盟関係を維持していた。このため、王位の継承に際して契丹からの干渉を受けた高麗の顕宗が、一〇三〇年(北宋・天聖八年)に再び北宋に使節を送り、北宋と結んで契丹を牽制しようとしたときにも、北宋のほうでは契丹との盟約を守ってこれを拒否している。その後、北宋では西夏との戦争で疲弊した国家財政を立て直すべく、神宗《しんそう》の時代に「新法」が開始された。いわゆる「熙《き》豊《ほう》変《へん》法《ぽう》」である。国政の全般にわたる改革の究極の目的は、いわゆる「燕雲十六州」を奪還して真の意味での「天下」の統一を果たすことにほかならない。このため新法党の政権は概して対外政策に積極的で、それは高麗に対する北宋からの働きかけとなって表れてきた。

宋麗国交の再開

従来、安全保障上の観点から、北宋では高麗への商船の渡航は禁じられていた。しかし実際には主として福建商人たちが江南の航路を経由して高麗の碧瀾渡《へきらんと》（礼成江《れいせいこう》の河口に位置する開京の外港）に来航し、高麗の王室や民間商人たちと盛んに交易を行っていたのである。そこで福建転運使の羅拯《らじょう》が皇帝の「密旨」を奉じて福建商人たちに働きかけ、商人たちを通して高麗のほうから「朝貢」を願い出てくるように予備折衝を行わせた（『宋史』高麗伝）。あくまでも「夷狄」が皇帝の徳を慕って自ら朝貢を願い出てきた、という体にするためである。

さっそく、高麗の礼賓省（賓客の応接を掌《つかさど》る）から福建転運使の羅拯に宛てて公文（牒《ちょう》）が送られてきたが、これももちろん福建商人たちに言づけてのことである。羅拯がこれを朝廷に報告すると、朝廷では高麗と結んで契丹を挟撃する経略を立て、高麗の朝貢を認めることにした。かくして一〇七〇年（北宋・熙寧三年）、高麗から「民官侍郎」の金《きん》悌《てい》等一一〇人が遣わされ、翌一〇七一年八月に北宋に入朝した。北宋ではこれを西夏の使節と同等の礼でもてなしている。いわゆる「民官侍郎」は戸部侍郎のこと。この時期、高麗国内では唐宋と同様の官制を用いていたが、「中華」の王朝に対しては、へりくだって民官侍郎と称したのであろう。一〇三〇年（北宋・天聖八年）の朝貢以来、実に四十数年ぶりの朝貢であった。

「礼は往来を尚《とうと》ぶ」(『礼記』曲礼上)。高麗から使節が派遣されてくるのであれば、北宋からも答礼の使節を派遣しないわけにはいかない。そこで、一〇七八年(北宋・元豊元年)正月、北宋から「国信使」の安燾《あんとう》、副使の陳睦《ちんぼく》らが派遣される。その前触れは明州教練使の顧允恭《こいんきょう》(これも商人であろう)がもたらした公文(牒)によって高麗に伝わり、さっそく迎接の準備が進められる。北宋の使節は同年五月に泰安半島の安興亭で出迎えを受け、高麗の船の先導のもと、六月に礼成江(碧瀾渡)に着岸し、入京して順天館に腰を据えた。順天館は北宋の使節のための迎賓館。いわゆる「天」は天朝、すなわち宋朝のことを指しているのである。

使節一行は「会慶殿」で宋帝の詔書の宣読を行った。この会慶殿は通常は用いず、北宋の使節の迎接など、特別な行事のためにだけ使われる正殿である。このとき北宋の皇帝から高麗国王に宛てて、さまざまな「国信物」――誠意の証の品々――が贈与された。

使命を果たした安燾と陳睦は、高麗の人々からたんまりと贈り物をもらって帰国の途に就いたが、あまりに贈り物が多くて船に積みきれない。そこで一部は銀に替えて受け取り、たっぷりと懐を肥やして帰っていった。高麗の人々は、「中華」の使節に対する期待が高かっただけに、二人の振る舞いに大いに幻滅したといわれている(『高麗史』文宗世家、三十二年条)。

海上の盟

かくして北宋は高麗との国交を再開したが、その後、契丹の背後でにわかに勢力を強め、遼の東京《とうけい》(遼陽府《りょうようふ》)を制圧するに至った女真、すなわち金朝の太祖《たいそ》(阿骨打《アクダ》)とも連絡をとり、金朝と「海上の盟」を結んで契丹の挟撃を企てるようになった。山東半島から遼東半島に至る北方の航路を使って、女真と軍事同盟を結ぶことになったのである。

当初の盟約では、おおむね長城以北を金、長城以南を宋がそれぞれ攻略して契丹の領土を山分けする約束であった。

しかし宋がもたもたしている間に、金は遼の上京《じょうけい》(臨潢府《りんこうふ》)、中京(大定府《だいていふ》)を攻略し、逃亡した天祚帝《てんそてい》を追って長城以南の西京(大同府)、さらには燕京《えんけい》(今の北京)をも攻め落としてしまう。結局、宋は金に対して遼のときと同額の歳幣《さいへい》を贈ることのほかに、多額の報償金を支払って燕京の地を譲り渡してもらうことになった。

靖康の変

かくして契丹が衰退すると、宋は再び高麗への接近を図る。おりしも亡くなった国王睿宗《えいそう》の弔問にかこつけて路允《ろいん》迪《てき》・傅墨卿《ふぼくけい》らの使節を派遣し、高麗のほうから宋に「冊封」を求めるようにと持ちかけている(『高麗史節要』仁宗元年六月条)。このときの随員の一人、徐兢《じょきょう》の著した使行録が、有名な『宣和奉使高麗図経』である。

一方、金から燕京を譲り受けた宋は、当初の盟約に背いて契丹の亡命者を受け入れ、また天祚帝と内通するなどしたため、かえって金朝の怒りを買い、南進した金朝に首都の開封《かいほう》を包囲されてしまう。北宋の徽宗《きそう》は息子の欽宗《きんそう》に位を譲ってさっさと逃亡し、欽宗はその尻ぬぐいを押し付けられて、ひとまず金と講和を結んだ。このとき欽宗は高麗にも使者を派遣し、金朝を挟撃するようにと持ちかけているが、高麗はこれを婉曲に断っている(『高麗史節要』仁宗四年七月条)。

こうして一旦は和議を結んだ宋と金とであったが、約束していた三鎮(中山、河間、太原)の引き渡しなどの問題で両国の関係がこじれたため、度重なる宋の背信行為に怒った金朝は再び開封を包囲し、この度は徽宗・欽宗の二帝を拉致して北方へと引き上げていった。これが一一二六―二七年の、いわゆる「靖康の変」である。

おりしも高麗からは、『三国史記』の撰者として知られる金富軾《きんふしょく》らの朝貢使節一行が、欽宗の即位を祝うべく、海路より宋朝に派遣されて明州(寧波《ねいは》)に到着し、大運河をさかのぼって開封に上ろうとしていた。しかし、戦乱の最中で交通路が途絶して入朝を果たせず、むなしく帰国の途に就かなければならなかった。

仮道《かと》入金《にゅうきん》

いわゆる靖康の変は、海を隔てた高麗の人々にも衝撃をもって伝えられた。その詳報は上述の朝貢使節(金富軾ら)によってもたらされたが、その後の推移も、おそらくは南宋の海商たちによる海上ネットワークを通して逐一高麗に伝わっていたことであろう。

南宋ではこのネットワークを利用して高麗に楊応誠《ようおうせい》なる使者を派遣し、高麗の仲介によって金朝から徽宗・欽宗の二帝を取り戻そうとした。つまり、高麗を経由して金朝の上京に赴き(仮道入金)、金朝皇帝との直接交渉によって二帝の帰国を実現させようとしたのである。

楊応誠には「建炎仮道高麗録」という著作があり(陳振孫『直斎書録解題』巻五)、そこには「道を遼東に取りて、使を金虜に奉じ、達せずして還」った次第が記述されていた。今は亡佚《ぼういつ》しているが、その内容は『建炎以来繫年要録』などの南宋の史料を通して大体は窺《うかが》うことができる。

「大金・高麗国信使」に任命され楊応誠は、「身《みずか》ら三韓に使いし、雞林《けいりん》と結んで、以《もっ》て二聖を迎えんことを図」ったといわれているが(『宋史』高麗伝)、いわゆる「三韓」とは、ここでは朝鮮半島をも含めた広義の「遼東」のこと、「雞林」とは新羅改め高麗のことを指すのであろう。高麗と結んで二聖(徽宗・欽宗)を迎え取る、というのが、果たして平和的な外交交渉による帰還を意味しているのか、それとも軍事的な意図を秘めていたのかはよくわからないが、いずれにせよ、高麗は巻き添えを嫌って南宋への協力を拒否している。「元豊年間、神宗からあれほどに厚遇を受けていたにもかかわらず……」。高麗の冷淡ぶりに憤慨した南宋の人々の気持ちもわからぬではないが、現実の政治は感情論だけで動くものではない。高麗としては、宋朝と金朝との間のもめごとに首を突っ込む意図はさらさらなかった。

四、女真(金)への服属

話は少し前後するが、いわゆる靖康の変より以前、一一一五年(収国《しゅうこく》元年)に皇帝の位に即き、遼の天祚帝の軍を蹴散らして東京(遼陽府)を制圧した金朝の太祖(阿骨打)は、その後、朝鮮半島の高麗国に対しても金朝への服属を求めてきた。当初「兄弟」の関係で国交を結んだ金朝が、今や対等国家間の「国書」ではなく、臣下としての「表」の提出を求め、かつ「臣」と称することを求めてきたのである(『高麗史節要』仁宗三年五月条)。これに対し、高麗では「夷狄」への臣属に反対する声が大勢を占めていたが、当時の権臣である李資謙《りしけん》(国王仁宗の外祖父)の鶴の一声によって金朝への服属(事金《じきん》)の国是が定められた。

――金は、かつては小国として遼と高麗とに両属していたが、今やにわかに強大となり、遼を滅ぼして宋の同盟国となった。内政は治まり軍隊も強力で、日に日に強大となっている。そのうえ、我が国とは国境を接しているので、勢いとして服属しないわけにはいかない(『高麗史節要』仁宗四年三月条)。

こうした現実的な情勢判断のもと、高麗が金の属国となったのが一一二六年(仁宗四年)。ちょうど靖康の変の直前である。その後、北宋を滅ぼした金朝は、高麗が南宋と内通していることを疑って、さらに「誓表《せいひょう》」の提出を求めてくる。これに対しても高麗では反発する声が高かったものの、結局は金朝の言いつけに従って臣属の「誓表」を提出しなければならなかった(『高麗史節要』仁宗七年十一月条)。

もともと高麗に服属していた女真族の金朝に、今や自分たちが臣属しなければならない……。一旦その現実を受け入れた高麗の人々も、内心ではそのことに強い不満を抱いていた。

海東高麗国

高麗国王は遼朝の皇帝、金朝の皇帝からそれぞれに冊封を受けた。遼や金の「天下」に服属したわけであるから、当然、「大遼高麗国」、「大金高麗国」などと名乗らなければならない。しかし管見の限り、そのような名乗りは当時の文献資料にはまったく見当たらないのである。

そもそも「華夏」の国の名は通例「一字」であり、それを押し広げた「天下を有つの号（有天下之号）」も通例は「一字」である。しかし一字では漢語として落ち着きが悪いので、通例は「大」、「有」、「皇」などの修飾語（美称）を添えて二字に整えている。ただし自国ではなく、異国の朝廷に「大」などの語を添えると、場合によってはその王朝に服属する意を示すことになるので、厳に慎まなければならない、というのが荻生徂徠（『明律国字《みんりつこくじ》解《かい》』）や本居宣長（『馭《ぎょ》戎慨言《じゅうがいげん》』）などのうるさく論じたところ。その理屈でいうと、高麗の人々が「大遼高麗国」、「大金高麗国」などの名乗りを避けていたのは、明らかに「大遼」や「大金」の天下に身を寄せることへの不平不満の表れといえる。

その代わりとして、当時の高麗の人々が選んだ表記は「海東高麗国」というものであった。これは、本来なら「大遼」、「大金」などと表記すべきところに「海東」という別の二文字をはめ込んだものということができよう。

海東天子

このころ高麗では、北方民族である契丹や女真に服属することへの反発から、高麗国王を「海東天子」として位置づけ、「天子」の礼を犯して国王が自ら「朕」と称したり、臣下から国王を「聖上陛下」と尊称したり、また国王のお言葉を「詔」と称したりしていた。つまりは国内において「皇帝」を気取っていたのである。

今日の韓国の学界では、この「海東天子」としての自己認識を、伝統的な中国への「事大」の意識でもなく、その裏返しとしての極端な自民族中心主義——たとえば妙清《みょうせい》らが唱えたような「称帝建元」論——でもない、「多元的天下観」に基づく第三の自己認識として評価する声が高い。それは「東北アジアのバランサー」をもって自任する現代の韓国の人々にとっても、はなはだ共感しやすい側面をもっているからであろう。

しかしながら、「海東天子」としての自己認識は、決して今日の国際社会におけるような、各国の主権平等と相互の尊重とを前提とするものではなかったことにも注意しておかなければなるまい。高麗は女真や日本を「交隣」の対象としたが、その実はあくまでも「羈縻」――軍事的脅威を回避するために、やむを得ず、交易の利益によって懐柔すること――の対象として見下していた。また、「海東」という言葉は、当然、西の方角に当たる中国(宋朝)を意識したもので、それは条件さえ整えば、いつでも伝統的な中国への「事大」の関係に容易に回帰する性格のものであった。

そもそも「国」と称している以上、それは「天下を有つの号(有天下之号)」を称する「天子」の存在をどこかで前提としている。その天子とは具体的には宋朝の皇帝のことで、事実、契丹(遼)や女真(金)に服属していた時代においてすら、高麗の国内では「大宋高麗国」との名乗りを用いているケースが少なくない。とりわけそれは宋麗の国交が再開された熙寧・元豊のころにおいて顕著である。そうしてこの時期こそが、北宋の新文化をリアルタイムで受容することのできた高麗にとっての文化的な最盛期にあたっていた。

高麗は国内外の秩序の安定を図るために一貫して「中華」の価値観を必要としたが、その「中華」の源泉となる宋朝からの正式の冊封を期待することはできなかった。むしろ現実には、異民族である契丹(遼)や女真(金)からの冊封を受け入れざるをえなかったのである。このため、高麗国王は自らを「海東天子」とみなし、自らが中華の価値観を体現することによって、国内外の秩序の安定を図っていた。しかし、そのような「僭礼」は、やがて国際環境の変化によって維持することができなくなっていった。

五、モンゴル(元)への服属

高麗はその後、モンゴル(元)に服属して元朝からの冊封を受けることになる。しかし今度は「大元高麗国」や、「有元高麗国」、「皇元高麗国」などの名乗りを、むしろ積極的に用いるようになり、また「詔」、「朕」、「陛下」などの僭称も自ら使用を取りやめるようになった。同じく北方民族への服属であるのに、契丹(遼)や女真(金)に対する態度と元朝に対する態度とが大きく相違しているのはいったいなぜであろうか。

契丹や女真の場合、中国を支配したといってもそれは華北の一部にすぎず、南方には宋朝(北宋・南宋)が存在して一種の「南北朝」の様相を呈していた。ところが、元朝はこの南北朝を統一して「天下」の混一を果たしている。まずはその事実がモンゴルの支配の「正統性」を裏づけていた。しかも高麗の王室は、この元朝に服属し、元朝の皇室との通婚を通して武臣執権期に失墜した王室の権威を回復することに成功している。このため高麗の人々は、もはやモンゴルのことを北方民族として蔑むことはできず、むしろモンゴルによる「天下」の混一を自ら積極的に賛美しなければならなかったのである。

なお、大都(今の北京)を都とする元朝とは、遼・金と同様、主として陸路を通しての通交となり、そのことが両国の関係をいっそう緊密に結びつけることにもなっていった。

高麗の苦悩

その代償として、高麗はモンゴルによる日本遠征(文永・弘安の役)への協力を強いられ、遠征のための戦艦の建造と兵士の供出を担った。当時の禅僧の詩には、高麗の人々の苦しみが次のように詠まれている。

征東事甚急　日本遠征の支度は急ピッチで進む
農事誰復思　農作業になど誰もかまってはいられない
〔中略〕
日夜伐山木　昼も夜も山の木材を伐り出し
造艦力已疲　遠征のための戦艦を造ってヘトヘトになる
尺地不墾闢　わずかの農地も開墾されずに荒れるがまま
民命何以資　民衆は一体どうやって食べていけばよいのか

(『円鑑録《えんかんろく》』憫農黒羊《びんのうこくよう》、四月旦日、雨中作)

このほか、中国における内乱(高郵《こうゆう》の役)に際しても高麗は軍隊の供出を強いられ、また処女の供出(貢女)や宦官《かんがん》の供出なども強要された。モンゴルによって課せられた高麗の人的・物的な負担は、決して軽いものではなかったのである。

このため今日の韓国の学界では、高麗がモンゴル(元)に服属したこの時期のことを「元干渉期」と称している。元朝が高麗の内政に干渉し、国や民族のあり方が不当にゆがめられた時代、ということであろう。

次世代への展望

ただし、それは高麗の王室が自ら求めて実現させたものであった。そうしてこの時代には中国の音韻学が伝わり(『古今韻会挙要《ここんいんかいきょよう》』)、またパスパ文字が伝来し、さらに漢語学習書(『老乞大《ろうきつだい》』)の編纂等を通して言葉や文字に対する認識が深まっていった時代でもある。やがて一五世紀に「ハングル」が創造されるための、その基礎が築かれた時代であったことも忘れてはなるまい。

またこの時代には南宋の朱子学が華北にも広まり、やがて元朝において科挙が復活すると、朱子の注釈(『四書集注』)が科挙の公式の解釈として採用される。元朝治下の中国で「官学」となった朱子学は、元朝の科挙の地方試験(郷試《きょうし》)が高麗でも実施されていた関係上、科挙を通して高麗の知識人社会にも広まり、やがて高麗末においては、政治や社会の改革を求める人々にとっての理論的な「武器」――復古による革新を進めるための理論的根拠――となって普及していくことになるのである。

おわりに

一三六八年(洪武元年)、明の洪武帝が金陵(今の南京)で即位すると、その翌年に高麗では元の「至正」の年号を停止し、明朝に使者を遣わして即位の祝意を伝えた。これを受けて明朝では、一三七〇年(洪武三年)に高麗の恭愍王《きょうびんおう》を「高麗国王」に冊封する。同年、高麗は「洪武」の年号を行い、またモンゴル式の服飾(胡制)を改めて明朝の「中華」の服飾(華制)を採用した。なお、金陵を都とする明朝とは、当初は海路を通しての通交である。

その後の高麗と明朝との関係は、必ずしも順調なものではない。いくつもの屈折があり、その屈折のなかから李成桂、すなわち朝鮮国の太祖・李旦が擡頭して新しい王朝を創始するわけであるが、その間の経緯は省略して、ここで最初の問いに戻ることにしよう。

朝鮮半島の人々は、中国との長きにわたる交流のなかでも、なぜ自国の文化や言語を守ることができたのであろうか。それこそは「民族精神」のたまもの、といってしまえばそれまでであるが、では少し問いを変えて、中国がなぜ朝鮮半島を支配しようとし、もしくは支配しようとしなかったのかと尋ねた場合には、いったいどのような答えを見いだすことができるのであろうか。

漢の武帝が衛氏朝鮮を征服し、隋や唐が高句麗への遠征を繰り返したことは広く知られているが、これらは中国の戦乱に乗じ、亡命漢人の受け皿として発展してきた国であるから、漢人世界の真の統一を達成するためには、やはり一度は叩き潰しておかなければならない存在であったのであろう。しかし、統一新羅や高麗の時代になると、中国本土と朝鮮半島とを結ぶ遼西・遼東の地域は北方民族——具体的には契丹(遼)や女真(金)の支配するところとなり、もはや中国本土の王朝が直接に手を伸ばす領域ではなくなってしまっていた。そうして地続きの隣国となった契丹や女真は、時に流亡民の奪還のために朝鮮半島に南進することはあったものの、その領土的関心は、もっぱら中国北部へと向けられていた。このため契丹や女真は朝鮮半島に直接的な支配の手を伸ばすことはなかったのである。

契丹・女真を駆逐して遼西・遼東を支配したモンゴル(元)の場合には、当初は南宋や日本への通交ルートを確保する目的で、朝鮮半島への征服の手を伸ばしていったものと考えられる。モンゴルに帰順した高麗人を束ねて平壌に東寧府、和州に双城総管府《そうじょうそうかんふ》を設けたのはその足掛かりとしてであった。しかし、南宋の征服を果たし、かつ日本への遠征に失敗して以降は、海上交通の拠点としての耽羅《たんら》(済州島《さいしゅうとう》)を直轄地として支配したほかには、朝鮮半島への直轄支配の動きを示すことはなかった。逆に高麗の王室の内紛から、高麗の一部の人々が元朝に直轄地としての支配——いわゆる「立省」——を請願したときには、むしろ元朝の官僚のほうが、行政コストに見合っただけの税収が得られないことを理由としてそれに反対しているほどである(『高麗史節要』忠粛王十年正月条)。

結局、中国本土から見れば、朝鮮半島はなんといっても辺境の行き止まりの地にすぎなかった。しかし、その行き止まりの先には、海峡を挟んで日本という国が存在する。そうして中国の人々の関心がこの日本という未知の国に向けられたとき、朝鮮半島の地政学的な位置づけもまた大きく変わることになった。近代における日清・日露の戦役や、昨今における中国と米国との角逐《かくちく》は、いずれも朝鮮半島をその舞台とし、朝鮮半島における政治的・軍事的な主導権を争ったものにほかならない。

しかし私は、もはや与えられた課題を大きく踏み外してしまった。天下国家を論じることは私の任ではない。小稿ではただ「高麗国」という小窓を通して一〇世紀から一四世紀、あらまし五〇〇年にわたる東アジア世界の国際情勢の推移を粗描してみたまでのことである。

参考文献

三上次男(一九七三)「高麗仁宗朝における高麗と宋との関係」『金代政治・社会の研究』〈金史研究〉3、中央公論美術出版。

矢木毅(二〇〇八)『高麗官僚制度研究』京都大学学術出版会。

矢木毅(二〇一二)『韓国・朝鮮史の系譜――民族意識・領域意識の変遷をたどる』塙書房。

コラム｜*Column*

高麗王室の蔵書印

矢木 毅

森鷗外の史伝小説『渋江抽斎』の一節に、抽斎（渋江全善）が森立之らと編纂した漢籍の解題目録『経籍訪古志』のことが詳しく紹介されている。日本に現存する古写本、古版本を網羅したこの目録は、江戸時代における我が国の書誌学の最高の成果として知られているが、ここで紹介したいのは目録それ自体というよりは、そのなかに取り上げられたひとつの漢籍と、そこに捺された蔵書印のことである。

『通典』二百巻（北宋槧本、楓山官庫蔵）――北宋時代の木版本。字体は楷書できっちりとしている。巻一〇〇より巻二〇〇までは欠落し、昔の人が書き足している。印刷の紙や墨は古びて趣がある。各巻には「経筵」の印、「高麗国十四葉」の印が捺されている（原漢文：『経籍訪古志』巻三、史部、政書類）。

右の『通典』は唐の杜佑《とゆう》の撰。『経籍訪古志』に採録されたこの北宋時代の木版本は、江戸幕府（楓山官庫）を経て、いまは宮内庁書陵部に収蔵されている。その画像データは今日ではインターネット上に公開されているので、だれでも書影や蔵書印を手軽に見ることができるのであるが、このうちの「高麗国十四葉」の印こそは、このコラムの題に掲げた高麗王室の蔵書印にほかならない。さっそく、インターネットでその印文を確認してみることにしよう（サイト名は「宮内庁書陵部収蔵漢籍集覧」（慶應大学斯道文庫））。

いわゆる「高麗国十四葉」の印は、正しくは「高麗国十四葉辛巳歳蔵書、大宋建中靖国元年、大遼乾統元年」と楷書で刻んだ朱文長方印。図版を御覧になるとわかることであるが、「建中靖国」の「建」の字は、「えんにょう」の最後の一画をわざと書き落としている（これを欠画という）。高麗の太祖（王建）の諱《いみな》をわざわざ避けているのは、それが高麗王室の蔵書印であることの端的な証。「高麗国十四葉辛巳歳」は高麗第一五代国王粛宗の六年（一一〇一）に当たるが、粛宗はおいの献宗を廃して即位しているので、自らを第一四代の国王として位置づけていたのであろう。

「大宋建中靖国元年、大遼乾統元年」は、いずれもこの辛巳歳（一一〇一）に該当する。このころの高麗は「大遼」から冊封を受けているので、本来なら「大遼」の年号を先に記さなければならない。にもかかわらず、「大宋」の年号を先に記しているところに、このころの高麗の中国に対する態度――「事大」の意識――が端的に示されているのである。

さて、この「高麗国十四葉」の印が捺された『通典』という本は、その後、王朝の交替を経て朝鮮王朝の宮中書庫に収められることになった。その証拠として、朝鮮王朝の初期に梁誠之という学者が宮中の蔵書整理を建言した文章のなかに、この「高麗国十四葉」の印のことがはっきりと言及されているのである。

「前朝（高麗）の粛宗が中国典籍のコレクションを始めましたが、その蔵書印には、ひとつには「高麗国十四葉辛巳歳蔵書、大宋建中靖国元年、大遼乾統九年」とあり、いまひとつには「高麗国御蔵書」と記されています。粛宗の時代から今現在まで三六三年になりますが、印文はまるで昨日捺したかのようにはっきりとしており、確かな記録として参照することができます」（原漢文：『世祖実録』九年〔一四六三〕五月戊午条、一部訂正）

「高麗国十四葉」印（『通典』北宋版，第二冊末葉）

またこの『通典』には、もうひとつ「経筵」の印も捺されているが、こちらは朝鮮王朝の初期のものであることが、これも『実録』の記録から確認できる。

「集賢殿が国王に申し上げた。「御学問所（経筵）に収蔵する書冊には、蔵書印を捺さなければなりません。どうか「経筵」の二字の印を作って、各巻の巻首に捺すことにしましょう。また「内賜」の二字の印を作り、臣下に書籍を授ける場合には、これを捺して下げ渡すことにしましょう」と。王はこの意見に従った」（原漢文：『世宗実録』十一年〔一四二九〕三月壬申条）

右に述べられているとおり、『通典』には各巻の巻首に「経筵」の印が捺されているから、これは高麗王室の印ではなく、朝鮮時代の初期に捺された印なのであろう。

高麗王室の蔵書であった北宋版の『通典』は、このように朝鮮時代の初期には確かに朝鮮の国内で収蔵されていた。それが日本に伝わった経緯は正確にはわからないが、おそらくは壬辰の乱（一五九二年）による戦利品のなかの一つとして伝わったものなのであろう（以上については長沢規矩也・尾崎康〔編〕（一九八一）『通典：北宋版』別巻、汲古書院、の解題に詳しい）。

このほかにも、日本には朝鮮由来の文化財が多数保管されている。日本にあったからこそ今日にまで伝わったのだ、とまでは言わないにしても、世界的に貴重な他国の文化財を、今、私たちがお預かりしているのだ、ということは忘れないでおきたい。その文化財を返す、返さない、ということは、ある意味ではどちらでもよい。むしろその文化財を通して日本と韓国・朝鮮の、そうして世界との相互理解を深めていくことこそが、私たちの使命なのである。

【執筆者一覧】

丸橋充拓（まるはし みつひろ）
1969年生．島根大学法文学部教授．中国唐代史．

舩田善之（ふなだ よしゆき）
1972年生．広島大学大学院人間社会科学研究科准教授．モンゴル帝国史．

井黒　忍（いぐろ しのぶ）
1974年生．大谷大学文学部准教授．中国近世史．

伊藤正彦（いとう まさひこ）
1966年生．熊本大学大学院人文社会科学研究部（文学系）教授．中国社会経済史．

金　文　京（きん ぶんきょう）
1952年生．京都大学名誉教授．中国古典戯曲小説．

山崎覚士（やまざき さとし）
1973年生．佛教大学歴史学部教授．中国中世史．

徳永洋介（とくなが ようすけ）
1960年生．富山大学学術研究部人文科学系教授．中国近世史．

渡辺健哉（わたなべ けんや）
1973年生．大阪公立大学大学院文学研究科教授．中国近世史．

川村　康（かわむら やすし）
1961年生．関西学院大学法学部教授．中国法史学．

佐々木　愛（ささき めぐみ）
1968年生．島根大学法文学部教授．中国近世思想史．

矢木　毅（やぎ たけし）
1964年生．京都大学人文科学研究所教授．朝鮮中世史．

大竹昌巳（おおたけ まさみ）
1989年生．京都大学大学院文学研究科講師．契丹文献学．

【責任編集】

荒川正晴(あらかわ　まさはる)
1955年生．大阪大学名誉教授．中央アジア古代史，唐帝国史．『ユーラシアの交通・交易と唐帝国』(名古屋大学出版会，2010年)．

冨谷　至(とみや　いたる)
1952年生．京都大学名誉教授．中国法制史．『漢唐法制史研究』(創文社，2016年)．

【編集協力】

宮澤知之(みやざわ　ともゆき)
1952年生．佛教大学歴史学部教授．『宋代中国の国家と経済——財政・市場・貨幣』(創文社，1998年)．

岩波講座　世界歴史　7　　第7回配本(全24巻)

東アジアの展開　8～14世紀

2022年4月27日　第1刷発行

発行者　坂本政謙

発行所　株式会社　岩波書店　〒101-8002 東京都千代田区一ツ橋2-5-5
電話案内　03-5210-4000　https://www.iwanami.co.jp/

印刷・法令印刷　カバー・半七印刷　製本・牧製本

ISBN 978-4-00-011417-2

岩波講座

世界歴史

A5 判上製・平均 320 頁（黒丸数字は既刊，＊は次回配本）

全㉔巻の構成

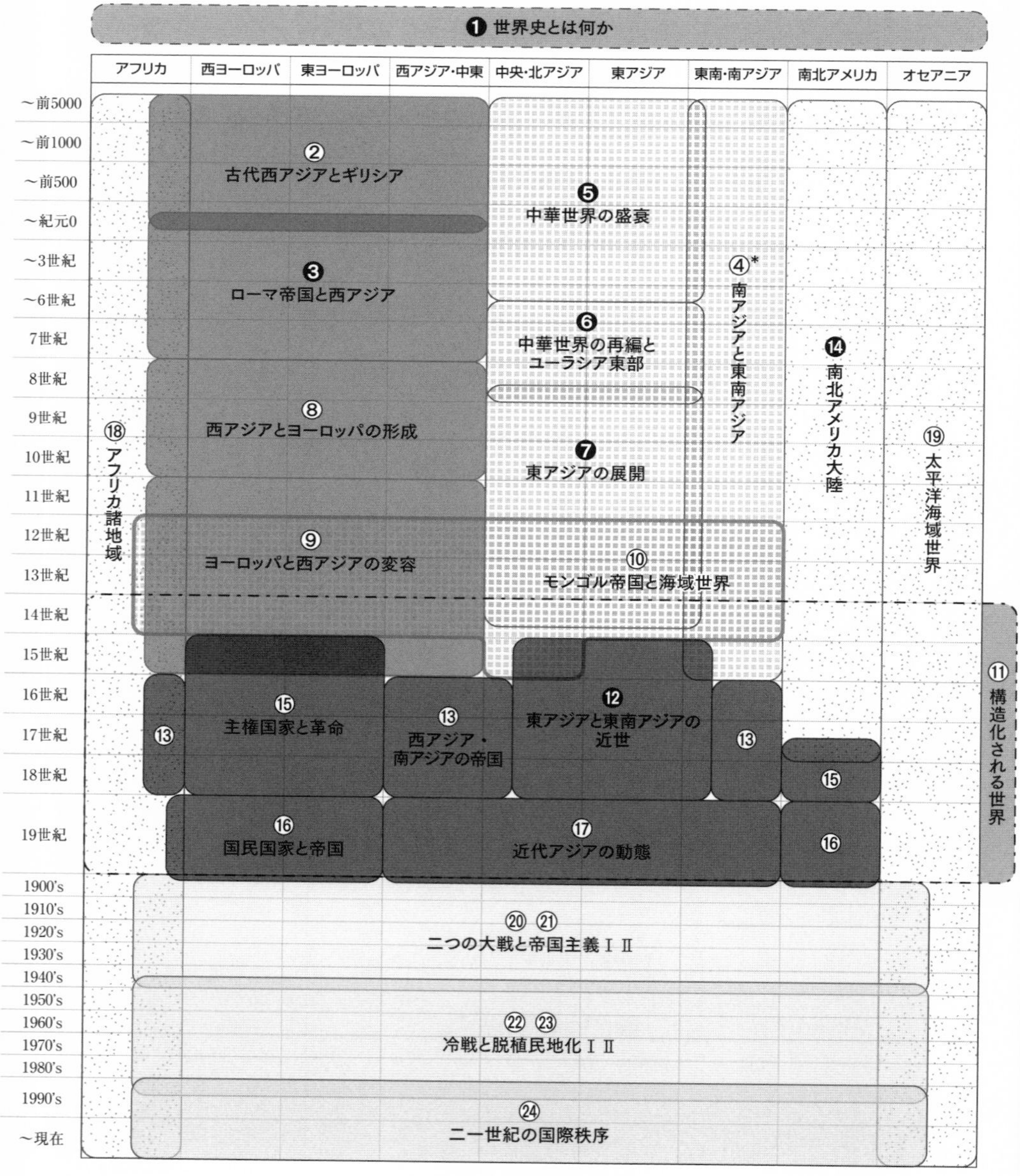

※本図は各巻の内容を厳密に反映したものではなく，便宜的に図示したものです．